LE CAPITA

Tome I

Michel Zévaco

Copyright pour le texte et la couverture © 2023 Culturea
Edition : Culturea (culurea.fr), 34 Hérault
Contact : infos@culturea.fr
Impression : BOD, Norderstedt (Allemagne)
ISBN : 9791041839223
Date de publication : juillet 2023
Mise en page et maquettage : https://reedsy.com/
Cet ouvrage a été composé avec la police Bauer Bodoni
Tous droits réservés pour tous pays.

Chercher les périls et les aventures les plus hasardeuses.

(Précepte II des chevaliers de la Table ronde)

I

Giselle d'Angoulême

Une étrange terreur pèse sur Paris. Des bruits sinistres se répandent, pareils à ces grondements du ciel, précurseurs d'orage. Parfois, des bandes hurlantes passent, avec des physionomies d'émeute. Le bourgeois fourbit sa vieille pertuisane du temps de la Ligue. La noblesse est debout pour la reprise de ses privilèges féodaux. Guise conspire. Condé conspire. Angoulême conspire. Luynes veut gouverner. Richelieu veut gouverner. Le trône des Bourbons chancelle et va s'écrouler peut-être.

Et devant ces rafales d'ambitions déchaînées qui s'entre-choquent, il n'y a au fond du Louvre, désert et morne, qu'un pauvre petit roi de quinze ans, tout seul, abandonné, pâle et triste comme le peuple.

Et, comme le peuple, Louis XIII tremble et se demande :

– Qui va devenir le maître ?... Guise ? Condé ? Angoulême ? Qui de vous va poser son pied sur ma tête ?

Or, peuple, roi, conspirateurs sont unis par une même et vaste haine éparse ; ils frémissent d'une commune épouvante, prêts à se déchirer, ils lèvent les yeux sur la flamboyante figure qui plane sur le Louvre, sur Paris, sur le royaume. Et alors la même imprécation gronde sur toutes les lèvres, depuis le roi jusqu'au manant – excepté sur celles de la reine mère Marie de Médicis. Cette figure, c'est celle d'un homme qui commande, décrète, ordonne, règne, écrase, terrorise. Il est le luxe infernal ; il est la puissance sans limites ; il est l'orgueil sans frein ; il est l'orgie... il est le crime. Il passe comme un de ces incompréhensibles météores qui traversent les espaces historiques en laissant derrière eux un sillage de sang et de feu, puis éclatent et s'éteignent dans quelque suprême catastrophe...

Et cet homme, c'est Concino Concini...

L'amant de la reine !

Le matin du 5 août de cette année 1616...

Rue de Tournon, un hôtel qui a des allures de forteresse royale, avec sa cour pleine de gardes, son monumental escalier sillonné de valets chamarrés, ses somptueuses antichambres encombrées de courtisans : c'est le logis de Concino Concini, gouverneur de Normandie, marquis d'Ancre, maréchal de France et Premier ministre de Louis XIII...

Le cabinet des audiences, vaste pièce où l'art de l'Italie et l'art de la France ont prodigué leurs chefs-d'œuvre – tableaux, meubles, marbres et bronzes. Voici Concini !

Il est de taille moyenne, vigoureux, nerveux, d'une rare, d'une exquise élégance. Son beau visage est éclairé par des yeux de félin, tantôt d'une étrange douceur, tantôt fulgurants. Il a le masque audacieux et trouble des grands aventuriers. C'est peut-être l'âme d'un Néron ou d'un César Borgia qui palpite dans ces gestes volontaires, dans ces attitudes d'orgueil.

Il se penche sur quelqu'un qui, à demi courbé, l'écoute avidement. Et tandis que dans la foule des solliciteurs on se demande ce qui se prépare derrière cette porte de cabinet, de quelle fête le maître va éblouir Paris ou de quel impôt il va l'écraser, voici ce que dit Concini d'une voix sourde :

– La haine, oui, Rinaldo, c'est quelque chose ! Je l'ai dans les moelles. Oui, je hais jusqu'à la damnation ce duc d'Angoulême. Les autres, les Guises, les Condés, ce n'est rien que truandaille affamée d'honneurs ou d'argent. Lui, c'est le redoutable adversaire. Je le tuerai, ou il me tuera. Rinaldo, je donnerais dix ans de ma vie pour tenir Angoulême et, de mes mains, lui arracher le cœur, mais...

– Allez donc, monseigneur ! ricana l'homme avec une familiarité insolente et obséquieuse.

– Mais la haine, reprend Concini d'une voix ardente, cette haine que j'ai pour le duc d'Angoulême, eh bien ! elle s'évanouit quand l'amour parle en moi. Cette fille, il me la faut, vois-tu ! Fortune, honneur, puissance, haine, il n'y a plus rien quand l'image de

Giselle s'évoque en moi. Rinaldo, je meurs si Giselle n'est à moi. Rinaldo, la passion me brûle le sang, me déchire le cœur, et la passion envahit mon cerveau...

– Patience, monseigneur, on la retrouvera, cette Giselle !

– Oh ! si j'en étais sûr ! Si seulement je pouvais espérer ! De l'argent, Rinaldo, de l'or, des places, tout ce que tu voudras, si tu la retrouves !... Qui peut-elle être ? De grande famille, à coup sûr, mais laquelle ?...

– On le saura, monseigneur. Patience, vous dis-je !

– Ah ! gronde Concini, avec un geste violent. N'avoir fait que l'entrevoir ! Ne savoir d'elle que ce nom de Giselle, ce nom adoré que je balbutie en pleurant dans mes longues nuits sans sommeil !... Je veux, entends-tu, je veux savoir qui elle est, je veux que tu la retrouves ! Va, cherche, dépense sans compter, jette mille espions dans Paris, va, mon Rinaldo, et ne reparais que pour me crier : « Vivez, espérez, aimez, Giselle est retrouvée ! »

– Très bien, monseigneur. Je résume. Côté haine : m'assurer si le duc d'Angoulême a eu l'audace de rentrer dans Paris comme on l'a dit ; et alors, lui préparer un bon traquenard. Côté amour : me mettre en campagne pour retrouver notre belle inconnue, avec, pour unique guide, ce nom de Giselle.

– Retrouve-la, Rinaldo, retrouve-la ! Et je te fais comte !

Rinaldo s'incline jusqu'à terre.

– Monseigneur, dit-il froidement, votre Giselle sera retrouvée, je le jure sur le titre de noblesse que vous venez de me conférer !

Concini pâlit. Il porte la main à son cœur, et palpite, secoué par un long frisson. Rinaldo s'est éloigné. Dans la cour de l'hôtel, il monte à cheval et murmure en ricanant :

– Pardieu ! je parierais bien ma noblesse toute neuve que c'est elle que j'ai vue hier aux environs de Meudon ! Mais, diable ! il faut que je sois sûr ! Si je donnais une fausse joie à Concini... je le connais, mon illustre maître : il me ferait comte de la Bastille et me laisserait pourrir dans mon comté. Allons ! à Meudon !

À Meudon. Derrière la dernière maison du village, c'est un vieux parc abandonné, touffu, envahi par les végétations libres. Près de la grille, un alezan tout sellé, qu'un vieux serviteur tient en bride. Et, s'avançant vers le cheval, une jeune fille qui s'appuie au bras d'un gentilhomme de fière allure, les tempes grises, le visage pâle de cette pâleur spéciale des gens qui ont longtemps vécu dans un cachot, mais plein de vigueur concentrée, jeune encore, paraissant la quarantaine.

La jeune fille, avec une grâce hardie, porte un costume amazone en velours bleu ; sa beauté blonde et lumineuse est de celles qui étonnent, bouleversent, inspirent de foudroyantes passions. Mais ce qui frappe, charme, éblouit plus encore que la noblesse du front, la magnificence de la chevelure, l'azur profond des yeux, l'harmonie de la taille et du corps, ce qui imprime à cette beauté un caractère personnel, c'est cet air d'indicible dignité dans les attitudes, cette admirable franchise du regard, cette intrépidité d'âme qui paraît à son geste, à sa parole, à toute sa personne.

– Adieu, mon père, dit la jeune fille en s'arrêtant près de la grille.

– Adieu ! mon enfant chérie, répond le gentilhomme en la serrant dans ses bras. Que deviendrais-je si tu n'étais là, ma belle guerrière, mon vrai sang ! Si ma destinée me porte enfin sur ce trône que les Bourbons ont volé à ma race, c'est à toi que je devrai de régner. Tu es une vraie Valois, ma noble et hardie messagère, ma bien-aimée Giselle ! Toujours à cheval, à travers mille dangers ! Hier encore, tu revenais d'Orléans, d'où tu me rapportais ces précieux papiers. Et te voilà de nouveau en route !

– Bon ! s'écrie gaiement celle qu'on vient de nommer Giselle, dites que je suis un reître, et n'en parlons plus. D'ailleurs, aujourd'hui, le voyage n'est pas terrible, jusqu'au hameau de Versailles. Ce soir, je serai ici... Et puis, j'ai de qui tenir, mon père, puisque je suis petite-fille du roi Charles IX et fille de Charles, duc d'Angoulême !

– Ce soir ! reprend le duc d'Angoulême, dont le front se charge de nuages, dont l'œil étincelle. Ce soir ! C'est ce soir que dans ce pauvre village a lieu l'assemblée des chefs ! C'est ce soir que mon sort se décidera ! C'est ce soir que les envoyés de la noblesse française choisiront entre Guise, Condé et moi ! Que sortira-t-il de cette assemblée, Giselle !... Roi ! Être roi ! Quelle ivresse et quelle gloire !... Et s'ils allaient ne pas me choisir. S'ils allaient me préférer ce Guise intrigant et grossier ou ce Condé avare... Oh ! j'en mourrais de honte !

Une mélancolie soudaine voile les yeux de Giselle. Elle murmure d'une voix angoissée :

– Hélas ! Qui sait jusqu'où vous conduira cette ambition ! Ah ! mon père, si vous pouviez renoncer.

– Jamais ! interrompt rudement le duc d'Angoulême.

– Pour Dieu ! soyez prudent, au moins ! Vous vous êtes montré dans Paris ! Je tremble, mon père ! Car s'il y a dans Paris un palais qui vous magnétise et s'appelle le Louvre, il y a aussi une forteresse qui a failli être votre tombe !...

– La Bastille ! murmure en frissonnant le gentilhomme ; et un sourire d'affreuse amertume crispe ses lèvres. La Bastille ! Je n'y retournerai pas, sois tranquille. J'y ai trop souffert : si je suis pris, je me tue !... Mais rassure-toi, mon enfant. Toutes précautions sont prises. Je triompherai. Et mon premier acte de roi, ce sera un geste de justice implacable... tu sais contre qui, puisque toi-même tu le hais !

Un tressaillement agite alors Giselle. Ses lèvres pâlissent. Une inexprimable énergie s'étend sur ses traits. Et elle est bien, alors, toute pareille à ces guerrières des temps lointains qui, de leurs mains frêles, maniaient la hache.

– Oui, dit-elle, je hais, je méprise de toutes les forces de mon être cet homme qui a fait le malheur de ma mère ! Oui, je veux que ma mère soit vengée ! Oui, c'est pour cela que je vous aide, mon père ! Car ce serait à nier toute justice au ciel et sur terre si Concini n'était puni de son infamie !...

– Sois tranquille ! répond le duc dans un grondement terrible.

À ce moment, hors la grille, dans le bois, de fourré en fourré, un homme se glisse, rampe, s'approche... son regard avide se fixe sur Giselle... il tressaille d'une joie furieuse... il rugit en lui-même :

– C'est elle ! Plus de doute, cette fois ! C'est bien notre inconnue... Je la tiens !

Et cet homme, c'est Rinaldo, l'âme damnée de Concini !

– Sois tranquille, continue le duc. L'heure de la vengeance approche. Et si tu m'y aides de toute ton âme vaillante, bientôt, demain, dès ce soir, je serai aidé aussi par quelqu'un que j'attends...

un jeune homme, Giselle, beau comme Achille, intrépide comme Ajax, noble comme un Valois... Son père m'annonce son arrivée... Il a dû passer par Orléans, et, comme toi hier, par Étampes et Longjumeau.

– Longjumeau ! balbutie la jeune fille, tandis qu'une ardente rougeur empourpre son front.

Le père a vu cette rougeur, ce trouble soudain. Il a senti sa fille frissonner dans ses bras... Et son cœur se met à battre d'espoir.

– Oh ! dit-il en tremblant. L'aurais-tu rencontré ? Dieu me donnerait-il cette joie suprême que tu l'aies remarqué ! Parle-moi ma Giselle chérie ! Oh ! si tu savais...

– Eh bien ! oui, mon père, à Longjumeau, j'ai vu et remarqué un jeune homme.

– Vingt ans à peu près, n'est-ce pas ? Fier d'aspect, portant la bravoure sur son front, n'est-ce pas ?

– Oui... oui... bégaie Giselle.

– Un dernier mot, ma fille bien-aimée. Celui que j'attends porte un costume en velours gris perle...

La jeune fille jette un léger cri, et, toute palpitante, répond encore :

– Oui, mon père !

– Sauvé ! Dieu soit loué ! C'est le marquis de Cinq-Mars que tu as rencontré... et remarqué ! C'est celui que je te destinais ! Sauvé, maintenant ! Le dernier obstacle est levé ! Ne m'interroge pas ! Plus tard, tu sauras comment ton union avec le marquis de Cinq-Mars me sauve et assure mon triomphe... Car tu consens à cette union, n'est-ce pas ?... tu l'aimes !...

– Je n'ai vu ce jeune homme qu'un instant, murmure Giselle, dont le sein se soulève. J'ignorais même qu'il s'appelât...

– Cinq-Mars ! Henri, marquis de Cinq-Mars !

– Henri ! balbutie la jeune fille au fond d'elle-même. Il s'appelle Henri !... Tout ce que je puis vous dire, mon père, c'est que je souhaite que l'homme dont je porterai le nom ressemble à celui que j'ai vu !

Le duc d'Angoulême jette un cri de joie puissante. Giselle

s'arrache de ses bras, saute légèrement sur son cheval, franchit la grille, et crie de loin :

– Dans une heure, je suis à Versailles. J'attends ceux que vous savez. Ce soir, je suis de retour. À ce soir, mon père !

– Ce soir ! gronde ardemment le conspirateur. Si elle trouve Guise et Condé à Versailles et qu'elle les amène à l'assemblée, ce soir, je suis élu roi ! Car maintenant, toute l'influence du père de Cinq-Mars est à moi ! Ce soir !

Et enivré, il regagna la maison, tandis que Giselle d'Angoulême galope à travers bois en murmurant :

– Le costume de velours gris perle... vingt ans... beau comme Achille, intrépide comme Ajax, noble comme un Valois... c'est lui ! C'est bien celui dont le regard, à l'auberge de Longjumeau, m'a bouleversée !... Il s'appelle Henri... marquis de Cinq-Mars !

II

Léonora Galigaï

Alors, Rinaldo, embusqué dans les fourrés du bois qui entourait le parc, se leva de son affût :

– Avec qui diable parlait-elle ? grogna l'agent de Concini. Et que se disaient-ils ? Serait-ce un rival ? Hum ! Je n'en parlerai pas. Tout à la joie, monseigneur ! Ce qui est sûr, c'est que c'est bien notre Giselle. Bon. Elle va à un endroit qui s'appelle Versailles, a-t-elle crié. Bon. Elle revient ce soir. Très bon. Le reste est aussi facile que d'ouvrir la porte de la cage pour y enfermer le bel oiseau bleu de nos rêves !

Rinaldo s'enfonça sous bois, retrouva son cheval, qu'il avait attaché à un arbre, sauta en selle, s'élança ventre à terre, et, sur le coup de midi, rentra dans Paris par la porte Saint-Honoré, et traversa à franc étrier la bonne ville de Sa Majesté Louis XIII, rué en un galop d'enfer, sans s'inquiéter des cris d'effroi ou des clameurs menaçantes qu'il soulevait sur son passage. Et il faut dire que si les cris de terreur étaient provoqués par l'allure désordonnée du cheval fumant et ensanglanté par les éperons de fer, les menaces visaient surtout les couleurs que portait le cavalier et non le cavalier lui-même. Ces couleurs, cette livrée, comme on disait alors sans attacher à ce mot le sens de domesticité qu'il a acquis par extension, cette livrée, donc, devait être bien détestée des Parisiens ; sans doute, elle évoquait de formidables rancunes, car de sombres regards de haine la suivaient, des poings se crispaient et se tendaient, de sourdes imprécations éclataient, et, là où elle apparaissait, l'atmosphère semblait se charger de terreur et d'horreur.

Le cheval, pantelant, à demi fourbu, s'arrêta enfin rue de Tournon, devant l'hôtel Concini, en plein faubourg Saint-Germain, à quelques pas de cette rue de Vaugirard où s'étendaient les jardins de M. le duc de Luxembourg, sur l'emplacement desquels la reine Marie de Médicis faisait alors bâtir un magnifique palais.

Rinaldo monta l'escalier, fendit sans crier gare le flot de courtisans et de solliciteurs qui s'ouvrait docilement devant lui, et, tout haletant, tout couvert de poussière, ouvrit d'une main familière la porte du cabinet où le maréchal d'Ancre, assis à une grande table incrustée de ciselures d'argent, apposait sa signature au bas de quelques parchemins.

À la vue de Rinaldo, Concini se leva d'un bond, et, d'une voix ardente, bouleversée de passion :

– Toi, Rinaldo ! Toi déjà ! M'apportes-tu l'amour ou le désespoir, la vie ou la mort ? L'as-tu retrouvée ? Oh ! mais parle donc !

– Elle est retrouvée ! prononça Rinaldo.

Concini devint très pâle, porta la main à son cœur et chancela en murmurant :

– Béni soit l'ange de ma vie qui me réservait une telle félicité ! Rinaldo, mon cher Rinaldo, demande-moi ce que tu voudras ! Veux-tu être comte, duc, gouverneur ? Retrouvée : Est-ce vrai ? Est-ce que je ne rêve pas ? Ô mon inconnue adorée, dont je ne sais que le nom !... Giselle !... Nom charmant ! Giselle ! Nom chéri que mes lèvres, depuis tant de jours, tant de nuits, prononcent comme dans une caresse de baiser !... Et tu dis... voyons, répète... où ? quand ? comment ?

– Hé ! *per Dio santo !* vous ne m'en laissez pas le temps ! Malepeste ! monseigneur, vous voilà pour le coup bien assassiné !...

Concini devint livide. La peur de l'assassinat était son chancre rongeur...

– Assassiné par les flèches du seigneur Cupido. J'avoue, *per bacco*, qu'une couronne, un simple tortil de baron ne ferait pas mal sur la porte de mon logis... Vous avez ouvert votre main magnanime, et je me baisse, et je ramasse les miettes de votre magnificence.

– Te tairas-tu, *briccone* ! gronda Concini.

– Je me tais, Excellence !

– Parle ! Où est-elle ?

– À Meudon. La dernière maison du village, à droite, presque en face l'auberge de la *Pie Voleuse*. Hé ! mon cher seigneur, c'est ce coup-ci que nous allons trouver, vous m'entendez bien, trouver la pie au nid...

– Partons ! rugit Concini.

– Attendez donc, par tous les diables ! Quelle ardeur ! Nous avons le temps, vous dis-je. Elle est partie pour un certain hameau qui se nomme Versailles... où prenez-vous Versailles, monseigneur ?

– Je sais, je sais, passe ! Après ! Après, donc, morbleu !

– Après ? Eh bien ! elle doit revenir à Meudon, ce soir. Nous n'avons donc qu'à nous poster sur la route, et...

– C'est bien ! gronda Concini. Prends avec toi Bazorges, Chalabre, Pontraille, Louvignac et Montreval. Qu'ils soient bien armés. Dans une heure, nous partons...

– Oui, ricana Rinaldo, et nous tendons tranquillement notre filet. Mais, ajouta-t-il en baissant la voix, que dira votre illustre épouse légitime ?

– Léonora ! murmura Concini en tressaillant. Oh ! cette femme, Rinaldo ! Cette femme dont la jalousie m'enlace d'un réseau où je me débats comme le lion pris aux rets ! Qu'elle ignore surtout, ah ! qu'elle ignore à jamais jusqu'au nom de celle que j'aime... Elle la tuerait, vois-tu, elle l'empoisonnerait comme elle a empoisonné... tu sais ! Celle-là et d'autres ! Et si l'aqua-tofana épargnait Giselle, c'est que de son stylet, Léonora lui fouillerait le cœur !

À ce moment, à une porte intérieure qui, par un long couloir, faisait communiquer l'appartement du maréchal avec celui de la marquise d'Ancre, on gratta légèrement.

– Silence ! gronda Concini.

La porte s'ouvrit... une femme parut... Cette femme, c'était l'épouse de Concini, la marquise d'Ancre... Léonora Galigaï !

Celui qui, deux heures auparavant, eût pénétré dans la chambre de toilette de la marquise d'Ancre, l'eût vue assise devant une table encombrée de flacons, pinceaux et brosses : l'attirail compliqué d'une grande coquette. Pourtant, cette femme n'était pas coquette. Son esprit profond et mâle méprisait d'un hautain mépris les colifichets et fanfreluches des parures féminines. Sa pensée aux ailes de vaste envergure, en son vol de vautour, planait au-dessus des inquiétudes qui agitent les autres femmes.

Mais elle était laide !

Difforme, contrefaite, l'épaule gauche renflée, la bouche trop grande, le buste mal d'aplomb sur les jambes, laide enfin, Léonora n'avait pour toute beauté que deux yeux noirs resplendissants d'intelligence, pareils à deux étoiles égarées au fond d'un ciel triste de novembre. C'était cette disgrâce de la nature que Léonora, tous les matins, tâchait de réparer ou d'atténuer par l'application d'un art qu'elle avait étudié comme un général étudie la stratégie.

Laide, soit ! il est des laideurs harmonieuses. Mais que tout au moins sa présence fût supportable à l'homme qu'elle adorait d'un amour exclusif, absolu : son mari !

Et alors, tout cet étalage de coquetterie eût pu sembler touchant. Et alors, on eût assisté à la transformation magique opérée sur cette laideur par une puissante volonté. Peu à peu, les difformités disparaissaient ; les deux épaules s'égalisaient, la taille se redressait, la bouche reprenait des proportions normales, et, dans cet ensemble rectifié, corrigé, rebâti de toutes pièces, les yeux noirs brillaient d'un éclat plus doux. Léonora était presque belle !

Ce jour-là, lorsqu'elle se fut, non pas regardée, non pas admirée, mais inspectée dans une immense glace – présent et hommage de la république de Venise – elle se tourna vers la suivante favorite qui était initiée seule à ce prodigieux travail de tous les matins :

– Marcella, demanda-t-elle froidement, tu dis que Rinaldo est sur la piste de Giselle d'Angoulême ?

– Je le dis, madame. Je répète qu'on trouvera le duc d'Angoulême et sa fille dans la maison de Meudon que je vous ai signalée. Mais, madame, il n'y a pas encore de mal : M. le maréchal ignore sûrement que celle qu'il aime est la fille du duc d'Angoulême...

Léonora ne l'écoutait plus. Les deux étoiles noires de ses yeux se voilèrent d'une larme qui s'évapora à la fièvre des joues. Elle serra, d'un geste désespéré, ses mains l'une dans l'autre :

– Il l'aime ! Oh ! celle-là, ce n'est pas un caprice ! Il l'aime ! Et moi ! moi ! Pas un regard, pas un sourire ! Malheur sur moi ! et malheur sur elle !

À pas rapides, elle se dirigea vers le cabinet de Concini, parvint à la porte secrète, écouta un instant, puis entra. Concini pâlit. Rinaldo s'éclipsa.

– Concino, dit Léonora en couvrant son mari d'un regard de tendresse, j'ai voulu vous voir avant d'aller au Louvre prendre mon service auprès de la reine Marie. M. de Richelieu sort de chez moi. Il m'a appris des choses fort graves...

– De quoi se mêle ce prêtre blafard ? gronda Concini en fronçant les sourcils.

– Ne vous fâchez pas, mon Concinetto... M. de Luçon nous est dévoué, et c'est encore un service qu'il nous rend.

– Eh ! qu'a-t-il pu vous apprendre ? Qu'on crie fort après moi, après vous, après les Florentins maudits ? Que le peuple s'exaspère ? Qu'il ne veut plus payer ? Qu'enfin, cela tourne mal pour nous ?... Auriez-vous peur, *cara mia* ?

– Je n'ai pas peur, Concino, dit froidement Léonora. Mais, sachez-le : c'est d'une vaste conspiration qu'il s'agit. Concino, on veut enlever le roi, le déposer, le tuer peut-être, et nous par la même occasion. À la tête de cette conspiration se trouve un homme que vous connaissez, un rude adversaire...

– Son nom ?

– Charles, comte d'Auvergne, duc d'Angoulême... le fils de Charles IX.

Concini tressaillit ; quelque chose comme un sinistre pressentiment pesa sur sa pensée.

– Celui-là, reprit Léonora, dont le visage s'irradia dans l'éclat de ses yeux, celui-là porte au cœur une indestructible ambition. Celui-là n'a eu qu'un rêve dans sa vie : fils de roi, régner à son tour ! Le fils de Marie Touchet, le bâtard de ce pauvre roitelet qui mourut noyé dans le sang, le comte d'Auvergne, duc d'Angoulême, est de la race hardie de ceux qui savent vouloir... et oser ! S'il était à votre place, Concino !

– Que ferait-il donc ? gronda le maréchal, en jetant un profond regard à sa femme.

Léonora se pencha vers Concini, l'enveloppa des effluves de sa pensée secrète, et, d'une voix sourde, murmura :

– Il serait déjà roi !

Le maréchal d'Ancre frissonna, et jeta autour de lui un regard de terreur.

– Voilà l'homme redoutable, continua-t-elle. C'est une âme

fortement trempée, un esprit fier et aventureux. Il veut monter à l'Olympe. Et comme les Titans de jadis, il entassera Pélion sur Ossa... à moins qu'il ne se serve de nos cadavres pour marchepied.

– Que faut-il faire ? murmura Concini subjugué, tout pâle.

Un soupir atroce gonfla le sein de Léonora ; puis ses yeux reprirent une mortelle expression de résolution. Elle prononça lentement :

– À la cuirasse de cet homme, j'ai découvert un défaut...

– Et cette faiblesse, c'est ?...

– Le comte d'Auvergne est père !... Oui, cet ambitieux qui s'est si bien gardé contre les embûches n'a oublié qu'une chose : c'est qu'il a un cœur. L'amour paternel nous le livre. Car, vois-tu bien, Concino, pour éviter une souffrance à son enfant, il accepterait la torture ; pour sauver l'enfant, il renoncerait au trône, bonheur, honneur, à tout : même à la vie.

– Je comprends ! dit Concini avec un sourire terrible.

– Que comprends-tu, voyons ?

– Nous nous emparerons de l'enfant. Et Charles d'Angoulême, comte d'Auvergne, se traîne à nos pieds : nous n'avons qu'à lui dicter la loi.

– Oui, gronda Léonora, avec un étrange regard. Mais si le père résiste ?

Entre le mari et la femme, entre ces deux êtres si dissemblables qui ne se touchaient que par le mal, il y eut une minute de silence formidable. Seulement, Concini, d'un pas souple, alla jusqu'à la porte s'assurer que nul n'épiait... Puis il revint à Léonora. À son tour, il se pencha sur elle, et de cette voix étrange du crime en méditation :

– Si le père résiste... s'il n'est pas dans nos mains comme une loque...

– Eh bien ? murmura Léonora dans un souffle.

– Eh bien ! il reste bien au marchand d'herbes du Pont-au-Change, à Lorenzo, quelques gouttes de cette eau qui ne pardonne pas ! Ce sera pour l'enfant !

– Cette fois, dit Léonora avec un calme effroyable, tu as compris !

Ils se regardèrent, leurs visages tout près l'un de l'autre, tout pareils en ce moment, sous le fard des mêmes pensées mortelles... Et tout à coup, dans un brusque geste de passion, Léonora attira, enlaça la tête de Concini, et violemment, d'un âpre baiser frénétique, l'embrassa sur les lèvres.

– Quel âge, l'enfant ? demanda Concini en reprenant son sang-froid.

– Elle peut avoir dix-sept à dix-huit ans.

– Elle ! Une fille ! balbutia Concini.

– Oui. Qu'importe, d'ailleurs. Concino c'est aujourd'hui même qu'il faut agir. Il faut que demain matin cette fille se réveille ici, en notre pouvoir. Et alors, tu l'as dit, Concino c'est toi qui l'as dit ! Si le père résiste, malheur à l'enfant !

– Ce soir même, j'agirai. Où trouverai-je la fille ?

Léonora répondit :

– À Meudon. La dernière maison du village, à droite, en face d'une hôtellerie qui s'appelle l'*Auberge de la Pie Voleuse*.

Concini vacilla sur ses jambes. Il sentit ses cheveux se hérisser sur sa tête, et le froid des épouvantes se glisser comme un reptile glacé le long de son échine.

– Son nom ? râla-t-il. Le nom de la fille du duc d'Angoulême !

– Giselle ! répondit Léonora Galigaï.

Le maréchal d'Ancre demeura foudroyé, muet d'horreur, incapable d'un geste, d'un mot ou d'une pensée, Léonora Galigaï l'enveloppa d'un dernier regard ; un sourire livide glissa sur ses lèvres ; puis, lente, silencieuse, elle se leva, se retira sans bruit, pareille à un spectre qui rentre dans ses ténèbres...

III

Adhémar de Trémazenc de Capestang

En la matinée de ce même jour où s'ébauche le drame qui bientôt nous ramènera à l'hôtel d'Ancre, un jeune cavalier d'une vingtaine d'années galopait nonchalamment d'un petit galop flâneur, à quelques lieues de Longjumeau.

Mince, de taille hardie, souple comme un roseau – mais un roseau d'acier – il avait une figure irrégulière et narquoise, belle à sa façon, d'une audace ingénue, d'une témérité qui s'ignore. Ses yeux disaient sa confiance illimitée en son étoile. Il portait avec une crâne élégance un costume en *velours gris perle*, quelque peu râpé : pourpoint, manteau, hautes bottes montantes, chapeau de feutre dont le bord se retroussait en bataille sur une longue plume ondoyante – sans compter une solide rapière à poignée de fer ciselé, forgée par Miranda, de Tolède.

Tout à coup, le cheval s'arrêta devant un large ruisseau : c'était la jolie rivière de Bièvre qui paressait au soleil. Elle longeait à cet endroit l'orée d'une forêt. La route qui franchissait la rivière sur un ponceau situé à une lieu en amont, pénétrait, là, dans la forêt où elle se perdait.

Sur cette route, à vingt pas du ruisseau, était arrêté un carrosse – invisible pour notre jeune cavalier, abrité qu'il se trouvait derrière un opaque rideau de jeunes ormes. Et du fond de la voiture, à travers les frondaisons, une femme guettait le jeune homme qui, à défaut d'autre interlocuteur, bavardait avec son cheval :

– Ça nous apprendra, mon digne compagnon, à nous appeler Fend-l'Air. À quoi servirait-il de s'appeler Fend-l'Air, s'il fallait passer les rivières sur des ponts, comme tout le monde ? Si nous tombons, nous rebondirons comme Antée ou Centaure. Et si nous nous défonçons quelque côte, du moins notre défaite n'aura-t-elle pour témoins que le soleil et ces fleurs. Hop, Fend-l'Air, hop, hop !...

Le cavalier avait pris du champ. Le cheval s'avançait sur l'obstacle au galop de manège, ramassé, frémissant, secouant de l'écume, se tendant comme un ressort à chaque foulée. Brusquement, l'homme rendit les rênes ; l'animal se rua en tempête ; il eut deux ou trois envolées de poitrail ; puis, les quatre fers étincelèrent ; un bondissement prodigieux dans l'espace ; l'instant d'après, sur l'autre rive, un hennissement de triomphe – et Fend-l'Air, emporté par l'élan, fonça sur la route jusque sous bois, pour aller s'arrêter à quelques pas du carrosse invisible.

– Bravo ! Fend-l'Air ! cria le cavalier en accablant de flatteries l'encolure de la vaillante bête. Bravo ! Merveilleux !

– Merveilleux ! répondit une voix du fond des frondaisons.

Le jeune homme se redressa effaré.

– Ouais ! fit-il. Serait-ce ici la demeure du seigneur Écho ?

– Vraiment merveilleux, reprit en se montrant alors la dame du carrosse. Mais à ne pas vouloir suivre la route banale, vous risquez de vous tuer, mon gentilhomme !

– La petite de Longjumeau ! murmura le cavalier. Ce n'était pas la peine de quitter la route pour la fuir !... pour rêver à mon aise à ma belle amazone en velours bleu ! La reverrai-je jamais ! Son regard m'a pénétré jusqu'à l'âme, et...

– Vous ne me répondez pas, monsieur ! fit l'inconnue interrompant cette rêverie.

– La peste soit de l'enragée, pour jolie qu'elle soit ! Excusez-moi, madame.

Et tout en pestant, le cavalier gratifia celle qu'il appelait la petite d'un grand salut de son feutre. C'était presque une enfant. On lui eût donné quinze ans. Elle était d'une beauté capiteuse, éclatante, avec une physionomie d'étrange hardiesse, des yeux déjà pervers et encore timides.

– Ainsi, reprit-elle, comme vous me le disiez à Longjumeau, vous allez au hasard, c'est-à-dire nulle part ?

– Si fait, madame, fit vivement le jeune homme. Ce hasard, pour le moment, me conduit quelque part, et, s'il faut tout dire, je vais à Paris.

– Moi aussi ! s'écria l'étrange jeune fille en éclatant d'un rire nerveux et dépité. Et, dites-moi, mon cher compagnon de voyage, qu'allez-vous faire, à Paris ?

– Mon Dieu, madame, je vais y faire fortune ! répondit le cavalier avec une belle naïveté.

– Tiens ! Toujours comme moi ! Voyons, faisons-nous route ensemble ? Je puis vous être utile. Je connais du monde à Paris ; par exemple, M. l'évêque de Luçon, qui est bien en cour et à qui je suis fort recommandée. Je lui parlerai de vous.

– Mille grâces, madame. Mais moi aussi je suis recommandé. Et savez-vous à qui ? À l'illustre maréchal d'Ancre en personne ! Et quant à faire route avec vous, ce me serait un précieux honneur que d'escorter votre chaise, mais, comme je vous l'ai dit...

Elle eut un nouvel éclat de rire qui découvrit une double rangée de perles éblouissantes serties dans l'écrin de velours carmin de deux lèvres en fleur.

– Adieu donc ! reprit-elle. En tout cas, écoutez. Je descendrai rue de Tournon, en l'hôtellerie des *Trois Monarques*. Si le hasard qui, paraît-il vous guide, et dirige vos actions, si ce hasard, donc, veut que vous ayez envie de me revoir, venez me demander là... Vous demanderez Mlle Marion Delorme.

Notre jeune homme était demeuré à la même place, et déjà le carrosse qui emportait Marion Delorme avait disparu à ses yeux, lorsqu'une voix le tira de sa rêverie. Il releva vivement la tête et se vit en présence d'un tout jeune gentilhomme qui avait fort grand air et montait un superbe rouan pourvu d'un portemanteau. Et ce nouveau venu portait lui aussi, *un costume en velours gris perle*.

– Monsieur, dit-il, voici près de trois minutes que je tourne autour de vous.

– Trois minutes ! C'est bien long ou bien court.

– Ce que j'ai à vous dire sera plus court encore ! fit l'inconnu, qui semblait agité de fureur.

– Parlez donc ! dit notre jeune homme. Seulement, je vous préviens, si court que doive être votre discours, que ma patience sera encore plus courte. Qu'avez-vous à me dire ?

– Ceci : que, à l'auberge de Longjumeau, vous avez parlé à cette jeune fille qui vient de passer ici.

– Vous voulez dire qu'elle m'a parlé.

– L'un ou l'autre me déplaisent également. Et il me déplaît aussi que vous vous soyez arrêté en ce lieu pour lui parler encore.

– Est-ce tout ? grommela le maître de Fend-l'Air en se campant fièrement.

– Non, je veux vous dire encore que vos airs de capitan sont peut-être de mode à la Comédie-Italienne, mais que entre gentilshommes, ils sont d'un goût détestable.

– Monsieur, dit froidement notre aventurier, le capitan de la comédie n'a qu'une épée en bois, tandis que la mienne est en acier trempé, tout à fait capable de faire rentrer dans la gorge des amoureux transis les impertinences qu'ils débitent. Dégainez à l'instant, s'il vous plaît !

– Nous voici d'accord ! fit l'inconnu, qui reprit aussitôt un ton de parfaite politesse. Seulement, mon cher adversaire, j'oserai vous adresser une prière. Je suis fort pressé de courir après cette chaise de poste.

– Bon. Vous voulez du crédit, n'est-ce pas ?... Accordé !

– Vous êtes charmant. Soyez-le donc jusqu'au bout, et venez, dans trois jours me demander à déjeuner. Puis, nous irons nous couper la gorge.

– À merveille. Et où devrai-je vous rejoindre pour vous donner une petite leçon d'escrime.

– Votre dernière leçon. Mais à l'hôtellerie des *Trois Monarques*, rue de Tournon, à Paris. C'est là que nous prendrons rendez-vous pour la petite saignée qui vous soulagera.

– Très bien. Maintenant, dites-moi : moi, je me nomme Adhémar de Trémazenc, chevalier de Capestang. Et vous ?

– Monsieur, dit l'inconnu, je m'appelle Henri de Ruzé d'Effiat, marquis de Cinq-Mars.

Les deux jeunes gens, d'un seul geste, se découvrirent, laissant pendre très bas leurs chapeaux, et s'inclinèrent jusque sur l'encolure de leurs chevaux.

Puis, se redressant, chacun d'eux exécuta une demi-volte, et ils partirent : le marquis de Cinq-Mars sur la route qu'avait prise le carrosse, le chevalier sur un sentier qui tournait à gauche.

– Bon ! murmura celui qui portait ce nom excessif de Adhémar de Trémazenc de Capestang, me voici avec un duel sur les bras ! Ce n'est pas cela qui m'aidera à me retrouver ! et une sorte d'angoisse l'étreignit à la gorge.

Au bout d'une heure, il se trouva tout à fait égaré. Alors, il s'arrêta au premier bouchon qu'il rencontra, et s'attabla sous une tonnelle, devant une jolie omelette et un cruchon de petit vin blanc.

Le soleil étant un peu tombé, il se remit en selle, et l'hôte, en venant lui verser le coup de l'étrier, lui indiqua son chemin : il n'avait qu'à suivre la route à travers bois pour arriver au village de Meudon, et de là à Paris.

Le chevalier de Capestang se remit donc en route, rêvant à son duel avec le marquis de Cinq-Mars, rêvant à Marion Delorme, rêvant surtout à l'amazone au costume bleu qui, la veille, à Longjumeau, avait produit sur lui une si profonde impression, enfin, rêvant aussi à cet illustre Concini, à ce maréchal d'Ancre, pour lequel il avait une lettre de recommandation.

Notre aventurier s'aperçut tout à coup que non seulement il se faisait tard, mais encore que sa monture, par caprice, avait pris un sentier qui s'écartait de plus en plus du grand chemin royal. Rassemblant alors ses rênes et faisant entendre un claquement de langue familier à son cheval, le jeune routier se dirigea droit vers le chemin de Paris.

Comme il allait l'atteindre, et qu'il n'en était plus séparé que par un taillis assez épais, il s'arrêta court : là, sur la route, à quelques pas de lui, il y avait un homme et une jeune fille qui, d'une voix basse, échangeaient des paroles violentes. Des paroles qu'il n'entendait pas... Mais à la vue de la jeune fille, Adhémar de Trémazenc chevalier de Capestang, éprouva comme un éblouissement ! Son cœur se mit à battre à grands coups sourds, et une sorte d'angoisse l'étreignit à la gorge.

– Elle ! Puissance du ciel ! C'est elle !

L'homme et la jeune fille, tous deux à cheval, étaient arrêtés au milieu de la route, face à face, avec des physionomies violentes comme les paroles qu'ils échangeaient dans un murmure sourd et rapide : passion, cynisme et menace chez lui ; terreur, mépris, haine chez elle.

– Giselle, écoutez-moi, grondait l'homme d'un accent de menace. Écoutez-moi avant qu'il ne soit trop tard ! Et c'est demain matin, que dis-je ! ce soir même qu'il sera trop tard ! Je puis vous sauver d'un effroyable danger, vous et votre père ! et en échange de mon dévouement...

– Votre dévouement m'est odieux !

– En échange de l'humble amour d'un homme qui vous adore et vous a consacré sa vie...

– Chacune de vos paroles est une insulte !

– Giselle, en échange de ce dévouement et de cette adoration, je ne vous demande qu'un regard moins sévère, une parole... oh ! un seul mot d'espoir !

– Tout ce que je puis faire, c'est de ne pas mettre dans ce regard le mépris que vous m'inspirez ; la seule parole que je puisse vous accorder est celle-ci : « Passez votre chemin, monsieur ! »

Ces paroles se succédaient, se frappaient, se heurtaient, rapides comme les battements d'épée d'un duel à mort.

– Est-ce votre dernier mot ? rugit sourdement l'homme avec une rage concentrée.

– Allez, monsieur ! répondit la jeune fille d'une voix de souveraine dignité.

– Eh bien ! donc, gronda l'homme, livide de fureur et de passion, ne t'en prends qu'à toi-même si l'abîme s'ouvre sous tes pas, si ton père meurt dans le désespoir, et si toi-même tu péris misérablement... car, j'en jure Dieu...

À ces mots, l'homme, comme s'il n'eût pu se contenir davantage, poussa son cheval sur celui de la jeune fille, blanche comme un lis. Et Concino Concini, maréchal d'Ancre leva la main, une main rude de sacripant, pour saisir la fille du duc d'Angoulême ! Elle se renversa en arrière avec un cri d'horreur.

À ce moment, quelque chose d'impétueux, d'irrésistible, quelque chose de semblable à un boulet sortit, jaillit de la forêt, dans un grand bruit de branches fracassées... le cheval de Concini recula dans un écart de terreur sous un choc terrible... une épée longue, large et solide, flamboya aux rayons du soleil couchant, et la voix du chevalier Capestang tonna :

– Arrière, monsieur le drôle ! Arrière, monsieur l'insulteur de femmes ! Arrière, monsieur l'infâme ! ou par le sang du Christ ta dernière heure est venue !

Giselle, palpitante, eut la soudaine, rapide et prestigieuse vision d'un cavalier qui lui apparaissait comme dans une gloire, un flamboiement de beauté furieuse. Et ce cri de joie, d'espoir, d'orgueil retentit dans son être, au plus profond, au plus secret de son cœur :

– Lui ! Henri de Cinq-Mars !

Blafard, balbutiant, une sueur froide au front, Concini vit à deux pouces de sa poitrine la pointe de la forte rapière. D'une violente saccade, il recula.

– Quel est ce truand de grande route ! bégaya-t-il. Misérable, je...

– Va-t'en ! rugit Capestang.

– Sais-tu bien qui je suis ! l'échafaud ! la potence ! la torture, si...

– Va-t'en ! tonna Capestang.

Et cette fois, un si terrible éclair jaillit de ses yeux, une si mortelle décision parut sur son visage, que Concini, devant ce groupe fulgurant que formaient ce cavalier, ce cheval prêt à bondir, cette rapière prête à tuer, Concini sentit le froid de l'agonie pénétrer jusqu'à ses moelles.

– C'est bien ! balbutia-t-il de ses lèvres écumantes de rage, blanches de terreur.

Et il se recula de quelques pas. Le chevalier de Capestang volta, se trouva face à Giselle. Une seconde ils se regardèrent, tremblants tous deux de la même profonde et lointaine émotion dont ils ne connaissaient pas les sources mystérieuses. Il s'inclina devant la jeune fille immobile, pâle, semblable à quelque admirable statue qui se fût animée au souffle d'une pensée d'amour.

– Madame, dit-il avec une infinie douceur, tant que j'aurai l'honneur de me trouver près de vous en cette circonstance, je vous supplie de ne plus rien craindre...

Elle secoua sa tête charmante, un reflet de fierté nimba son front.

Je ne crains rien, monsieur, mais remercié soyez-vous du fond de mon cœur...

À ce moment, Concini, saisissant un sifflet d'argent suspendu à son cou, gronda une imprécation furieuse. Dans le même instant, le coup de sifflet strident déchira le silence des bois. Et alors, le bruit d'une furieuse galopade se fit entendre.

– Saisissez cet homme ! hurla Concini.

Huit ou dix cavaliers se ruèrent sur le chevalier de Capestang. Et Concini lui-même, un rire terrible au coin des lèvres, marcha sur Giselle !... Et, dans un geste de triomphe, il leva la main sur elle.

Le jeune homme enveloppa les flancs de Fend-l'Air d'une puissante pression ; l'animal se rua d'un bond furieux ; des cris, des hurlements, des malédictions retentirent ; Fend-l'Air, dans la vivante muraille des assaillants, faisait une trouée, une brèche sanglante, et passait.

Aussitôt, Capestang sautait à terre et, de sa ceinture, tirait un poignard solide. Et, dans le moment précis où Concini allait saisir Giselle, son cheval vacilla, frappé au poitrail, et s'abattit avec un hennissement de douleur. Et il vit Capestang, l'épée à la main, devant la monture de Giselle.

– Garde à vous, monseigneur ! vociférèrent les acolytes de Concini, qui, après le premier moment de stupeur, se jetaient en masse serrée sur le jeune homme.

– Sus ! sus ! Pas de quartier !

– Fuyez, mademoiselle, dit Capestang qui, d'un coup d'épée, écarta le plus avancé.

– Non ! répondit doucement Giselle.

– À mort ! À mort ! hurlèrent les forcenés, fous de rage.

– Vous allez me faire tuer, reprit Capestang qui para un coup destiné à lui fendre le crâne.

– Prenez-le vivant ! rugit Concini, qui, excellent cavalier, était retombé sur ses pieds.

– Tandis que, seul, je puis m'en tirer, continua le jeune homme. À vous, monsieur ! Vous êtes mort.

Un homme tomba. Deux autres étaient blessés. Concini défaillait de fureur. Et dans ce tumulte, dans le choc et l'éclair des épées, parmi les jurons et les vociférations au centre de ces visages flamboyants, c'était étrange et sublime, c'était digne des épopées homériques, cet entretien paisible de Giselle et de Capestang.

Giselle, pâle comme une morte, se pencha vers le jeune homme au moment où celui-ci déjà tout déchiré, tout sanglant, se redressait après un coup droit.

– Sangdieu ! Mordieu ! Corps du Christ ! – Il a le diable au corps ! – Mort de tous les diables, nous le pendrons ! – Nous l'écorcherons vif !

– Mademoiselle, râla Capestang, si vous restez une minute de plus, je suis mort !

– Adieu donc, murmura-t-elle, adieu. Peut-être ne vous reverrai-je jamais, mais vous vivrez là, tant que je vivrai.

La jeune fille plaça la main sur son sein palpitant, et Capestang se sentit frémir jusqu'à l'âme. Dans le même instant, Concini jeta un hurlement. Giselle, piquant son cheval, disparaissait dans un galop effréné.

– Sus ! sus ! Arrêtez-la ! Rinaldo, mille écus, si tu la rattrapes !

– À nous deux, Fend-l'Air ! cria Capestang.

D'un bond, il fut en selle. D'un autre bond il fut au milieu du chemin. Rinaldo et ses compagnons, enchantés peut-être de s'éloigner d'un si rude jouteur, se précipitaient à la poursuite de Giselle.

– On ne passe pas ! tonna Capestang.

Il n'avait plus qu'un tronçon d'épée à la main ; le sang lui coulait d'une épaule, et d'un bras, et d'une estafilade au cou ; il était déchiré, hagard, hérissé, flamboyant d'une sorte de folie ; les rayons du soleil filtrant à travers les feuillages le nimbaient d'or, et, dans ce nimbe fulgurant, son profil maigre se détachait en médaille, sa fine silhouette, campée sur la formidable silhouette de Fend-l'Air, prenait une attitude épique. Il fût mort, là, dans cette minute, sans s'apercevoir qu'on le tuait. Les blessures, il ne les sentait pas. Le sang, il ne le sentait pas. Il vivait un rêve fantastique et terrible.

– Place ! Place ! rugirent les cavaliers.

Et ce fut alors une de ces rapides visions comme en engendre la fièvre. Fend-l'Air, le gigantesque Fend-l'Air, l'apocalyptique Fend-l'Air, comme pris de vertige et de délire, tenait toute la route en ses bondissements prodigieux ; il était ici, il était là : il détachait de formidables ruades ; il pointait, plongeait, se dressant tout debout, voltait, virevoltait, face en avant, face en arrière, écumant, hennissant, se secouant, s'ébrouant... non, non ! pas moyen de passer... on ne passe pas ! Un cheval tomba, le poitrail fracassé d'une ruade... On ne passe pas ! Un autre s'abattit, le genou brisé... le soleil plongeait à l'horizon, des imprécations énormes fusaient, jaillissaient, bondissaient, et toute cette scène frénétique était dominée par la voix plus frénétique de Capestang : « On ne passe pas ! »

Cela dura trois minutes. La plupart des hommes de Concini étaient démontés ; trois ou quatre gisaient sur la route ; les autres reculèrent... Capestang était vainqueur, Giselle avait disparu depuis longtemps. Concini prit sa tête à deux mains et pleura. Son regard de flamme un instant suivit le jeune aventurier, qui s'éloignait d'un bon trot.

– Ah ! murmura-t-il alors, dix ans de ma vie pour te tenir, te manger le cœur, te brûler à petit feu, et jeter tes restes aux chiens !

– Je m'en charge ! fit près de lui la voix de Rinaldo. Je vous retrouverai ce fou furieux, monseigneur, et, quant à la petite... tout n'est pas perdu ! Souvenez-vous de Meudon !

IV

Le château enchanté

Le soir venait ; les masses d'ombres s'élargissaient au fond des bois. Sur la route blanche, Fend-l'Air trottait, le nez au vent, le genou haut, la queue en panache. Le chevalier de Capestang, déchiré, poudreux, sanglant, la tête fiévreuse, impuissant à coordonner les mille pensées qui s'entrechoquaient dans son imagination exorbitée, tout hérissé, tout grondant, tout tumultueux encore de ce rêve étrange qu'il venait de vivre, de cette bataille où il avait senti des forces inconnues se déchaîner en lui, le chevalier, donc, laissait aller sa monture n'ayant plus qu'une idée claire :

Aller trouver dès le lendemain le tout-puissant personnage auquel il était recommandé : Concino Concini, maréchal d'Ancre ! Lui raconter l'algarade, entrer à son service, et s'en faire un protecteur tout-puissant.

– Car, se disait-il, l'homme que j'ai attaqué est évidemment très haut placé, quelque prince, peut-être. J'ai entendu ses gens lui donner du monseigneur ! Aïe ! pauvre Capestang, si tu n'obtiens une sauvegarde de l'illustre maréchal d'Ancre, je ne donnerais pas une demi-pistole de ta peau ! À Paris, vite, à Paris ! Hop, hop, Fend-l'Air !

Mais en arrivant aux premières maisons de Meudon, comme la nuit tombait, il se sentit si faible par la perte de son sang qu'un brouillard s'étendit sur ses yeux ; il comprit qu'il ne pouvait aller plus loin. Il avisa une auberge, y entra, installa Fend-l'Air devant une mangeoire de l'écurie et se fit donner une chambre. Celle où on le conduisit était un cabinet qui donnait sur la route. Cependant, après avoir fait l'éloge de la chambre et de l'hôtellerie, l'hôtesse qui examinait avec inquiétude les vêtements en lambeaux de l'aventurier, ajouta :

– Excusez-moi, mon gentilhomme, mais à l'auberge de la *Pie Voleuse*, nous sommes dans l'habitude de faire payer d'avance.

Vivement, le chevalier chercha sa bourse... pauvre bourse qui contenait une vingtaine de doubles pistoles, toute sa fortune. Si maigre que fût cette bourse, elle ne l'était pas au point d'être introuvable. Or, Capestang ne la trouva pas : il l'avait perdue pendant la bagarre ! Il pâlit un peu, puis rougit, puis pâlit encore.

– Ma bonne dame, dit-il, les harnais de mon cheval vous serviront de gage si d'ici demain je n'ai pas trouvé la bourse qui était dans cette poche et qui n'y est plus.

La patronne de la *Pie Voleuse* sortit sans faire d'observation, mais aussi sans demander à son hôte ce qu'il voulait boire ou manger. Et Capestang fût mort sur place plutôt que de demander maintenant un morceau de pain et un verre d'eau. Il traîna l'unique fauteuil de la chambre jusqu'à la fenêtre qu'il ouvrit dans l'espoir que les brises nocturnes rafraîchiraient son front brûlant. À ce moment l'hôtesse, qui peut-être écoutait derrière la porte, se montra et dit :

– J'ai oublié de vous recommander de ne pas vous attarder à la fenêtre, à cause de la maison d'en face qui est hantée. On y voit apparaître une dame blanche. On y entend des gémissements, bien que le logis soit inhabité peut-être depuis cinquante ans. Enfin, bref, cela porte malheur de regarder la nuit cette demeure. Bien que vous soyez sans argent, je fais mon devoir en vous prévenant. Bonsoir.

La revêche hôtesse disparue, après cet étrange avertissement, Capestang haussa les épaules et, près de la fenêtre, s'allongea dans le fauteuil en grommelant :

– J'ai l'enfer dans le gosier et l'estomac dans les talons. Mordieu, que j'ai soif ! Et faim !... Qui pouvait être ce seigneur ?... Morbleu, que j'ai donc soif !

Il secoua la tête et leva les yeux vers les étoiles qui, de là-haut, le regardaient doucement. Puis ses yeux, machinalement, redescendirent sur terre et se posèrent sur une masse confuse qui se dressait de l'autre côté de la route ; la mystérieuse maison qu'au dire de l'hôtesse, il était dangereux de regarder la nuit !

L'un après l'autre, les bruits de l'hôtellerie se turent, les rares lumières du bourg s'éteignirent, ce majestueux silence de la nature endormie dans les ténèbres pesa sur toutes choses ; la faim, la soif, la fièvre tourmentaient le jeune homme ; dans sa tête endolorie, des images estompées, imprécises, passèrent, rapides et muettes ; le seigneur inconnu qu'il avait attaqué, la jeune fille qu'il avait défendue, le jeune marquis de Cinq-Mars, Marion Delorme et même la dame blanche du logis hanté se mêlèrent dans ses rêves fiévreux...

Capestang s'était endormi, là, dans ce fauteuil, près de la fenêtre ouverte…

Un grand cri, tout à coup, déchira ce profond silence et réveilla le chevalier, qui se dressa, l'oreille tendue. À ce moment, l'horloge du clocher se mit à sonner, et Capestang compta les coups graves du bronze.

– Minuit ! murmura-t-il. Je rêvais que j'entendais un cri. Allons, il est temps que je me…

Une plainte étouffée l'interrompit… une succession de plaintes… des appels sourds… un bruit de lutte… des gémissements…

La tête en feu, les yeux hagards, la sueur au front, Capestang écoutait ces rumeurs.

– Oh ! murmura-t-il, est-ce que vraiment la maison d'en face est hantée ! Oh ! mais on dirait qu'on tue, qu'on égorge, là-dedans ! Oh ! ces plaintes qui me déchirent le cœur !

Capestang en parlant ainsi, enjambait l'appui de la fenêtre. D'un coup d'œil, il mesurait la distance qui le séparait du sol… Il y eut dans la nuit noire la chute rapide d'une ombre, puis un bruit mat : Capestang venait de sauter !… D'un bond, il fut à la porte de la maison mystérieuse et, du pommeau de l'épée, se mit à frapper rudement. Une dernière plainte lui parvint, lointaine, étouffée. Puis le silence régna, mystérieux, indéchiffrable, et Capestang n'entendit plus que les longs échos funèbres éveillés dans la maison par les coups qu'il frappait sur la porte.

– Je saurai ! fit-il. Je saurai ce qui se passe là-dedans. Par la mère qui me mit au jour ! Je ne sais si c'est la faim, ou la soif, ou le délire, mais j'enrage de curiosité.

En parlant ainsi, le jeune homme s'était mis à longer la façade de la maison puis, son tronçon d'épée à la main, il courut le long d'un mur qui, brusquement, s'enfonçait à travers champs ; au bout de cinq minutes de cette course, il parvint à un endroit où le mur s'était éboulé : il y avait là une sorte de brèche ; il la franchit.

À ce moment, la lune monta par-dessus la cime des arbres et éclaira ce décor de ses rayons bleuâtres, dont les coulées passaient entre les masses de feuillage et jetaient des reflets fantastiques. Capestang vit qu'il se trouvait dans un parc. Au fond, vers la route, il apercevait la face d'arrière de la maison hantée.

Ce logis avait un aspect seigneurial. C'était une façon de castel construit dans ce goût charmant de la Renaissance. Le parc qui l'entourait était immense. Mais la maison semblait à demi ruinée, rongée par le temps ; mais le parc était touffu comme la chevelure inculte de quelque Polyphème.

Capestang se sentait attiré comme par une force magnétique vers ce logis. Écartant d'une main les ronces qui le frappaient au visage et, pareils à des génies défendant l'entrée du château enchanté, le saisissaient aux jambes, tenant de l'autre main son tronçon d'épée, il monta le perron, et, palpitant, étonné, pénétra dans un vestibule éclairé faiblement par une lampe suspendue au plafond.

– Où suis-je ? murmura-t-il. Est-ce la fièvre qui me transporte dans une illusion de rêve ? Ce doit être le château de quelque princesse enchantée ? la dame blanche dont parlait mon hôtesse ?

Au fond du vestibule, un escalier commençait. Capestang se mit à monter. En haut, il s'arrêta dans une grande belle salle, et, le cou tendu, écouta le silence. Alors, d'une voix forte, il cria :

– Holà ! N'y a-t-il donc personne ici ? Qui a crié ? Qui a appelé au secours ? Voici le secours !

Nul ne répondit. Le silence demeura profond. Rapidement, le jeune homme parcourut diverses salles dont toutes les portes étaient ouvertes, et bientôt il fut convaincu qu'il se trouvait seul dans la mystérieuse maison.

– Il paraît que j'arrive après la bataille ! fit-il. Ou plutôt, est-ce que ces cris, ces plaintes de tout à l'heure ne seraient que des imaginations ?... J'ai rêvé, pardieu ! Je m'étais endormi, et j'ai fait ce songe qu'il se commettait ainsi un crime... Oh ! qu'est cela ?

Capestang venait d'entrer dans une pièce assez vaste où il n'y avait aucun meuble. Seulement, aux quatre murs étaient accrochés de nombreux costumes complets, depuis les feutres – tous pourvus de la même plume rouge – jusqu'aux bottes, toutes en cuir fauve. Il y avait là de quoi habiller cinquante hommes.

– Est-ce donc ici la friperie diabolique des gnomes et lutins ? Beaux costumes !... Que ne suis-je un de ces farfadets auxquels ils sont destinés ! (*Capestang s'approcha et décrocha un manteau.*) Superbe manteau de velours, bien fourré de soie ! Bah ! le mien n'est doublé que de toile bise, mais je t'aime mieux, mon vieux manteau, compagnon fidèle des heures de pluie et de bourrasque... Quant à ce pourpoint (*il décrochait le pourpoint en question*), j'avoue qu'il est intact, que dis-je ! tout neuf, tandis que le mien porte autant d'entailles qu'en pouvait porter celui de Roland quand ce héros mourut à Roncevaux, ainsi que je l'ai lu parmi ces fabliaux et chansons de gestes que possédait madame ma mère. Je regrette que ce pourpoint ne soit pas à moi.

Capestang poussa un soupir, raccrocha le vêtement, qui était élégant et solide, tel qu'il convient à un gentilhomme partant pour quelque expédition, puis il le décrocha de nouveau et tomba dans une méditation admirative.

– Je ne me souviens pas, dit-il, avoir jamais porté un pourpoint neuf ; ceux que me confectionnait madame ma mère étaient taillés dans les vieux pourpoints du chevalier mon digne père. C'est curieux. Tous ces pourpoints se ressemblent. Et si j'en essayais un ? Où serait le mal ? Il me semble qu'on doit éprouver quelque émotion à se draper de neuf. Émotion précieuse que je ne connais pas encore...

Cinq minutes plus tard, après deux ou trois essais, le jeune homme avait revêtu l'un des pourpoints ; il lui seyait à merveille. Religieusement, il accrocha son vêtement troué, déchiré, à la place de celui qu'il venait de prendre.

– Ah ! on respire, là-dedans ! Il me paraît que je vaux vingt pistoles de plus. L'émotion est assez agréable... Si je continuais, pour voir ?

D'essai en essais, d'émotion en émotion, Capestang se trouva bientôt habillé de neuf depuis le feutre à plume rouge jusqu'aux bottes de cuir fauve montant au-dessus des genoux.

– Je remettrai tout cela en place, en m'en allant, fit-il. Pour quelques minutes, je veux pouvoir regarder dans un miroir ma propre image ainsi parée. Non, Capestang tu n'es plus toi. Tu n'oseras pas te reconnaître. Et tu te salueras comme un prince. Un prince ? ajouta-t-il avec un sourire dépourvu d'amertume, mais non de mélancolie... pauvre, sans sou ni maille, gueux comme le Job des Saintes Écritures, puisque j'ai perdu ma bourse, je n'ai pas même de quoi apaiser la faim et la soif dont l'une me tenaille le ventre et l'autre m'assassine la gorge...

En parlant ainsi, le chevalier ouvrait une deuxième porte. Il demeura ébahi, les yeux arrondis par l'admiration, émerveillé, les narines dilatées. Simplement, il répéta :

– Oh ! oh ! Qu'est cela ?

Cela ? C'était une table toute servie pour quatre convives, dont les quatre sièges étaient disposés autour d'un pâté encore revêtu de sa croûte dorée, d'un beau chapon flanqué de bécassines, d'autres succulentes victuailles et de nombreux flacons de panse et de fumet vénérables.

– Sûrement, dit Capestang, on attendait ici un prince. Toute la question est de savoir si je puis décemment à mes propres yeux passer pour le prince attendu. Et pourquoi pas, puisque j'en porte le costume ? Et je puis ajouter que j'ai en ce moment l'estomac d'un roi, si toutefois les rois ont royalement faim. Ce siège n'était peut-être pas pour moi. Mais puisqu'il est inoccupé... et encore, je ne prends qu'une place sur quatre. Ainsi ferai-je de ce pâté.

Tout en parlant, il s'était assis et se carrait dans l'un de ces beaux fauteuils. Déjà, il enfonçait le couteau dans le pâté, qu'il partagea scrupuleusement en quatre parties égales. Puis il attaqua le poulet, dont il eut soin de ne prendre qu'un quart : il y avait huit flacons sur la table, il en but deux seulement. Vers deux heures du matin, Capestang ayant achevé ce repas qui, s'il ne tombait pas du ciel, n'en venait pas moins au meilleur moment, Capestang, donc, commençait à voir la vie en rose, et à trouver que le métier de prince dans les châteaux enchantés était un charmant métier. Il se leva donc en fredonnant une chanson de pays, et s'approcha d'une superbe cheminée contre laquelle était déposée, debout, une belle et solide rapière. Capestang, le bon vin aidant, vivait dans le rêve : il sourit et ceignit la rapière.

– Elle était là pour moi, c'est sûr ! pensa-t-il très sincèrement.

Il n'en était plus à s'étonner pour une simple rapière, après avoir trouvé costume complet et succulent dîner. Mais aussitôt, et pour la troisième fois, il murmura en modulant un sifflement d'admiration et, écarquillant les yeux :

– Oh ! oh ! oh ! Qu'est cela ?

Cela, c'était une bourse au ventre arrondi, dont il versa le contenu sur la cheminée ; elle contenait deux cents pistoles. Près de la bourse, il y avait une feuille de parchemin et une écritoire. Capestang devint grave. Une minute il demeura plongé dans une sorte de stupéfaction. Puis, avec le geste de se décharger de pensées gênantes, il se mit à compter quarante pistoles et les engouffra dans sa poche. Saisissant alors une plume, debout devant la haute glace de la cheminée, le marbre lui servant de support, il traça ces mots sur le parchemin :

Moi, Adhémar de Trémazenc, chevalier de Capestang, j'offre mes remerciements à la dame de ce château, et déclare lui avoir emprunté : 1° Un costume complet de cavalier ; 2° un dîner exquis ; 3° quarante pistoles. Pour le costume, je lui rendrai dix costumes dès que j'aurai fait fortune ; pour le dîner, un bouquet de fleurs rares ; pour les quarante pistoles, vingt doubles pistoles ; pour le charme de cette hospitalité mystérieuse, je lui engage ma vie...

Capestang signa cette reconnaissance de dette si étrangement formulée, mais profondément sincère. Libre dès lors de tout souci vis-à-vis de ses hôtes inconnus, puisqu'il s'engageait à rembourser, il s'examina dans la glace avec une certaine complaisance. À ce moment, un frisson le secoua tout entier. On a pu voir que ce jeune homme était brave. Mais ce qu'il voyait sans doute devait être effrayant, car il pâlit et demeura les yeux fixés avec stupeur – avec terreur ! – sur cette glace qui lui renvoyait une image soudain apparue dans cette salle... une femme... toute vêtue de blanc... le visage livide... le sein empourpré par une tache sanglante !

Et cette spectrale apparition rivait sur lui des yeux étranges, hagards, sans expression humaine ! Ce pouvait être une morte sortie du tombeau ! Ce pouvait être un fantôme... Et c'était effrayant comme une illusion de délire ou de suggestion de l'enfer !

Il la voyait dans la glace, immobile, blanche, roide comme un fantôme. Il la voyait arrêtée dans l'encadrement de la porte, effrayante avec cette tache rouge au sein, tache de sang, peut-être. Il la voyait, et il demeurait pétrifié, les cheveux hérissés. Il murmura :

– C'est la dame blanche signalée par mon hôtesse. Je suis dans une maison à spectres. C'est indubitable. Eh bien ! me voici en jolie posture, moi, voyons si je me souviendrai quelque prière, de celles que m'enseignait ma mère.

Capestang, dans toute la sincérité de son âme, se mit à balbutier :

– *Pater noster... qui es... in... in* quoi ? Voyons... *qui es in...* j'y suis : *cœlis* !

Un éclat de rire le fit vaciller. Mais presque aussitôt, cette première impression de superstitieuse épouvante s'évanouit tant le rire de la dame blanche était douloureux, humainement douloureux. Capestang se retourna alors, et vit que cette femme blessée au sein de quelque coup de poignard se retenait au mur pour ne pas tomber. Elle allait mourir peut-être ! Et pourtant elle riait !

– Madame, dit Capestang qui s'avança vivement en essuyant la sueur de son front, daignez me pardonner la faiblesse indigne qui m'a saisi à votre apparition, alors que j'eusse dû me précipiter pour vous soutenir, vous secourir...

En même temps, il avait saisi l'inconnue dans ses bras et la portait jusqu'à un fauteuil.

– Êtes-vous gravement blessée ? reprit-il. Était-ce vous qui, tout à l'heure, appeliez au secours ? Hélas ! je vois que je suis arrivé trop tard... Dites... puis-je...

– Charles est parti, murmura l'inconnue. Adieu mon amour et ma jeunesse !

Le jeune homme demeura interdit. Alors seulement il remarqua que les admirables yeux bleus de la dame blanche étaient hagards. Il remarqua que ses cheveux étaient d'un beau blanc d'argent, et pourtant c'est à peine si ce visage demeuré adorablement jeune portait trente ans.

– Et elle ! continua l'inconnue en se tordant les mains avec désespoir. Ils me l'ont enlevée. Courez ! oh ! courez, qui que vous soyez ! Sauvez-la !...

– Qui, elle ? s'écria Capestang, violemment ému. Qui faut-il sauver ? De grâce, madame, disposez de moi... Qui êtes-vous ? Qu'est-il arrivé ?...

La dame blanche parut tout à coup oublier tout désespoir.

– Qui suis-je ? fit-elle d'une voix douce et chantante, voilée d'une indicible mélancolie : mon nom est celui d'une humble fleurette des bois : on m'appelle Violetta... Ne connaissez-vous pas l'histoire de Violetta, de la pauvre petite violette aimée jadis, il y a bien longtemps... oh ! aimée, voyez-vous, par celui qu'elle adorait. Et savez-vous bien que celui-là était un fils de roi ? Fugitives amours ! Cela se passait sous le règne de notre sire Henri troisième, lequel était l'oncle de mon bien-aimé. Comme c'est loin, ce temps d'héroïsme, d'éclatante jeunesse, et d'amour radieux, d'amour pareil aux aurores de pourpre et d'or qui se lèvent dans les ciels purs... Et c'est fini ! Charles ne m'aime plus... le ciel pur s'est assombri, la violette est brisée. Pauvre petite fleur, achève de te faner !

Elle disait ces choses avec une infinie tristesse et d'un accent si doux que le chevalier de Capestang avait envie de pleurer.

– Madame, dit-il en s'inclinant respectueusement devant ce malheur vivant, je devine de telles douleurs dans votre vie que toute consolation venant de l'inconnu que je suis à vos yeux serait vaine, mais...

– Silence ! interrompit celle qui se nommait Violetta.

– De grâce, madame...

– Est-ce le nain ? murmura-t-elle en tremblant. Est-ce l'affreux nain, le sorcier d'Orléans ? Est-ce lui qui ouvre la fenêtre ? Non, non, ce n'est pas lui, cette fois ! Mais qui ?

En même temps elle se redressa, prêta l'oreille, une affreuse angoisse bouleversa son charmant visage, et elle bégaya :

– Tais-toi, ma fille ! Ils n'oseront venir te chercher ici et t'arracher aux bras de ta mère ! Oh ! les infâmes ! Les voici qui montent ! À moi ! À moi ! Charles ! Charles ! On tue ta fille ! notre enfant !

– Madame... de grâce... ne craignez rien...

La dame blanche jeta un grand cri, un cri d'agonie, une de ces lamentations d'épouvante comme Capestang les avait entendues de sa fenêtre, et elle se mit à fuir. Le chevalier voulut s'élancer sur ses traces ; il la rejoignit au bas d'un escalier, et là, il fut cloué sur place par cet étrange et douloureux éclat de rire de tout à l'heure. L'inconnue, Violetta, puisqu'elle même s'appelait ainsi, s'était arrêtée, elle se retournait, elle étendait les bras, elle fronçait le sourcil, elle râlait :

– Que faites-vous ici ?... Je vous défends de me suivre ! Nul ne doit pénétrer dans ma retraite ! Nul, entendez-vous ! Oh ! si vous êtes ce que vos jeunes traits indiquent, si un cœur de gentilhomme bat sous ce pourpoint, allez...

– Mais vous êtes blessée, laissez-moi au moins vous...

– Votre parole, interrompit solennellement Violetta. Je veux votre parole que vous ne me suivrez pas ! que vous n'entrerez jamais plus ici à moins que je ne vous appelle !

– Madame... par pitié pour vous-même...

– Votre parole ! fit la dame blanche avec une fébrile impatience. Êtes-vous homme d'honneur ? Est-ce une épée que vous portez ? Oh ! les jeunes hommes de ce temps ont-ils donc oublié les vieux principes de chevalerie ? Votre parole, vous dis-je !

Le chevalier s'inclina profondément et prononça :

– Vous l'avez, madame. Qui que vous soyez, si étranges que soient les circonstances, malgré votre blessure, malgré le désordre que je devine en votre pensée, pauvre femme, et je n'oserais vous parler ainsi si je n'étais pas sûr de ne pas être compris, oui, ajouta-t-il fièrement, malgré tout, il ne sera pas dit qu'une dame aurait fait en vain appel à l'honneur d'un Capestang.

– C'est bien, dit majestueusement Violetta, je vous appellerai quand j'aurai besoin de vous.

Capestang allait lui demander où et comment elle l'appellerait, puisqu'elle ne le connaissait pas, puisqu'elle ne savait pas où il allait. Mais déjà, la dame blanche montait l'escalier lentement, sans se retourner, et bientôt elle disparut, s'évanouit dans l'ombre d'un corridor, silencieuse comme une apparition de songe. L'esprit éperdu, Capestang s'élança au-dehors, traversa le parc, retrouva la brèche, courut à l'auberge de la *Pie Voleuse,* et se mit à frapper à la porte à tour de bras.

V

Les plumes rouges

À la grande surprise de Capestang, la porte s'ouvrit instantanément. Sa surprise devint de la stupéfaction quand il vit que cette porte lui avait été ouverte non par un valet endormi, mais par un alerte gentilhomme. Et cette stupéfaction elle-même tourna à la sensation de cauchemar lorsque dans ce gentilhomme, il reconnut le jeune Henri de Ruzé d'Effiat, marquis de Cinq-Mars, avec qui, sur les bords fleuris de la Bièvre, à propos de Mlle Marion Delorme – ou plutôt hors de propos – il avait eu querelle. Instinctivement, et avant d'entrer, le chevalier rabattit son feutre sur ses yeux et, d'un pan de son manteau, dissimula son visage.

En effet, chose bizarre, inexplicable, c'était bien le marquis de Cinq-Mars, qu'il voyait, et il se demandait s'il ne se trouvait pas en présence d'un sosie, d'un autre lui-même, d'une parfaite copie de Capestang ! Il portait un manteau violet : Cinq-Mars se drapait dans un manteau violet de même forme ! Il avait revêtu un pourpoint et des hauts-de-chausses de velours gris fer : Cinq-Mars portait des hauts-de-chausses et un pourpoint gris de fer ! Il avait parfaitement remarqué la forme de son feutre orné d'une plume rouge : Cinq-Mars était coiffé du même feutre à plume rouge !

– Or çà ! songea le chevalier en entrant, je vis en pleine magie, je nage dans de la fantasmagorie. Je sens le sorcier. Je sens le fagot. Je brûle, ou Dieu me damne !

– Vous arrivez bien tard ! fit Cinq-Mars.

– Ah ! ah ! se contenta de grogner Capestang.

– Enfin ! Vous connaissez le chemin, n'est-ce pas ?

– Heu !...

– À votre gauche, au bout du couloir. Allez vite. On vous attend. Et nous avons encore deux retardataires.

– Oh ! oh !

– La séance est commencée depuis une heure. À propos, ce n'est pas pour vous retenir, monsieur, mais vous avez le signe à l'épée, n'est-ce pas ?

– Parbleu !

À tout hasard, Capestang sortit de dessous son manteau son épée, sur la poignée de laquelle Cinq-Mars jeta un rapide coup d'œil.

– C'est bien, dit le jeune marquis. Allez vite.

– Je veux que le diable me torde le col ou m'étripe si je ne suis pas destiné à me heurter cette nuit à tous les genres de folie possibles et impossibles, grommela Capestang en s'éloignant dans le couloir qui lui avait été indiqué.

Au bout du couloir, Capestang ouvrit une porte et se trouva dans une salle déserte. Mais du fond de cette salle, de derrière une autre porte, lui arriva alors un bruit confus de voix. Le cœur battant, il s'approcha. Devant la porte, il s'arrêta.

– Écouter à la porte ? murmura-t-il. Fi ! ce serait œuvre de laquais. Entrer ? c'est risquer de me faire tuer. Car, de toute évidence, les gens qui sont là ont quelque formidable secret à garder. M'en retourner ? Ce serait me livrer à tous les aiguillons de la curiosité, et j'en deviendrais enragé, je me connais. Laquais ? Tué ? Enragé ? Lequel des trois pèse le moins ?... J'entre ! Arrive qu'arrive !

Dans la pièce où il pénétrait ainsi, une vingtaine de personnages étaient assis. Ils étaient tous porteurs des mêmes costumes, pourpoint gris de fer, manteaux violets, feutres gris à plumes rouges. Trois de ces hommes qui occupaient des fauteuils placés sur une sorte d'estrade basse paraissaient présider cette assemblée.

Au moment où le chevalier entra, toutes les têtes se tournèrent vers lui, puis, sans que cette entrée eût paru provoquer de surprise, l'assemblée se remit à écouter l'un des trois hommes qui parlait avec une sorte d'emphase dans la parole, l'attitude et le geste.

Capestang remarqua que la plupart de ces gens étaient masqués. Il remarqua que nul ne s'étonnait de son arrivée. Il remarqua qu'on ne lui demandait pas son nom. De toutes ces remarques, il conclut que les personnages rassemblés ne se connaissaient pas entre eux et que le costume seul ainsi que le mystérieux signe à l'épée suffisaient. Il salua donc gravement, s'assit et fit comme les autres, c'est-à-dire qu'il écouta ou du moins il voulut écouter : mais juste à ce moment, l'homme terminait son discours. Un tonnerre de bravos salua cette fin d'un discours que Capestang n'avait pas entendu. En revanche, il entendit ses voisins crier à tue-tête.

– Vive le comte d'Auvergne, duc d'Angoulême ! VIVE CHARLES X !

Et tout aussitôt les mêmes voix répétèrent ce cri qui fit frissonner Capestang :

– Vive notre roi Charles dixième !

– Charles X ! murmura le jeune homme. Et notre sire Louis XIII, qu'en fait-on ? Il n'est pas mort, que je sache !

Charles d'Angoulême comte d'Auvergne rayonnait. Capestang l'examina, le pesa pour ainsi dire d'un coup d'œil. C'était un homme d'environ quarante-six ans, les tempes grisonnantes, la figure très belle, l'œil audacieux, le sourire amer ; il était de haute taille, mais aussi d'élégante allure. Son visage avait cette pâleur de peau des gens qui ont passé de longues années au fond des prisons ; et, en effet, il y avait à peine un an que le fils de Charles IX venait de s'évader de la Bastille, où Henri IV l'avait fait jeter pour se débarrasser de ses conspirations.

Pendant que le duc d'Angoulême rayonnait, ses deux voisins de droite et de gauche souriaient d'assez méchante humeur.

– Qui sont ces deux-là ? se demanda Capestang. Des chevaliers de la Triste-Figure ?

Et comme pour répondre à cette question muette, celui qui était assis à droite du comte d'Auvergne se levait et disait :

– Moi, prince de Joinville, duc de Guise, malgré les droits incontestables de la maison de Lorraine au trône de France, droits établis par mon illustre père Henri le glorieusement balafré. Je déclare m'incliner devant le choix que viennent de faire les gentilshommes ici présents, et, à mon tour. Je crie : « Vive Charles X ! »

– Le duc de Guise ! murmura Capestang. Mordieu ! Je suis en opulente compagnie... opulente ou insensée... les deux, sans doute ! À moins que tout ceci ne soit un rêve !

Celui qui était assis à la gauche du comte d'Auvergne se levait alors, et, un peu pâle, les lèvres serrées par l'envie, prononçait par l'accent contraint des paroles que Capestang écouta en songeant :

– Hum ! on dirait que chaque mot lui déchire la gorge... Il va avaler sa langue !

– Moi, disait celui qui parlait si à contrecœur, moi, Henri II de Bourbon, prince de Condé, bien que je sois de la famille royale, bien que mon écu porte les trois fleurs de lis, je ratifie le choix qui vient d'être fait, et salue M. le duc d'Angoulême pour notre roi légitime.

– Le prince de Condé ! murmura Capestang. Décidément, je suis en royale société. Si cela continue, il me semble qu'il va me pousser une couronne sur la tête, à moi aussi !

La tempête d'applaudissements provoquée par les déclarations du duc de Guise et du prince de Condé s'apaisa soudain ; le duc d'Auvergne venait de faire un geste, et s'était avancé d'un pas en avant de son fauteuil. Et vraiment il avait haute mine et royale allure.

– Messieurs, dit Charles, comte d'Auvergne, et duc d'Angoulême, les paroles qui viennent d'être prononcées par mes illustres cousins le duc de Guise et le prince de Condé portent le dernier coup à l'autorité de ce roitelet que tous nous jugeons indigne de régner sur la première noblesse du monde. Mon cœur enivré de reconnaissance crie merci au très noble fils de Lorraine. L'épée de connétable, quand je serai sur le trône, ne saurait être portée par un plus digne. Et à ce titre de connétable de nos armées, il conviendra d'ajouter celui de lieutenant général de notre royaume.

Un murmure flatteur accueillit cette nomination, car c'en était bien une. Guise salua d'un air froid. Il était évident qu'il avait espéré autre chose de cette assemblée.

– Quant à mon illustre compétiteur le prince de Condé, continua le prince d'Auvergne, il me semble que rien ne saurait mieux récompenser son désintéressement (*il y eut de furtifs sourires dans cette réunion qui connaissait l'avarice de Condé*), que le gouvernement général de la Gascogne, de la Guyenne et de la Navarre, avec pleins pouvoirs civils, militaires et financiers.

À ce dernier mot, le visage du prince de Condé s'éclaira d'un sourire blafard. Il salua et tout aussitôt parut se plonger dans une méditation profonde. Il digérait le morceau royal qu'on venait de lui jeter et calculait le rendement probable des impôts dans les provinces qu'il aurait à gouverner.

– Quant à vous ducs, comtes gentilshommes qui, avec moi, rêvez de relever le prestige de la noblesse française, je ne vous promets rien parce que vous avez droit à tout. Je ne veux rien être que le premier gentilhomme du royaume et l'exécuteur de vos désirs. Que chacun de vous, donc (*un profond silence ; on eût entendu la respiration des appétits qui soulevaient ces vingt poitrines*), que chacun, à notre prochaine assemblée, me remette la liste de ses volontés pour lui et les siens : je dis ses volontés ; d'avance, je les ratifie.

Pour le coup, les applaudissements devinrent frénétiques.

– Il pleut des couronnes, fit Capestang en lui-même, des spectres, des sacs d'écus, des épées de connétables, des gouvernements, c'est la manne dans le désert, c'est l'ondée sur la terre altérée ; si je demandais quelque chose, puisqu'il n'y a qu'à demander ? Que demanderais-je bien, voyons ?

– Messieurs, continuait le comte d'Auvergne, voici donc terminée par votre décision la querelle qui nous divisait, mes cousins de Guise, de Condé et moi. Je prends ici l'engagement solennel de respecter les droits et privilèges de la noblesse. Le comte d'Auvergne, messieurs, a trop souffert de l'arrogance royale pour qu'en montant sur le trône Charles X oublie que sans vous le pavois n'a plus d'appui et s'effondre. Vous criez : « Vive Charles X ! » Je crie : « Vive la noblesse ! » Et ce sera l'idée de mon règne... Maintenant, dispersons-nous. À notre prochaine assemblée, qui aura lieu dans Paris, le 22 août, en mon hôtel, je vous indiquerai les mesures prises en notre conseil secret pour faire aboutir enfin nos résolutions. Souvenez-vous que de graves périls nous restent à courir. Nous devons d'abord nous débarrasser de l'intrigante Marie de Médicis ; puis de ce pleutre qu'on nomme Concino Concini, puis de cet oiseleur, de ce misérable fauconnier qui finirait par détenir la fortune du royaume si nous n'étions là... Albert de Luynes ; puis enfin, de cet ambitieux effréné : le duc de Richelieu, l'évêque au regard de maître ! Il est impossible que des Rohan, des Bouillon, des Montmorency, et tant de hauts seigneurs demeurent plus longtemps sous la menace de ce prêtre armé d'une férule.

Ici la voix du comte d'Auvergne devint plus sourde. Ses mains furent agitées d'un tremblement. Une ombre descendit sur son front, tandis qu'un éclair livide jaillissait de ses yeux. Et dans le silence tragique soudain tombé sur l'assemblée, il ajouta ces paroles :

– Je vous indiquerai aussi par quels moyens nous devrons arriver à ce que le trône de France soit libre... Messieurs, vous avez condamné l'adolescent qui s'appelle Louis XIII. Votre sentence sera exécutée !...

Un frisson parcourut l'assemblée des conjurés tout pâles. Le duc d'Angoulême, comte d'Auvergne, acheva avec une funèbre solennité :

– Comment ? Je vous le dirai. Mais dès cet instant, messieurs, je pourrais presque découvrant ma tête (*le comte d'Auvergne se découvrit, tous les assistants l'imitèrent*) et ployant le genou comme le héraut annonciateur des trépas royaux (*le comte mit un genou à terre*), oui, messieurs, je puis dire : le roi est mort !...

– Vive le roi ! grondèrent sourdement les conjurés, les mains étendues dans un geste de serment et les yeux fixés sur Charles, comte d'Auvergne et duc d'Angoulême.

L'auberge de la *Pie Voleuse* était maintenant silencieuse. Le père de Giselle avait retrouvé à la porte de l'auberge celui qu'on avait pris l'habitude d'appeler marquis de Cinq-Mars, et qui, en réalité était comte, son père vivant encore. Charles d'Angoulême serra dans ses bras avec une effusion de reconnaissance le fils du vieux marquis, auquel il devait d'avoir été choisi, élu roi de France.

– Cher enfant, lui murmura-t-il à l'oreille, vous pouvez envoyer un cavalier à votre noble père pour lui dire que votre mariage avec ma fille est conclu. Dans une heure, venez me rejoindre, je vous présenterai à votre fiancée, à Giselle.

Et Cinq-Mars avait pâli. Cinq-Mars avait poussé un soupir, et, tout bas, murmuré un nom qui n'était pas celui de Giselle ! Puis le comte d'Auvergne, accompagné du duc de Guise et du prince de Condé, était sorti de l'auberge. Il s'était dirigé vers la maison que l'hôtesse de l'auberge avait signalée à Capestang comme étant hantée. Il en avait ouvert la porte, il était entré avec ses deux compagnons, et il avait monté l'escalier. En haut, il cria :

– Holà, Bourgogne ! Holà, Raimbaud ! Holà, maroufles ! Où êtes-vous ?

Le silence effrayant qui pesait sur la maison lui renvoya au cœur la répercussion de cet effroi qui semblait émaner de lui, car le silence, comme les ténèbres, a sa signification sinistre.

– Giselle ! cria le comte d'une voix angoissée. Messieurs, excusez-moi, je tremble, j'ai peur, je pressens quelque malheur après la joie immense de tout à l'heure. Quoi ! personne ? pas un bruit !... Ma fille !... mon enfant !... ma Giselle !...

Charles d'Angoulême n'était plus Charles X... il était le père. Il oubliait tout, trône, conspiration, rêves de gloire... Il s'élançait, parcourait la maison, ouvrant les portes, appelait, suppliait, et enfin, affolé, certain que Giselle, que sa fille adorée n'était plus là, il entrait dans la salle où le souper avait été préparé... Il jetait des yeux hagards sur la table à demi en désordre ; à pas vacillants, comme si la fatalité l'eût conduit par la main, il s'approchait de la cheminée, saisissait le parchemin placé là en vue de quelque acte à signer... le lisait d'un trait, et alors il poussa une déchirante clameur :

– Un misérable, un truand s'est introduit ici !... C'est lui ! oh ! il n'y a pas à en douter ! C'est cet homme qui a signé Capestang ! C'est lui qui m'a enlevé ma fille !... oh !... ma Giselle... ma...

Le reste se perdit dans un gémissement lugubre. Le comte d'Auvergne, duc d'Angoulême, celui que les conjurés appelaient Charles X, tomba à la renverse, tout d'un bloc, assommé, foudroyé...

Le duc de Guise et le prince de Condé accourus aux cris de celui qui venait d'être choisi pour roi de France, se penchèrent sur lui, et durant quelques silencieuses minutes, le contemplèrent. Ils étaient pâles tous deux. Qui sait quelles pensées pouvaient agiter l'esprit de ces hommes qui, tous deux, rêvaient le trône ? D'un même mouvement lent, ils se redressèrent et se regardèrent fixement, le corps étendu entre eux, à leurs pieds en travers.

Et à mesure qu'ils se regardaient ainsi, peut-être lisaient-ils dans l'âme l'un de l'autre, et ce qu'ils lisaient, ce qu'ils voyaient, ce qu'ils devinaient l'un chez l'autre devait être effroyable... Car ils devenaient livides, plus blancs que le comte d'Auvergne évanoui. Enfin Condé parla le premier. D'une voix basse et rauque, il murmura :

– Est-ce que vraiment vous acceptez la décision prise tout à l'heure ?

– Non ! fit Guise, les lèvres dures. Et vous ?

– Non ! répondit sourdement Condé.

Il recula de deux pas, et gronda :

– S'il allait ne pas se réveiller ! Si nous pouvions dire ce qu'il disait tout à l'heure : « Le roi est mort ! »

Guise de nouveau, se pencha, haletant, sombre, fatal, et sûrement un reflet de meurtre passa dans cette seconde sur ce front, comme l'éclair sur les nuées noires... Sa main frémissante alla chercher comme à tâtons, quelque chose qui luisait à sa ceinture de cuir. À ce moment, le comte d'Auvergne ouvrit les yeux !

– Trop tard ! rugit en lui-même Condé.

Guise lâchait la poignée d'un court poignard qu'il portait à la ceinture... et à son tour, il recula : le comte d'Auvergne se redressait sur un genou, puis se remettait debout !

– Messieurs, bégaya-t-il au bout de quelques instants, pardonnez à ma douleur...

– Douleur paternelle bien naturelle, dit Guise d'une voix qui tremblait un peu. Une fille si charmante !

– Elle eût été l'ornement de votre cour, sire ! fit Condé.

– Il n'y a plus de cour, plus de sire pour moi ! dit le père de Giselle en étouffant un sanglot. Jusqu'à ce que je l'aie retrouvée, je ne suis que l'ombre de moi-même. Jusqu'à ce que j'aie mis la main sur ce misérable qui a osé laisser son nom sur ce parchemin où nous devions apposer nos trois signatures, je ne vis plus... messieurs... oh !... messieurs, je suis brisé. L'hospitalité que je comptais vous offrir ici serait...

Les sanglots interrompirent le malheureux père frappé au cœur.

– Ne vous inquiétez pas, fit le duc de Guise. Nous avons nos chevaux et nos laquais à la *Pie Voleuse*...

– Et en attendant, nous ne signons pas ! songea Condé tout joyeux.

Et Guise de son côté, songeait :

– Mon bras vient d'hésiter une seconde... c'est peut-être la couronne que je viens de perdre ! Lorsque j'ai frappé Saint-Pol, je n'ai pas tremblé... et maintenant...

– Remettons donc à plus tard le suprême entretien que nous devions avoir ici, reprit le comte d'Auvergne en domptant sa douleur. Messieurs, je monte à cheval, et, au risque d'une arrestation, au risque de la Bastille, au risque même de ma vie, je cours à Paris, je le fouillerai rue par rue, pierre par pierre, mais ce Capestang, quel qu'il soit, noble ou manant, homme ou démon, mourra de ma main : mais je la retrouverai. Je reprendrai ma fille !

Dix minutes plus tard, le duc de Guise et le prince de Condé avaient regagné l'auberge de la *Pie Voleuse*, et bientôt, s'étant mis en selle, s'éloignaient d'un bon trot dans la nuit, suivis de leurs laquais armés jusqu'aux dents.

VI

L'aventurier

Pendant ce temps, le chevalier de Capestang dormait sur son mauvais lit que lui avait valu le désordre de ses vêtements lorsqu'il était arrivé à la *Pie Voleuse*. Quoi qu'il en soit et si dur que fût le matelas sur lequel reposait notre héros, Capestang dormait comme il faisait toutes choses, c'est-à-dire de bon cœur. Il avait profité du départ des conjurés quittant leur salle pour se glisser vers sa chambre, et, l'imagination exaspérée, la pensée bourdonnante de pensées entrechoquées, s'était jeté sur le lit en murmurant :

– Le roi est mort... vive le roi !... ils ont donc condamné le petit roitelet ! Ils vont donc le tuer ! Pauvre petit qu'on dit si triste, si abandonné au fond de son Louvre ! Oh ! mais est-ce que je vais froidement laisser s'accomplir ce crime ? Que faire ? Dénoncer ce complot que j'ai surpris ! Dénoncer ! ajouta-t-il en tressaillant. Jeter le nom de ces hommes aux juges et leurs têtes aux bourreaux ! Moi, dénonciateur ! Plutôt m'arracher la langue et la jeter aux chiens !... Mais comment faire pour empêcher ce comte d'Auvergne... Ah ! il me semble que je le hais celui-là ! l'empêcher de tuer le pauvre petit roitelet... le roi... le...

Tout se fondit soudain dans le sommeil pesant qui suit les grandes fatigues de l'esprit plus encore que celles du corps.

Le lendemain matin, ou plutôt quatre ou cinq heures après les scènes que nous venons de raconter, Capestang était sur pied. Il commença par examiner avec une attention méticuleuse les trois ou quatre blessures qu'il avait reçues la veille au cours de sa furieuse bataille contre les spadassins du noble inconnu, de l'illustre sacripant... c'est ainsi qu'il qualifiait Concini, ne sachant pas à qui il avait eu affaire. Il trouva que toutes ces blessures, qu'il lava et pansa, le faisaient à la vérité souffrir, mais que pas une n'était de nature à l'empêcher de monter à cheval.

Satisfait de cet examen, il revêtit le costume que, dans la nuit, il avait acquis de si fantastique manière. Il appela l'hôtesse qui, en le voyant si magnifique après l'avoir vu la veille si mal en point, ne put retenir un cri de surprise et douta d'abord que ce fût le même personnage. Mais elle dut se rendre à l'évidence.

– Je vois votre étonnement, fit le chevalier. Un mot vous expliquera tout. J'ai vu cette nuit la dame blanche dont vous me fîtes si grand-peur. Or, cette dame blanche est tout uniment une fée qui n'a eu qu'à me toucher de sa baguette pour me transformer comme vous voyez. Combien vous dois-je ? reprit-il en sortant négligemment une poignée de pistoles.

L'hôtesse demeura suffoquée.

– Monseigneur, balbutia-t-elle, daignera me pardonner ma réception d'hier...

Capestang regarda autour de lui avec stupeur.

– C'est moi le monseigneur ! murmura-t-il. Peste ! parlez-moi d'une bonne poignée de pièces d'or pour vous faire monter un homme en grade. Si je sors tout, elle va m'appeler altesse !

– Mais, continuait l'hôtesse, je ne pouvais savoir, deviner... monseigneur nous reste quelques jours sans doute ? La première hôtellerie du pays. Demandez partout ce qu'on pense de Nicolette, la patronne de la *Pie Voleuse*... c'est moi qui suis Nicolette.

– Nom suave, nom harmonieux, hôtellerie princière, mais je m'en vais ma chère madame Nicolette.

– Quoi ! sans même goûter à notre saumur pétillant et mousseux !

– Eh ! vous me donnez soif ! Mais je boirai ailleurs, à votre santé.

– Quoi ! sans même tâter de cette friture de goujons de Seine qui est la renommée du pays en général et de cette auberge en particulier !

– Vous me tentez ! La friture de goujons, c'est mon faible ! fit en riant le chevalier, dont toutes les rancunes se fondirent devant la mine inquiète de dame Nicolette.

Dame Nicolette se voyant pardonnée, esquissa la plus belle révérence de ses grands jours et se rua en cuisine. Il en résulta qu'avant de se mettre en selle, le chevalier s'attabla dans la grande salle déserte du rez-de-chaussée, et se mit à déjeuner de friture qu'il arrosa de saumur, tout en repassant dans sa tête la série d'événements qui lui étaient arrivés.

De tous ces événements, ce qui lui semblait surnager, c'était plus que jamais la nécessité urgente de se mettre sous la sauvegarde d'un tout-puissant protecteur comme Concini, maréchal d'Ancre. Et sa pensée errait de la dame blanche à Charles d'Angoulême. Entre ces deux êtres il devinait qu'il y avait un mystérieux lien. Lequel ? C'est à peine si les quelques paroles échappées à la folle pouvaient le lui faire pressentir. Des conspirateurs, il passait naturellement au roi Louis XIII, et du roi, il revenait à ce grand seigneur inconnu, dont il avait si brusquement et si heureusement interrompu le rapt de grand chemin.

Capestang se forçait à arrêter son esprit sur ces différents sujets. Mais ils n'étaient que la broderie de sa pensée. Le fond demeurait de même et, comme un motif de musique, revenait, quoi qu'il fît.

– Qui est-elle ? Qui est cette jeune fille que j'ai pu aider à fuir ? Comme elle est belle ! La reverrai-je jamais ? Et pourquoi chercherais-je à la revoir, alors que c'est sans nul doute, quelque haute demoiselle sur qui, moi, chétif et humble chevalier, je ne dois pas lever les yeux. N'y songeons plus !

Et plus il se recommandait à lui-même de n'y plus songer, plus il se désobéissait.

– Je ne sais rien d'elle, reprenait en sourdine le chevalier. Qui elle est, son nom, sa famille, voilà ce que je ne saurai sans doute jamais. Une image plus profondément gravée dans mon cœur... un souvenir ! Voilà donc tout ce qui me reste de cette rencontre...

Un soupir ponctuait cette constatation faite sans amertume.

Vers les neuf heures du matin, Capestang se remit en route et, au pas de Fend-l'Air, se dirigea sur Paris, à travers les beaux bois pleins d'ombrages et de senteurs enivrantes. Il n'était ni d'humeur sombre, ni d'esprit mélancolique, il prenait de l'heure présente ce qu'elle pouvait contenir de charme, et avec délices, il respirait les mille parfums qui se balançaient dans l'air frais du matin. Et il ne voyait pas un cavalier qui marchant sous le couvert des bois, le suivait à distance, le couvait des yeux, le poignardait pour ainsi dire dans le dos de la méchanceté aiguë de son sourire. Et ce cavalier, c'était Rinaldo, l'âme damnée de Concino Concini !

– Va, murmurait Rinaldo, va démon, je te suis, je ne te lâche plus. Quelle vengeance, tout à l'heure, quelle vengeance !

Non, Capestang ne le voyait pas ! Et l'eût-il même vu qu'il ne l'aurait sans doute pas reconnu, l'ayant à peine entrevu dans la bagarre de la veille. Il était bien loin de songer qu'on pouvait le suivre. Son imagination, à ce moment, les rênes libres comme celles de Fend-l'Air, lui retraçait à grands traits son bref passé, toute sa jeune existence.

Il avait eu la plus heureuse des enfances que puisse rêver non pas l'enfant mais l'homme mûr quand, jetant les yeux en arrière, il regrette le temps qui n'est plus. Là-bas, dans le vieux castel aux pierres branlantes, il n'avait eu pour souci que de vivre, se laisser vivre, absorber de la vie à pleins poumons. Il est vrai que sa mère l'avait forcé à écouter les leçons qu'elle s'ingéniait à lui rendre supportables, et Capestang avait pu ainsi apprendre à lire, à écrire, et puis il s'était initié à l'étude de l'histoire, puis il était devenu un lecteur passionné des vieux livres qui racontaient les exploits de l'ancienne chevalerie.

Mme de Trémazenc de Capestang possédait une vingtaine de vieux volumes à couvercles de bois, ornés de ciselures de cuivre ; ils retraçaient la vie glorieuse des anciens chevaliers errants toujours au service du faible contre le fort. Les héros des « Chansons et gestes » figuraient là : ils furent les modèles du jeune Capestang. C'est dans ces livres qu'il prit le goût de l'épopée.

À quinze ans, il perdit sa mère. M. de Trémazenc, vieux gentilhomme couvert de blessures, qui s'était retiré au castel vers l'an 1608, oublié du roi Henri IV qu'il avait aidé à monter sur le trône, le père de Capestang, donc, pauvre, n'ayant pour toute fortune que le faible bien qui entourait la maison des ancêtres, aigri d'ailleurs, ne voulut apprendre à son fils qu'à manier le cheval et l'épée. Il faut avouer d'ailleurs, qu'il réussit à faire de l'unique héritier de son nom un cavalier accompli et un redoutable escrimeur.

Mais là s'était arrêtée l'éducation du jeune homme. De principes larges, peu scrupuleux, le vieux soldat avait, pour toute morale, enseigné à son fils qu'un jeune chevalier doit faire son chemin, sa trouée à force de courage, et, en attendant l'heure de la fortune, heure qui ne saura manquer de sonner pour vous, ajouta-t-il, prendre son bien où on le trouve. Nous devons ajouter, à la décharge du vieux châtelain de Trémazenc, qu'il ne faisait guère que suivre les coutumes de son temps et de sa caste. Le temps n'était pas encore venu où les jeunes gentilshommes apprenaient autre chose que l'art de tuer galamment son semblable. C'était déjà beau de savoir lire et écrire.

On a vu que le jeune aventurier s'était approprié un costume, un souper, plus un certain nombre de pistoles représentant exactement la somme qu'il avait perdue dans la bagarre du bois de Meudon, et avec laquelle il devait faire son entrée dans le monde. Sans doute, plus d'un de nos lecteurs l'aura blâmé de cette facilité à prendre son bien où il le trouvait. Mais nous ferons observer qu'il avait, avec une naïve bonne foi, signé une reconnaissance de dette et qu'en outre les circonstances pouvaient passer pour atténuantes.

Ainsi élevé par un père qui se trouvait revenu de bien des idées, désabusé de bien des sentiments, le jeune chevalier était devenu un fieffé coureur de routes, entreprenant, hardi, batailleur, querelleur, redoutable aux maris, toujours un peu débraillé, et conservant néanmoins une élégance, une dignité instinctive qui frappait ceux qui savaient regarder.

Peut-être, eût-on pu lui reprocher une exubérance de geste qui n'était pas du meilleur goût. Il avait une façon de se camper qui sentait son matamore ; quand il tirait l'épée – et il la tirait souvent – il eût pu prêter à sourire à quelque gentilhomme plus au fait des bonnes manières. Il vous avait de ces airs féroces, de ces attitudes de fier-à-bras qui étonnaient. À force de vouloir absolument se modeler sur les héros dont il avait lu l'histoire dans les vieux livres de sa mère, il en était arrivé à une sorte d'emphase qui pouvait faire rire, à une exagération d'attitudes physiques et morales qui souvent le faisaient regarder de travers, comme un vulgaire pourfendeur.

Nous devons ajouter qu'il était rebelle à toute discipline, mais avide d'action héroïque, qu'il employait sa force musculaire au service des plus faibles. Tel qu'il était, il pouvait passer pour une mauvaise tête et un bon cœur lorsque M. de Trémazenc mourut, emporté en quelques jours par une « mauvaise » fièvre, comme on disait alors.

Si rapide qu'eût été l'agonie de M. de Trémazenc, il n'en eut pas moins le temps de lui dire entre deux syncopes :

– Chevalier, vous trouverez là, dans ce coffret, la liste de nos dettes. Je mourrai tranquille si vous me promettez de les payer dès que vous aurez fait fortune.

Le jeune homme jura en pleurant, et M. de Trémazenc mourut en souriant. Dès lors, une révolution s'accomplit dans l'esprit et les mœurs du jeune chevalier. Il conçut une sorte de fierté à se trouver le chef de la maison des Trémazenc, et il commença à éprouver la poussée intérieure d'une âme héroïque. Après avoir convenablement et suffisamment pleuré son digne père, il ouvrit un jour le fameux coffret, et trouva qu'il héritait exactement de vingt-huit mille cinq cents livres de dettes – à payer, avait-il juré, quand il aurait fait fortune.

Le jeune homme médita un mois sur sa situation, sur l'avenir qui l'attendait dans un pays pauvre, loin de tout centre d'activité. Et il résolut alors d'entreprendre une grande chose : faire fortune.

Comment ? Par quels moyens ? Il ne savait pas. Seulement, il convint avec lui-même que Paris était le seul endroit du monde où l'on pût faire fortune. Renonçant donc à l'existence quelque peu débraillée qu'il avait menée jusque-là, il passa une année dans le castel paternel à se perfectionner dans l'escrime et l'équitation et tous les exercices du corps, à lire tous les vieux livres de sa mère, à se fortifier enfin l'âme, l'esprit et le corps.

Au bout de cette année, il rassembla toute la domesticité du castel, qui consistait en un unique vieux serviteur, et lui annonça son intention de le licencier.

– Laissez-moi mourir ici, dit le serviteur.

– Mais, malheureux, comment vivras-tu, qui payera tes gages ?

– Des gages ? fit l'homme étonné. Voilà seize ans que je n'en reçois plus. Vous voulez partir, monsieur : je garderai le castel en votre absence. Il y a assez de lapins et de perdrix dans les champs, assez de poules dans la basse-cour, une bonne vache laitière à l'étable, c'est tout ce qu'il me faut comme gages.

Le chevalier, enchanté de pouvoir laisser la maison sous la garde d'un fidèle ami, embrassa le serviteur qui, à cette marque d'affection, pleura de bonheur.

– Ah ! monsieur, dit-il, voilà certes un honneur qui passe les plus beaux gages !

Capestang, alors, se mit à rassembler les plus beaux meubles du castel, les plus belles tapisseries et enfin quelques diamants qu'avait portés Mme de Trémazenc. Il fit venir un marchand et le pria d'estimer le tout. Il y en avait bien pour une cinquantaine de mille livres. Le marchand étala trente-deux mille livres sur la table, et le chevalier fut enthousiasmé. Trois jours plus tard, toutes les vieilles dettes de la maison, y compris l'arriéré des gages du serviteur, étaient payées jusqu'au dernier denier : il restait quatorze cents livres au chevalier.

– Et pourtant, songea-t-il, je n'ai pas encore fait fortune. Dormez content, mon père !

Capestang paya huit cents livres encore pour avoir un cheval que tout de suite il surnomma Fend-l'Air. Le cheval méritait ce nom. Lorsque le chevalier l'eut essayé en le faisant passer par des obstacles où tout autre se serait rompu les os, il murmura :

– Il lui manque des ailes, c'est vrai, mais il s'en passe !

Puis il acheva de s'équiper, étudia deux mois les qualités et défauts de Fend-l'Air, et enfin, un beau matin, s'éloigna du castel, non sans un battement de cœur. Et même nous devons avouer que, lorsqu'il se retourna une dernière fois pour dire adieu du regard à la vieille tour branlante, il ne put retenir quelques larmes.

Sa première étape le conduisit au castel d'un vieil ami de son père, lequel le garda quelques jours, lui remit une lettre pour le maréchal d'Ancre, à qui il avait eu occasion de rendre quelques services.

Capestang continua donc sa route vers Paris. Monté sur le gigantesque Fend-l'Air, la rapière battant les flancs du cheval, le poing sur la hanche, fier comme Artaban ou comme Galaor, il parcourut les contrées, traversa la France et parvint jusqu'à Longjumeau sans incident, sauf un duel qu'il eut avec un gentilhomme qu'il mit au lit pour six mois, deux ou trois autres querelles de moindre importance qui se terminèrent par de légers coups d'épée, cinq ou six attaques de voleurs de grands chemins qu'il rossa ; sauf, disons-nous, ces quelques rencontres, il arriva sans incident jusqu'au point où nous l'avons trouvé, c'est-à-dire à cette journée étrange où débutait réellement la vie extraordinaire de ce héros dont nous avons assumé la tâche difficile de raconter les faits et gestes, la prodigieuse existence et les aventures presque fabuleuses.

Maintenant, donc, après cette étrange journée, après cette nuit plus étrange encore, le chevalier de Capestang arrivait enfin à Paris. Le cavalier qui, depuis Meudon, l'avait suivi pas à pas, sans le perdre un seul instant de vue, y entra en même temps que lui. Le chevalier de Capestang ne l'avait nullement remarqué.

Sa première idée, lorsqu'il eut franchi la barrière, fut de s'enquérir au premier passant du logis de monseigneur le maréchal d'Ancre ; il voulait, en effet se loger le plus près possible de celui qu'il avait résolu d'adopter pour protecteur. Aussitôt, autour de ce beau cavalier de si fière mine, il se fit un rassemblement : de tout temps, les Parisiens ont été fort badauds. Et comme Capestang, au lieu d'un renseignement qu'il demandait en trouvait aussitôt vingt, comme il ne savait auquel entendre, un cavalier s'approcha de lui et lui dit en saluant :

– Si vous le permettez, monsieur, je vais vous conduire à l'hôtel du maréchal.

Ce cavalier, c'était Rinaldo !

Le chevalier jeta un coup d'œil sur l'inconnu : sourire faux, regard sournois, l'homme lui déplut. Et si l'offre était honnête, elle avait été faite avec une si visible ironie, l'attitude révélait une insolence si mal contenue que le sang monta à la tête du jeune homme.

– Mille grâces, dit-il, tout hérissé de politesse aiguë. Il est des honneurs honorables. Mais rien qu'à vous voir, monsieur, je devine que celui d'être guidé par vous serait une véritable extravagance.

– *Per bacco !* gronda Rinaldo.

– Corbacque ! fit Capestang.

Les deux exclamations cliquetèrent comme deux épées qui se croisent. Mais Rinaldo, dans le même instant, se radoucit.

– Une querelle ! songea-t-il. Je suis fou. Vainqueur ou vaincu, le sacripant m'échapperait. Allons, Rinaldo, de la souplesse, que diable ! Monsieur, reprit-il, tout l'honneur sera pour moi, je vous jure. Je ne vous quitte plus que je ne vous ai mis en lieu sûr, tant vous me plaisez dès l'abord.

– Oh ! mais vous m'accablez, fit Capestang d'un air d'admiration ébahie.

– Peuh ! nous autres, Parisiens, nous sommes charitables au provincial...

– Et quel bonheur, dit Capestang le chapeau à la main, quelle chance pour le pauvre provincial de se heurter à quelque généreux Parisien de Sicile, de Calabre, ou des Pouilles !

– *Per la madonna !* grogna Rinaldo, tu me payeras chacun de tes coups de langue d'une pinte de sang. Patience, patience !

Il éclata de rire, et d'un ton enjoué, d'un ton de franche belle humeur, il s'écria :

– Maudit accent qui me trahit toujours ! C'est vrai, j'arrive d'Italie. Mais je connais Paris. Et il ne sera pas dit que j'aurai laissé un charmant compagnon comme vous dans l'embarras. D'autant que je me dirige tout droit à l'hôtel de M. le maréchal d'Ancre...

De sourdes huées montèrent du rassemblement. Capestang tressaillit.

– Venez donc, acheva Rinaldo, oubliez les propos aigres-doux que nous venons d'échanger, et me suivez malgré l'accent.

– Eh ! monsieur, fit le chevalier enchanté au fond de trouver un guide, gardons chacun notre accent. L'accent ! Mais c'est la physionomie de la parole ! Vous avez votre manière de dire : « *Per bacco.* » J'ai ma manière de dire : « *Corbacque.* » Et c'est fort bien. Et qu'est-ce qu'une langue sans accent ? Un visage sans nez, une prononciation eunuque, un verbe sans domicile. Laissez-moi donc être provincial tout mon soûl ; et, vous, monsieur, soyez Parisien, je veux dire étrusque ou lucquois, soyez-le comme vous l'êtes, de la plume aux éperons, de la parole au geste, de l'esprit au cœur.

– *Briccone !* grommela Rinaldo, tout étourdi de ce babil exubérant ponctué d'une grêle de gestes.

Cependant, il eut un dernier signe d'invitation, et les deux cavaliers, botte à botte, se mirent en chemin, poursuivis de loin par des cris dont notre aventurier ne pouvait comprendre le sens, mais que le familier de Concini entendait de la bonne oreille, car il passa au trot. La traversée de Paris se fit rapidement. Rinaldo frémissait et souriait. Ce sourire eût paru sinistre au chevalier si celui-ci, oubliant presque son compagnon, n'eût été très occupé à adopter un maintien capable de donner aux badauds une haute opinion de sa personne. Car notre héros, étant jeune, brave et bien fait, ne laissait pas que d'être assez glorieux. Il exagérait donc la fierté naturelle de son attitude, et trottait, la plume au vent, le poing droit sur la hanche, regardant Paris en homme qui en a vu bien d'autres, et se disant :

– Tiens-toi, Capestang. Paris te regarde.

Telle fut l'entrée d'Adhémar de Trémazenc, chevalier de Capestang, dans la bonne ville de Paris.

Or, comme ils débouchaient dans la rue de Tournon, un groupe de peuple la descendait, avec des figures menaçantes, des murmures semblables à ceux des vents précurseurs d'orage. Dans ce groupe farouche, à la vue de Rinaldo, il y eut un brusque silence, puis, tout à coup, un grondement.

– Mort aux affameurs !

– Poussons ! fit Rinaldo en pâlissant.

– C'est plus facile à dire qu'à faire, à moins d'écraser chacun notre demi-douzaine de ces pauvres diables. Mais à qui en ont-ils ?

– *Corpo di Cristo* ! On écrase, mais on passe ! rugit Rinaldo. Place, place !

Devant le poitrail furieux, la bande hésita, oscilla, reflua, puis s'ouvrit comme le flot devant une proue, puis se referma en un sillage bouillonnant. Cela n'avait duré que quelques secondes. Capestang, étonné de ce qu'il voyait et de ce qu'il entrevoyait, rejoignit son guide, qui essuyait à son front quelques-unes de ces gouttelettes glacées que distille la peur.

– Pardieu ! fit-il, mais c'est à vous qu'ils en voulaient.

Rinaldo ne répondit pas ; il sautait sur la chaussée et, courant à un homme qu'il avait cru remarquer dans la bande, il le saisissait à la gorge et le secouait en grondant :

– Tu en étais, toi ! Puisque tu es resté en arrière, tu vas payer pour tous !

– Vous vous trompez, hurla l'homme, tandis que les passants terrifiés s'enfuyaient.

– Miséricorde, à moi ! Au feu ! À la rescousse !

Le malheureux, à demi étranglé, ne put en dire plus ; mais il leva les yeux au ciel, soit pour protester encore à la muette, soit pour recommander son âme à son saint préféré ; en effet, ivre de rage, Rinaldo venait de tirer son poignard... À ce moment, une violente bourrade le repoussa et il vit devant lui Capestang qui, l'ayant rejoint d'un bond, lui disait :

– Fi ! monsieur, gourmer ainsi un pauvre hère sans défense !

– Vive la plume rouge ! crièrent les passants attroupés à distance respectueuse.

Rinaldo tourna vers eux un regard sanglant que tout chargé de haine il ramena sur le chevalier. Mais, tout à coup, sa physionomie se modifia, s'éclaira.

– Ce serait stupide, grinça-t-il en lui-même. Le perdre à cent pas de l'hôtel... du piège d'où il ne sortira pas vivant... où il laissera plume, bec et ongles. Oh ! je veux lui rendre ce qu'il m'a fait souffrir... je veux le souffleter, l'insulter, et puis l'étriper de mes mains ! Patience !

Et pendant qu'il ruminait pour sa haine une effroyable satisfaction, Rinaldo souriait de plus en plus : il se frappait le front, il bredouillait avec volubilité :

– *Per bacco !* vous avez mille raisons ! Diantre soit de moi, qui suis tout de premier mouvement ! *Povero !* Incapable de modérer sympathie ou colère ! Va, manant, va, je te fais grâce, mais ne recommence pas.

– Comment t'appelles-tu ? fit le chevalier en s'approchant du pauvre diable qui respira coup sur coup comme pour s'assurer que cette fonction vitale s'accomplissait.

– Ouf ! répondit l'homme.

– Comment, ouf ? C'est là ton nom ?

– Oui, fit l'homme en coulant un regard vers Rinaldo qui écoutait ; c'est-à-dire, non, enfin, je m'appelle Laguigne, à votre service.

– Merci ! fit en riant le chevalier. Si encore tu t'appelais Lachance !

– Tiens ! Vous savez mon autre nom ?

– Ton autre nom ? Tu as donc plusieurs noms ?

– Oui. Il y a des jours où je m'appelle Lachance. Mais

aujourd'hui je m'appelle Laguigne.

– Bon ! Eh bien, mon brave Laguigne, si tu veux un bon conseil, file prestement.

Et il lui mit un écu dans la main.

– Merci, mon prince ! cria l'homme qui s'élança. À votre service, à la vie, à la mort !

Vingt pas plus loin, celui, qui, pour le moment, répondait au nom mélancolique et peu harmonieux de Laguigne, s'arrêta court, se retourna, et suivit des yeux celui qui l'avait voulu trucider et celui qui l'avait sauvé. Dans ce même moment, le chevalier, les sourcils froncés, songeait à quitter son guide qui, décidément, ne lui disait rien qui vaille. Comme s'il eût deviné cette pensée, Rinaldo s'arrêta :

– Monsieur, dit-il, nous voici devant l'hôtel de M. le maréchal d'Ancre. Je vais d'un mot éclairer notre situation : j'appartiens à l'illustre maréchal, et si je vous ai proposé de vous guider, c'est qu'il m'a semblé démêler à votre air et à vos paroles que vous cherchiez un protecteur puissant. Si j'ai subi les criailleries de quelques Parisiens de méchante humeur à cause de quelques pauvres impôts, c'est qu'on me connaît pour le plus fidèle serviteur du grand homme. Si j'ai pris en bonne part vos agréables plaisanteries, c'est que le maréchal aime les gens de cœur et d'esprit, c'est que votre air m'a touché, c'est enfin que je veux vous présenter sur l'heure au maître de la France.

– Quoi ! balbutia Capestang qui tressaillit de joie, tout poussiéreux et botté que je suis ?

– Qu'importe, jeune homme ! Voici la fortune qui passe... Saisissez-la. Dans une heure, il sera trop tard : le maréchal va partir pour un long voyage. Seulement je vous en préviens, si vous êtes d'humeur paisible, passez votre chemin ! Mais si vous aimez le danger, les expéditions hasardeuses, la lutte au bout de laquelle se trouvent l'honneur et les honneurs, suivez-moi, entrez avec moi dans ce logis plus somptueux que le Louvre, où affluent princes, diplomates, cardinaux, où vous allez coudoyer tout ce qu'il y a d'illustre au monde.

– Est-ce vraiment la chance que j'ai rencontrée ? murmura l'aventurier ébloui. Le danger ! Les beaux coups d'estoc et de taille ! Les périlleuses équipées ! Et, au bout, la fortune ! Mais c'est cela que je suis venu chercher à Paris, moi !

L'instant d'après, les deux cavaliers mettaient pied à terre dans la cour de l'hôtel, où deux valets à splendide livrée s'emparaient de leurs chevaux ; et Capestang enivré, le cœur battant, la tête en feu, Capestang porté sur les ailes éblouissantes de l'illusion, Capestang qui n'eût pas cédé sa place au roi de France, montait derrière Rinaldo le grand escalier de marbre.

Seulement Rinaldo avait fait un signe. Et à ce signe, la grande et lourde porte de l'hôtel venait d'être fermée !

Capestang ne vit rien de cette manœuvre, qui le faisait prisonnier, rien de la sinistre expression qui venait de convulser les traits de Rinaldo. Il montait derrière son guide le monumental escalier de marbre, il traversait avec lui les vastes et somptueuses antichambres où s'agitait la foule des courtisans, des solliciteurs, des valets, des hommes d'argent et des hommes d'épée. Il passait enfin dans une salle déserte puis dans une dernière, où les murmures n'arrivaient plus, et où Rinaldo s'arrêta.

– Maintenant, fit-il, votre nom, s'il vous plaît ?

Capestang déclina ses noms et titres. Rinaldo lui fit de la main un geste gracieux, lui adressa son plus charmant sourire et disparut. Le chevalier se vit seul dans une pièce nue, froide, aux murailles lisses, au plancher composé de larges dalles. En regardant bien, il crut reconnaître sur ces murailles des éraflures comme eussent pu en faire des pointes d'épée. Sur les dalles lavées, il crut reconnaître des éclaboussures noirâtres.

– Oh ! murmura-t-il en frissonnant, qu'est-ce que cela ? Du sang ? Oui, du sang ! Oh ! mais, on égorge donc, ici ?

Il courut à la porte par où il était entré : fermée ! Il se rua vers la porte par où Rinaldo était sorti : fermée ! Il bondit vers une troisième porte au fond : fermée !

L'aventurier se sentit pâlir. D'étranges pensées tourbillonnèrent dans sa tête. Avec l'incalculable rapidité de l'imagination créatrice de fantômes et messagère de soupçons, il analysa ses sensations, et haleta :

– J'ai peur ? Moi ! Peur de quoi ? Qu'ils y viennent, morbleu ! Ils... Qui ça ? Oh ! mais, j'ai la cervelle troublée, moi ! Et pourtant cette solitude, ce silence, ce...

À ce moment, la deuxième de ces trois portes que nous venons de signaler s'ouvrit, un huissier parut et prononça :

– Monseigneur le maréchal marquis d'Ancre attend M. Adhémar de Trémazenc, chevalier de Capestang !

VII

L'hôtel Concini

L'aventurier sursauta. Ses pensées, ses soupçons s'envolèrent comme des oiseaux de nuit que frappe un rayon de soleil. Il respira largement. Ce fut d'un pas ferme qu'il entra dans le cabinet du maréchal.

Concini était seul, assis à une table, écrivant et tournant le dos au chevalier qui, fièrement campé, la main gauche crispée sur la garde de sa rapière, le chapeau à plume rouge à la main droite, les yeux étincelants d'espoir, songeait :

– Attention, Capestang ! Tu as rencontré la chance, ne la lâche pas ! Te voilà auprès de l'homme qui est plus roi en France que le propre fils d'Henri IV. Il s'agit ici de jeter les bases de ta fortune future. Et tout d'abord, il s'agit de t'assurer de l'impunité pour ton algarade du bois de Meudon, de te faire un protecteur contre ce gentilhomme qui enlève les jeunes filles, contre ce lâche, ce félon qui...

Le chevalier, soudain, demeura hébété de stupeur, la bouche ouverte, les yeux exorbités, pétrifié comme ces malheureux auxquels Persée présentait la tête de la Gorgone Méduse : Concini venait de se retourner ! Et dans le maréchal d'Ancre, Capestang reconnaissait le ravisseur, le félon, le lâche qu'il avait insulté, combattu, vaincu !

– Je suis perdu ! songea l'aventurier, dès qu'il put mettre un peu d'ordre dans ses pensées affolées. Décidément, ce n'est pas la chance que j'ai rencontrée aux portes de cet hôtel, mais bien Laguigne. Tout Concini qu'il est, montrons à ce voleur de grands chemins qu'un Capestang ne peut baisser la tête que sous le coup de hache du bourreau.

Et le chevalier, se redressant, tout pâle, et tout hérissé, se couvrit de son feutre. Geste de bravade accentué par une attitude outrancière de matamore à froid, insulte héroïque de l'homme qui veut bien mourir, mais mourir dans un dernier défi. Concini demeura glacial. Il demanda :

– Vous me reconnaissez ?

– Oui, monsieur, répondit intrépidement l'aventurier. Votre physionomie est de celles qu'il est impossible d'oublier. Et la circonstance où j'ai eu l'honneur de vous voir est elle-même inoubliable... Ah ! c'est là Concino Concini, maréchal d'Ancre ? ajouta-t-il en lui-même. Eh bien ! Corbacque ! je l'échappe belle ! J'allais me donner là un joli maître !

Concini semblait pensif. Il étudiait, détaillait cette singulière figure naïve et rusée, impertinente et hardie, cette attitude de folle bravoure et d'indomptable témérité.

– Un brave ? songeait-il. Certes ! Et s'il est bien stylé, un bravo, peut-être ! Rinaldo en aura la jaunisse, mais tant pis ; si j'oublie, moi, l'insolence de ce routier, il peut bien oublier, lui aussi ! Le ciel de ma destinée, jusqu'ici sans nuages, se couvre et devient orageux. Ma livrée ne peut plus se montrer dans la rue sans qu'il y ait cris et sédition. Luynes accapare le roi. Guise conspire. Condé montre les dents. Angoulême s'agite. La seigneurie me méprise. Bientôt, demain peut-être, je vais avoir besoin de dévouements aveugles, de cœurs intrépides. Les hommes de la trempe de celui-ci sont rares... il me faut des hommes ! Quitte à me venger plus tard, commençons par acheter celui-ci !

Concini était là tout entier, dans cette souplesse d'esprit vraiment prodigieuse. Le secret de sa fortune tenait dans ces quelques mots de calcul profond. Concini, qui haïssait mortellement ce jeune homme qui l'avait bafoué, insulté, frappé ; Concini, qui avec délices eût signé l'ordre de décapiter l'aventurier, Concini imposait silence à sa haine, et, trouvant un intérêt à s'attacher l'insulteur, oubliait l'insulte... ou remettait à plus tard de s'en souvenir !

– Monsieur, dit-il, votre bataille contre mes hommes a été un chef-d'œuvre. Votre manœuvre à cheval a été une de ces équipées comme le Centaure pouvait en rêver...

– C'est moi qui rêve ! songea Capestang stupéfait.

Et il s'inclina respectueusement.

– J'ai reconnu en vous un brave, continua Concini, et c'est pourquoi j'ai voulu vous voir avant de vous envoyer à l'échafaud.

– Ah ! ah !... À la bonne heure ! Je m'étonnais aussi.

– Silence, monsieur ! dit Concini avec un accent de dignité

mélancolique. Votre aventure du bois de Meudon, pour glorieuse qu'elle vous puisse paraître, ne doit vous laisser aucun doute sur le sort qui vous attend. On n'insulte pas impunément un ministre du roi, surtout quand ce ministre s'appelle le maréchal d'Ancre. On ne se jette pas sans risquer sa tête au travers des secrets de l'État. C'est beau, monsieur, de délivrer une jolie fille attaquée sur une route ; mais quand la jolie fille est une conspiratrice, quand on s'est ainsi opposé à l'arrestation d'une fille de conspirateur (*Capestang dressa l'oreille*), quand on a fait manquer ainsi une opération d'où dépendait le salut du roi (*elle est sauvée ! songea Capestang*), eh bien, monsieur, je le dis à regret, il faut être prêt à regarder en face la hache vengeresse.

– Je suis prêt ! dit Capestang.

– Je sais. Je vous ai vu à l'œuvre, dit Concini en se levant. Monsieur, vous avez insulté César en m'insultant. Et comme autrefois César, j'ai voulu voir de près le gladiateur.

– Et comme les gladiateurs, je vous dis : *Ave Cesar, morituri te salutant.*

Capestang se découvrit d'un geste large, s'inclina, puis se redressa, remit son feutre sur sa tête et se campa sans qu'un pli de sa physionomie révélât une émotion.

– Monsieur, dit Concini, c'est bien. Voici l'ordre que je viens de signer. Lisez.

– Merci de la faveur grande. Je saurai donc d'avance où, quand et comment je dois mourir ! fit Capestang qui saisit le parchemin.

Et il lut. L'instant d'après son visage s'empourpra. Ses mains tremblèrent. Il leva sur Concini un regard d'ineffable étonnement et d'admiration profonde. Le parchemin contenait ces lignes :

Ordre à M. de Lafare, trésorier royal, de payer au vu des présentes la somme de cinquante mille livres à M. Adhémar de Trémazenc chevalier de Capestang.

– Monseigneur, balbutia l'aventurier qui chancela de joie et d'orgueil, je suis vaincu !

– Tu es donc à moi ? gronda Concini dont le regard s'enflamma.

– Disposez de ma vie ! fit Capestang qui s'inclina avec cette indicible émotion de la reconnaissance que fait passer dans les cœurs tout acte de générosité supérieure.

– C'est bon ! Écoutez, dit Concini de cette voix ardente et câline, fiévreuse et enveloppante, qui était une de ses grandes forces. Chevalier, je vous prends. Vous m'offrez votre vie que je pouvais jeter au bourreau. Je la prends. Soyez fidèle. Soyez dévoué. Et moi je me charge de votre fortune... Êtes-vous prêt dès cet instant ! Dis ! Es-tu prêt à affronter le péril comme tu étais prêt à marcher à l'échafaud ?

Étourdi, ébloui, des visions de gloire et de fortune plein la tête, enivré par ces paroles :

– Parlez, monseigneur ! dit Capestang.

– Eh bien... je vais te dire... cette jeune fille... la connaissais-tu ? Sois digne de toi et de moi : sois franc.

– Non, monseigneur ! murmura l'aventurier. Je ne sais pas même son nom !

– Ainsi, rien ne t'attache à elle ? demanda Concini d'une voix basse et rapide.

– Rien ! fit le chevalier avec un soupir étouffé, tandis que son cœur tremblait.

– Bien ! Voici ta première mission : rends-toi rue Dauphine, à l'angle du quai. Tu verras là un hôtel qui semble inhabité. Tu surveilleras cet hôtel. Tu prendras dans ma maison les hommes dont tu as besoin, tu dépenseras l'argent sans compter. Dans un mois, dans huit jours, demain peut-être, des hommes arriveront dans cet hôtel : il faudra les cerner et les arrêter (*Capestang tressaillit ; Concini baissa encore la voix*) il y aura une bagarre... dans la mêlée, il faudra que l'un des hommes reçoive de toi un de ces bons coups de rapière après lesquels il n'y a plus qu'à dire *Amen !* Cet homme est mon ennemi mortel, c'est le père de la conspiratrice, c'est le comte d'Auvergne duc d'Angoulême.

– C'est la fille du duc d'Angoulême ! rugit le chevalier dans son cœur. C'est le père de celle que j'aime qu'on m'ordonne d'assassiner !

Concini plongea son regard aigu dans les yeux du jeune homme, et ajouta :

– Tu vois : je te livre les secrets de l'État, Capestang, tu as du premier coup conquis ma confiance.

– Vous voulez dire votre mépris, monseigneur ! fit Capestang qui leva un front livide.

– Quoi ! Qu'est-ce à dire !

Capestang se redressa, déchira en quatre le bon de cinquante mille livres, en laissa tomber les morceaux aux pieds de Concini et se croisa les bras. Et il prononça :

– Où est votre bourreau ? Où sont vos échafauds, monseigneur !

Concini pâle et convulsé bredouilla confusément :

– Expliquez-vous, par le sang du Christ !

– Oui, dit Capestang, et cela vaudra mieux que de m'expliquer par le sang de Judas. Ce sera bref, d'ailleurs. Bref comme un soufflet, monseigneur ! Vous voulez faire de moi un espion. Si le seigneur de Trémazenc mon père, était ici, il me demanderait sévèrement pourquoi vous êtes encore vivant, vous qui avez proposé pour cinquante mille livres de honte à un Trémazenc. À quoi je répondrais sans doute : « Mon père, vous faites trop d'honneur à ce chef de sbires ! »

– Misérable ! gronda Concini d'une voix si tremblante qu'à peine on l'entendait.

– Monsieur le maréchal, continua Capestang, vous voulez faire de moi un assassin à gages. Et ceci, vous le comprendrez ou ne le comprendrez pas, ceci demande une réponse péremptoire. La voici !

En même temps, à toute volée, il jeta son gant qu'il avait commencé de retirer dès l'instant où il avait dit que son explication serait brève comme un soufflet.

Concini eut un ricanement féroce. Il jeta sur l'aventurier un regard mortel. Il agita la main comme pour esquisser une menace. Il voulut crier, il chercha une insulte, et ses lèvres livides ne laissèrent sortir qu'un son rauque et informe.

Alors il éclata de rire, d'un rire qui fit frissonner le chevalier et instantanément ramena dans son esprit éperdu un sang-froid terrible. Capestang baissa la tête en frémissant :

– Qu'ai-je fait ? balbutia-t-il en lui-même. Qu'ai-je dit ? Ah ! maudite langue trop pointue ! Ne pouvais-je ruser, sortir d'ici, écrire ensuite au Concini ? Ah ! brute, niais, quadruple imbécile, décuple...

On ne sait où se serait arrêtée cette multiplication d'agréables qualificatifs qu'il s'octroyait généreusement, si une voix rogue, à cet instant, n'eût annoncé ceci :

– L'audience de M. Adhémar de Trémazenc, chevalier de Capestang, est terminée.

– L'audience ? murmura le chevalier effaré, se demandant si décidément, il marchait de rêve en rêve.

Il regarda autour de lui, et vit que le maréchal d'Ancre avait disparu. Par contre, près de la porte par laquelle il était entré, se tenait le même huissier qui l'avait introduit.

– Alors, fit Capestang, tu dis que mon audience est terminée ? Je puis m'en aller comme cela ?

– Oui, monsieur, à ce qu'il paraît, fit le suisse de cathédrale très majestueux.

– Eh bien, voici deux écus, mon cher ami...

Capestang respira un grand coup, et sans oser trop approfondir ce qui lui arrivait, tendit en effet deux pièces d'argent à l'huissier qui les empocha.

– Seulement, tu auras l'extrême complaisance de me montrer le chemin.

– Facile ! dit le suisse. Entrez là, ouvrez cette porte en face de vous. Suivez le couloir tout droit. Descendez le petit escalier. Vous serez dans la cour.

Le chevalier obéit. Il passa dans la pièce nue et dallée où il avait attendu. Seulement, comme il se retournait pour interroger l'huissier, il ne le vit plus : la porte du cabinet s'était refermée. Alors, Capestang sentit la sueur pointer à son front. Ses yeux, tout d'instinct, allèrent chercher ces éraflures qu'il avait remarquées aux murailles, ces taches noirâtres qu'il avait vues sur les dalles. Puis, secouant la tête, et plein d'un doute effrayant, il se dirigea vers cette porte qu'on venait de lui signaler et qu'il se rappelait parfaitement avoir essayé en vain d'ouvrir.

Capestang fut secoué d'un rapide frémissement d'espoir. Cette fois la porte s'ouvrait ! Dans la même seconde, il recula de deux pas : dans le couloir étroit et sombre, dans l'encadrement de la porte ouverte il y avait un homme ! Et cet homme c'était Rinaldo !

– Ah ! ah ! fit le chevalier, je commence à comprendre !

Rinaldo s'avança, le sourire fielleux, la face insolente, le regard chargé d'insulte.

– Entrez, messieurs, entrez, dit-il, je vous présente M. Adhémar de Trémazenc de Capestang, avec qui vous avez eu une petite discussion dans le bois de Meudon.

Cinq hommes entrèrent. Le dernier referma la porte du couloir. Cinq hommes vigoureusement découplés, marchant d'un pas nonchalant, et retroussant leurs moustaches.

Capestang s'accula à un angle de la pièce. L'œil aux aguets, les nerfs tendus, la main à la garde, prêt à dégainer, immobile et froid, souriant, étincelant, il était là comme la personnification du Défi. Les spadassins s'étaient rangés en face de lui, contre la muraille. Ils semblaient parfaitement paisibles... l'un d'eux renouait une de ses aiguillettes, un autre fredonnait à demi-voix une complainte d'amour, un autre se mirait dans une petite glace de poche et peignait sa moustache, et à cause de cette tranquillité, la scène était effroyable.

– M. de Capestang, dit Rinaldo, je vous présente : moi, d'abord, *signor* Rinaldo. Rinaldo sans plus. Vous avez trop de noms, je n'en ai pas assez, cela compense : puis MM. de Bazorges, de Montreval, de Louvignac, de Chalabre et de Pontraille, qui vont avoir l'honneur de vous tuer proprement et sans scandale.

Capestang salua et répondit :

– Je suis flatté de faire connaissance avec le visage de ces messieurs, car au bois de Meudon je n'ai pu voir que leurs dos et leurs talons. C'est donc ici, messieurs, le coupe-gorge de l'hôtel Concini ? Laissez-moi vous faire un reproche : quand vous avez assassiné, vous devriez au moins laver les dalles.

– Monsieur est bien bavard, dit Louvignac ; j'ai bien envie de le tuer tout de suite.

– Eh ! fit Montreval, donnons-lui le temps de faire une prière. Nous ne sommes ni Turcs, ni Maures, que diable !

Capestang tira sa rapière, saisit son poignard de la main gauche :

– Quand vous voudrez, messieurs les bourreaux ordinaires de M. le maréchal des sbires !

– Hein ! gronda Chalabre, il me semble qu'il insulte monseigneur !

– Faudra-t-il vous souffleter comme je viens de souffleter votre maître ! rugit Capestang.

Il était impatient de la bataille. Ses oreilles tintaient. Cette attitude pétrifiée qu'il avait prise d'abord s'était fondue. L'œil provocant, la lèvre insolente, le sang à la tête, il voyait rouge. Le danger l'exaspérait. L'affreuse situation où il se trouvait, dans cette cage de pierre, en face de six spadassins dont les visages pâles et convulsés aspiraient le meurtre, il l'oubliait ! Se battre ! Frapper d'estoc et de taille ! Tuer ou être tué ! Il n'y avait plus en lui qu'une frénésie de combat. Sa rapière, vivant serpent, sifflait dans sa main. Son pied battait des appels. Souple, nerveux, le geste multiple, la parole âpre, pareil lui-même à une lame d'acier vivante, il les provoquait, les menaçait de la voix, du regard, de tout son être tendu comme un ressort.

– Eh ! cria Pontraille, le faquin va m'éborgner ! Comment dis-tu qu'il s'appelle, Rinaldo ?

– Trémazenc de Capestang ! fit Rinaldo en enflant la voix et en éclatant de rire.

– Capestang ? Allons donc ! Regarde-le ; c'est Capitan qu'il faut dire ! c'est le Capitan de la comédie, braillard, vantard, et qui a besoin qu'on lui tire les oreilles !

– En ce cas, hurla le chevalier, je suis donc chez Pulcinello ! chez Pantalon !

– Calme-toi, seigneur Capitan, seigneur fier-à-bras, dit Rinaldo en riant, toujours ; messieurs, une petite saignée au capitan avant de le livrer à la latte de bois d'Arlequin.

En même temps, les six dégainèrent.

– Capitan ! vociféra le chevalier. Eh bien ! soit ! Capitan me va ! J'accepte Capitan ! Je ramasse Capitan ! Et ce nom je le hausse à ma taille ! Arlequins, Pulcinelles, Pantalons, prenez garde au Capitan !

Il bondit. Il y eut un sifflement aigu, strident de la rapière, décrivant un moulinet fantastique au-dessus de la tête de Capestang ; puis brusquement, cette ligne d'acier qui traçait une zébrure d'éclair s'abaissa à la hauteur des six visages, et un triple hurlement éclata : Rinaldo, Chalabre et Bazorges portèrent la main à leurs joues et la retirèrent sanglante. Les trois joues avaient été cinglées du même coup de fouet rebondissant de l'une à l'autre.

– *Sangue della madonna !* – Tripes du diable ! – Ventre du pape !

Les trois jurons furieux retentirent, il y eut un recul, puis un silence d'une seconde, puis la ruée des six dans un trépignement exaspéré, le cliquetis des épées choquées, le grondement des voix féroces mâchonnant des insultes, des promesses de dévorer le foie, des serments de faire sauter la cervelle à la poêle et de mettre le cœur à la broche, tout ce tumulte hideux dominé par la voix acerbe de Capestang qui hurlait :

– Le Capitan à la rescousse ! – Tiens, Pantalon ! – Tiens, Pulcinello ! – Ah ! miséricorde ! – Ah ! tripes du pape et ventre du diable ! – Ah ! *Per bacco !* – Ah ! Corbacque ! – Capitan ! Gare au Capitan !

D'un bout à l'autre de la pièce, Capestang, pareil cette fois à Roland furieux, bondissait, tantôt dans un angle d'où jaillissait son coup de rapière, tantôt à l'angle opposé, tantôt à plat ventre sur les dalles, se baissant, se relevant, portant ici un coup de poignard, parant là un coup d'épée, passant et repassant à travers le groupe fou de rage et dérouté par cette manœuvre enragée, sublime. Rinaldo avait la cuisse traversée d'un coup de poignard. Pontraille poussait des rugissements de douleur : un coup de pointe lui avait crevé un œil. Il y avait du sang aux murs, du sang sur les dalles, du sang sur les visages, sur les mains. La bande qui avait cru en finir d'un coup, la bande qui, selon toutes les règles de l'art, avait pensé cerner Capestang dans un angle et le tuer là, la bande affolée par la tactique imprévue, insensée, la bande se démenait, se heurtait, tourbillonnait, cherchait Capestang qui était partout et nulle part.

– Il en tient ! Il en tient ! rugit Rinaldo en se soulevant.

Oui ! Il en tenait ! Il était blessé aux deux mains, il avait l'épaule droite labourée, une large estafilade à la poitrine, deux ou trois piqûres aux bras. Ses vêtements étaient en lambeaux, ses genoux, tout à coup fléchirent, sa voix s'affaiblit, la rapière lui échappa ! Capestang, du fond du brouillard qui s'appesantissait sur ses yeux, vit jaillir l'éclair des poignards, comme au fond d'un nuage on voit luire la foudre.

– Tuez ! tuez ! râla Rinaldo, qui essaya encore de se soulever pour lui porter un coup.

– Tuez ! Tuez ! vociféra Pontraille.

– Achève ! achève ! hurlèrent Montreval, Bazorges, Louvignac, Chalabre.

Capestang, à bout de forces, laissait tomber sa rapière ! Les quatre spadassins encore valides se ruaient sur lui le poignard levé. Dans cette seconde, tout ce qu'il y avait en lui d'ardent désir de vivre, de jeunesse puissante et exubérante, d'énergie vitale, toutes ses forces d'âme et de corps se concentrèrent, se tendirent ; d'un geste de folie, il saisit une des mains levées sur lui, au hasard, lui arracha son poignard : et ses deux mains à lui, ses deux mains armées dès lors chacune d'une lame acérée, il les lança à droite et à gauche. Dans la bande forcenée, il y eut une trouée rouge. Capestang fonça, tête baissée. Il passa, frénétique, rugissant et terrible. Il atteignit la porte du couloir, tout sanglant, tout haletant, il se rua d'un bond...

– Sus ! sus ! Il nous échappe ! hurla Rinaldo.

Et, cette fois, il parvint à se remettre debout, plus livide de sa rage que de son sang perdu. Chalabre, Louvignac, Bazorges, Montreval se jetèrent dans le couloir. À ce moment, Concini apparut, laissa son regard errer sur cette scène d'épouvante. Il entrevit Capestang au fond du couloir, Capestang debout encore et effrayant à voir. Une sorte d'étonnement monta à son cerveau, avec des bouffées de haine et d'admiration, et il murmura :

– Ah ! pourquoi n'a-t-il pas voulu ! Appuyé sur un pareil homme, j'eusse bravé Paris. Dommage, par le Christ, dommage de tuer ce lion ! Mais voilà, si je ne l'avais tué, un jour ou l'autre, d'un coup de griffe, il m'eût fracassé le crâne. – En avant ! vociféra-t-il. Tuez ! tuez !

Capestang avait atteint l'escalier que lui avait signalé l'huissier. L'escalier y était. Seulement, au lieu de descendre vers la cour, il montait vers les combles ! Capestang monta, il ne pouvait plus parler, il respirait à peine ; s'il vivait vraiment ou s'il s'agitait dans un rêve de mort, il ne le savait plus, il montait, escaladait les marches, soutenu par la violence des derniers instincts à leur paroxysme, toujours poursuivi, serré de près, se retournant encore parfois, puis reprenant sa course éperdue dans un long corridor au bout duquel il se trouva devant une porte ouverte.

– Achevez-le ! crièrent ensemble Concini et Rinaldo.

Louvignac et Bazorges qui étaient en tête poussèrent, d'un bond.

– Malédiction ! vociféra Louvignac.

Capestang avait franchi la porte ! Et il l'avait repoussée derrière lui ! Et comme dans cette minute suprême d'agonie ses mains frémissantes s'appuyèrent à la porte, elles avaient senti la clef dans la serrure. Capestang avait tourné cette clef, et, alors, avec un long soupir, il tomba sur les genoux... il voulut rappeler encore en lui de la vie, et il sentit qu'il mourait... il se laissa aller en arrière... la notion de la vie disparut de son être. De l'autre côté de la porte, dans le couloir, se démenait et hurlait la bande furieuse.

– Enfonçons ! Enfonçons ! criaient Montreval, Bazorges, Louvignac en labourant le bois à coups de poignard.

– Inutile, dit Concini avec un sourire terrible.

Dans les antichambres, à quelques pas de cette scène hideuse, courtisans, diplomates, évêques, solliciteurs attendaient leur tour d'être introduits auprès du maréchal d'Ancre. Concini, dans son cabinet, l'oreille aux aguets, attendait lui aussi ! Il attendait que Rinaldo vînt lui dire :

– Il est mort !

Parmi les solliciteurs, une dame... une jeune fille d'une éclatante beauté, à l'œil hardi, au sourire provocant, merveilleuse de grâce et de coquetterie, radieuse de jeunesse, charmante de sa naïve effronterie, était assise dans un fauteuil, et, derrière elle, un jeune homme d'une rare élégance d'attitude, de costume et de physionomie, semblait la couver des yeux, et parfois se penchait sur le dossier du siège.

– Monsieur de Cinq-Mars, disait à ce moment la jeune fille, puisque vous avez voulu être mon chevalier servant et mon introducteur dans ce monde merveilleux, expliquez-le-moi, racontez-le-moi, révélez-le-moi...

– Marion ! soupira le gentilhomme, méchante Marion, ah !

mademoiselle Marion Delorme, si seulement vous vouliez m'encourager d'un sourire ! Voyons cependant : par qui ou par quoi voulez-vous que je commence ?

– Eh bien, tenez, vous voyez ce jeune évêque ? Le violet s'harmonise admirablement avec la mélancolie de son front. Il a l'attitude à la fois souple et fière d'un lion.

– Ou d'un tigre ! murmura Cinq-Mars.

– Il ne me quitte pas des yeux, continua Marion Delorme. Que dis-je ! il me dévore ! Quel regard ! Quelle puissance et quelle douceur ! Pourquoi me regarde-t-il ainsi ? Monsieur de Cinq-Mars, comment s'appelle cet évêque au front pâle ?

– C'est M. de Luçon, duc de Richelieu, fit sourdement le jeune homme.

– L'évêque de Luçon ! s'exclama la jeune fille en tressaillant. Menez-moi à lui, monsieur, oh ! je vous en prie...

– Cruelle ! Vous me demandez cela à moi ! Vous présenter à cet homme qui laisse éclater la passion que vous venez de lui inspirer ! Jamais, Marion !

– Est-ce ainsi que vous prétendez m'aimer, me servir et me conquérir ? murmura la jeune fille avec un sourire enivrant. Faudra-t-il donc que je cherche un autre cavalier servant ?

– Non, non ! balbutia Cinq-Mars. J'obéis... la mort dans le cœur, mais j'obéis.

Cinq-Mars offrit la main à Marion Delorme, et tous deux s'avancèrent, couple harmonieux, d'une exquise grâce. Richelieu les regardait venir à lui... Ses yeux ardents dévoraient Marion Delorme, puis, comme ce regard, soudain, se croisait avec celui de Cinq-Mars, ces deux hommes, dans cette minute, comprirent qu'ils se vouaient une haine mortelle, à jamais ! Et Marion Delorme songeait :

– Évêque, riche gentilhomme, espérance de fortune, je donnerais tout pour revoir là-bas, sur les bords fleuris de la Bièvre, dans la gloire du soleil levant, dédaigneux et superbe, un cavalier un peu râpé, un peu maigre, hâlé par le vent, les pluies... le revoir... l'aimer et en être aimée ! Capestang ! mon dédaigneux chevalier, où êtes-vous ?

Et ce moment où Marion songeait ainsi à Capestang, c'était celui où Concini, d'un geste, arrêtait ses sbires prêts à enfoncer la porte derrière laquelle le chevalier s'était réfugié. Le maréchal avait eu un sourire terrible. Et c'était terrible, en effet, ce que songeait Concini c'était effroyable ; ce coin de l'hôtel, il le connaissait ! Ce boyau dans les combles, sous les toits, il le savait sans issue ! Capestang venait de s'enfermer lui-même dans un étroit grenier d'où il ne pouvait sortir que par la porte !

Concini, à voix basse, donna un ordre à Montreval, le plus valide de tous, Montreval tressaillit, leva sur le maréchal un regard de terreur, et, tout spadassin, tout bravo féroce qu'il fût, ne put s'empêcher de frissonner. Mais il obéit, s'élança. Les autres attendaient avec une intense curiosité... Lorsque Montreval revint, il était accompagné de plusieurs hommes qui déposèrent différents objets dans le couloir. Puis sur un signe du maître, ces hommes s'en allèrent. Chalabre, Louvignac, Pontraille qui venaient de se traîner jusque-là, Bazorges, tous regardaient Concini avec une sorte de stupeur mêlée d'horreur. Ils avaient compris ! Rinaldo seul souriait.

– Messieurs, dit Concini d'une voix glaciale, vous venez de tuer un homme ; faites-lui sa tombe !

– Sa tombe ! murmurèrent les spadassins épouvantés.

– Mais il n'est pas tout à fait mort ! balbutia Chalabre.

– Eh bien ! dit Rinaldo, murons-le vivant !

Ces objets que Montreval avait fait apporter, c'était une auge pleine de ciment tout délayé, c'étaient des truelles, c'étaient des briques. Les spadassins se firent maçons. Ils se mirent à la besogne. Une heure plus tard, la porte était murée d'un triple rang de briques cimentées. Quant au couloir on le condamna en enclouant la porte située au haut de l'escalier.

– Que dis-tu de mon idée ? fit Concini lorsqu'il eut regagné son cabinet.

– Sublime, monseigneur !

– Oui, fit Concini pensif, c'est une idée que j'emprunte à Catherine de Médicis, Catherine la Grande ! Il y a des moments où il est dangereux d'expédier un Maurevert contre un Coligny, ou d'offrir des gants parfumés à une Jeanne d'Albret. Il y a des circonstances où l'arquebuse fait trop de bruit, où le poison laisse des traces. Catherine la Grande faisait saisir celui ou celle qui la gênait, l'invitait à entrer dans quelque endroit bien clos, cave ou grenier, et une fois la porte murée, elle les y oubliait. C'était une grande politique.

– Cela s'appelle une oubliette, dit Rinaldo. Mais monseigneur, je vous demanderai la permission d'aller faire panser ma cuisse qui a reçu une rude égratignure.

– Va trouver Hérouard.

– Le médecin du roi ? Non. J'ai de la méfiance. Je vais simplement trouver Lorenzo, le marchand d'herbes du Pont-au-Change.

– Va. Et moi, Rinaldo, je vais voir quelqu'un qui me fait peur plus que dix Capestang ! murmura Concini.

– Qui cela ? L'évêque de Luçon, peut-être ? ou Luynes ? ou Ornano ?

– Non ! gronda le maréchal. Je vais voir la fille du duc d'Angoulême, je vais voir Giselle !

– Elle vous fait peur ? dit Rinaldo en regardant fixement son maître. Eh bien, monseigneur, voulez-vous que je vous la rende plus douce qu'une gazelle, plus souple qu'une jeune lionne apprivoisée, plus éprise qu'une tourterelle aux temps des amours ? Dites, le voulez-vous !

– Oh ! rugit Concini. Si cela était... mais non ! impossible ! elle me hait !

– Tout cela est possible, ricana Rinaldo. Car tout cela, monseigneur, je vais le demander au marchand d'herbes du Pont-au-Change !

Quelques minutes plus tard, Concini, sans aucun souci des visiteurs qui, dans ses antichambres, attendaient son bon plaisir, s'enveloppait d'un ample manteau, sortait de l'hôtel par une porte dérobée, remontait à pied la rue de Tournon, et gagnait rapidement le couvent des Carmes déchaussés. À l'encoignure du jardin des dignes pères, s'ouvrait une voie peu fréquentée, où de rares maisons s'espaçaient parmi les terrains à peu près incultes. On l'appelait la rue Casset.

Une de ces maisons était un coquet petit hôtel de pur style Renaissance qui se dressait vers le milieu de la rue, à gauche.

Concini pénétra dans cette maison dont la porte s'était mystérieusement ouverte devant lui.

À peine eut-il disparu qu'une femme se montra à l'angle de la rue Casset et du couvent des Carmes. Et à son tour, elle se dirigea vers le logis que nous venons de signaler. Cette femme, c'était Léonora Galigaï, marquise d'Ancre !

VIII

Violetta

Giselle d'Angoulême, après s'être écartée, sur les instances de cet inconnu qui, si généreusement avait mis flamberge au vent en son honneur, – s'arrêta à quelque distance et put, de loin, assister à la fin de la bagarre : elle vit Capestang s'éloigner – vainqueur ! Vivant et vainqueur ! Capestang ? Pour elle, Henri de Cinq-Mars. Toute palpitante d'admiration, elle se remit au galop et par des chemins de traverse, arriva à la nuit tombante à la mystérieuse maison de Meudon, où le duc d'Angoulême la reçut dans ses bras.

– Si pâle ! murmura le duc en la soutenant, car la réaction la terrassait presque – si agitée ! Oh ! Est-ce que Guise...

– Rassurez-vous, mon père, dit Giselle en domptant sa faiblesse, j'ai vu MM. de Guise et de Condé : ils seront tout à l'heure au rendez-vous !

Le conspirateur étouffa un cri de joie puissante.

– Quant à mon émotion, continua la jeune fille avec une sorte d'exaltation, pour ce soir de trop graves intérêts nous préoccupent, mais demain... ou plutôt tout à l'heure, après l'assemblée, je vous dirai quelle étrange destinée a voulu mettre aujourd'hui en présence Giselle d'Angoulême, le maréchal d'Ancre... et Henri de Cinq-Mars.

– Oh ! rugit le duc enivré, tu l'as donc revu ! Tu lui as parlé peut-être... tu l'aimes ! je le sens ! je le vois ! Plus d'obstacle, je suis roi, si je puis annoncer à l'envoyé du vieux Cinq-Mars que son fils devient mon fils ! Giselle, ma vie est suspendue à tes lèvres. Réponds. Ai-je bien fait de jurer que ce jeune homme serait ton époux ?

Et Giselle, frissonnante, les yeux perdus vers une lointaine vision où flamboyaient comme un double éclair le regard et l'épée de Capestang, Giselle murmura :

– Vous avez bien fait mon père !

– Ainsi, reprit le duc d'Angoulême, qui frémit jusqu'à l'âme, tu ratifies la parole que j'ai en mon nom, au tien, donnée au vieux marquis d'Effiat de Cinq-Mars ?

– Oui, mon père ! fit Giselle en fermant ses beaux yeux.

– Ainsi, acheva le duc rayonnant, devant moi ton père, devant Dieu qui nous entend, tu engages ta foi à Henri, marquis de Cinq-Mars ?

– Oui, mon père ! répondit Giselle.

À ces mots, elle se retira de ce pas léger et noble tout à la fois, de cette démarche fière et gracieuse que les poètes de l'Antiquité prêtaient aux déesses de l'Olympe. Rapidement, Giselle gagna un appartement reculé, dont les fenêtres donnaient sur la route et elle poussa une porte.

Là, dans une pièce aux meubles vétustes, aux tapisseries fanées, aux soieries décolorées, aux meubles élégants du temps d'Henri III, dans cette pièce où régnait une demi-obscurité, où de légers parfums se balançaient dans l'air, une jeune femme vêtue de blanc, occupait ses doigts fuselés à un délicat travail de tapisserie, tandis qu'à ses yeux hagards, on pouvait reconnaître que son esprit, lui aussi, comme tout ce qui l'entourait, s'estompait d'ombre.

Nous avons dit : une jeune femme. Et en effet, bien que cet adorable visage eût subi les premières atteintes du temps, bien que la splendide chevelure éparse sur ses épaules fût sur cette tête exquise une auréole d'argent pur et brillant, il semblait impossible d'appliquer une autre expression à cette merveilleuse créature.

Il semblait qu'elle se fût pétrifiée en pleine jeunesse. Elle était comme ces fées qui, à cent ans, sont jolies encore, parées de grâce et d'amour. Elle travaillait avec des gestes agiles et graciles, et chantait à demi-voix un rondel de Ronsard.

Giselle, un instant la contempla avec une sorte d'admiration douloureuse. Puis elle se rapprocha d'elle et l'embrassa tendrement. Celle qui portait ce si joli nom de Violetta leva sur la jeune fille un regard d'amour maternel, et son fin visage s'illumina. Giselle s'était assise sur un tabouret aux pieds de sa mère.

– Comment ne t'ai-je pas vue de toute la journée ? demanda Violetta. Voici déjà le soir, et tout le jour, je t'ai attendue en vain. Un jour entier sans voir ma Giselle, c'est beaucoup, sais-tu ?

En parlant ainsi, la mère caressait de sa main pâle l'opulente chevelure de sa fille, et vraiment dans cet instant, on eût dit que ses yeux s'éclairaient d'une flamme d'intelligence et de raison.

– Ma mère, dit Giselle d'une voix caressante et enjouée, j'ai dû m'absenter, courir les routes, comme une véritable amazone... mais c'était pour le service de M. votre époux, de M. le duc d'Angoulême, et rien ne me coûte alors.

– Courir les routes ! murmura Violetta en hochant la tête. Prends garde, ma fille ! Prends garde aux voleurs de grands chemins... il en est, de ces misérables, qui guettent les jeunes filles au détour des bois sombres... que dis-je ! ils pénètrent jusque dans les maisons !

– Je suis capable de me défendre, ma mère ! dit la jeune fille en tressaillant. Soyez donc sans inquiétude et chassez ces idées noires qui vous assiègent.

Mais déjà, cette flamme de raison qui avait un instant brillé dans les yeux de la pauvre folle paraissait près de s'éteindre. Ses yeux redevenaient hagards. Peut-être ne reconnaissait-elle plus sa fille. Elle s'était levée, et, à demi penchée, prêtait l'oreille à des bruits imaginaires.

– Non ! murmura-t-elle enfin, ce n'est pas lui, grâce au ciel ! Mais, ajouta-t-elle en se tournant vers sa fille, qui donc, tout à l'heure, parlait de Charles d'Angoulême ? Où est-il ? Est-il donc sorti de la Bastille ? Oh ! si cela est, jeune fille, si vous avez pitié de moi, conduisez-moi près de lui.

– Hélas ! soupira Giselle. Mère ! mère chérie, ne reconnaissez-vous pas votre Giselle ? Ne savez-vous pas que mon père est près de vous ? Voulez-vous que je l'aille chercher ?

– Non, non, fit Violetta. Ne me quitte pas. J'ai peur quand vient la nuit. J'ai peur lorsque je vois ces ombres entrer silencieusement, s'amasser aux angles et peu à peu gagner toute la pièce.

– Je vais faire apporter un flambeau, dit Giselle en essayant de s'éloigner.

Mais Violetta l'étreignait convulsivement et râlait :

– Ne me quitte pas ! J'ai peur de la lumière plus encore que des ombres.

– Oh ! murmura Giselle, encore une de ces affreuses crises ! Quel mot imprudent l'a provoquée ? Qu'ai-je dit ? hélas ! Ma mère, je vous en supplie, écoutez-moi... ma voix vous calme toujours. Ne craignez rien... je suis là pour vous défendre.

– Va-t'en ! cria la folle d'une voix désespérée, va-t'en ! Je l'entends qui vient !...

Violetta, tout à coup, repoussa sa fille, et se réfugia d'un bond dans l'angle le plus obscur de cette pièce que la nuit envahissait. Là, elle se jeta à genoux, cacha son visage dans ses mains, et éclata en sanglots. Giselle, pâle de pitié, l'avait rejointe et la couvrait de ses caresses. Et peu à peu, en effet, les larmes et la voix de sa fille calmaient la pauvre folle qui, enfin, consentit à se laisser conduire dans sa chambre à coucher où, brisée par la crise de terreur, elle s'étendit tout habillée sur son lit.

– Ma mère, dit Giselle avec sa douce autorité, il faut dormir. Dormez, ne fût-ce que quelques heures. Votre chère tête a tant besoin d'être rafraîchie.

Violetta se souleva sur un coude, saisit la main de Giselle, et murmura.

– Dormir ? Que dis-tu, enfant ? Et s'il venait pendant mon sommeil, comme il est venu une fois déjà ! Écoute... je ne t'ai jamais dit... il faut que tu saches.

– Non, mère, je ne veux pas savoir, dit la jeune fille frémissante.

– C'était la nuit, continua Violetta, comme si elle n'eût pas entendu. L'homme, depuis des mois, me poursuivait de son amour infâme. Et Charles, mon bien-aimé Charles n'était pas là. Où était-il ? Je ne me souviens plus ! Oh ! la terreur de mes jours ! Oh ! la douleur de ma pauvre âme... Charles n'aimait plus sa Violetta !

– Mère ! mère ! Il était en prison... à la Bastille !

La folle essuya ses larmes et reprit :

– À la Bastille ? Oui. De mon temps, les fils de rois logeaient au Louvre, et non à la Bastille. Moi, j'étais à Orléans. Te rappelles-tu notre hôtel d'Orléans ? C'est là que tu es née, Giselle, c'est là que j'ai été heureuse. Et c'est là que je passais ma vie dans la tristesse, car je ne t'avais même plus près de moi.

– Hélas, ma mère, vous savez quelles démarches je faisais alors à Paris pour obtenir la liberté du fils de Charles IX.

– Notre hôtel d'Orléans ! continua la duchesse d'Angoulême. C'est là qu'un jour, j'entendis les grondements d'une foule. Je regardai. Je vis qu'on poursuivait un homme, qu'on allait le tuer, il vint tomber à genoux contre la porte de l'hôtel, comme s'il eût imploré ma protection. Et moi, j'ouvris, je le fis entrer et, cependant, il me faisait peur : cet homme, c'était un sorcier, un nain, un être informe, la pitié l'emporta sur la terreur, Giselle, je fis entrer le nain dans l'hôtel, je le fis soigner.

– Le nain ? demanda Giselle.

– Oui. Le nain. Le sorcier. Celui qu'on voulait tuer à cause sans doute de quelque maléfice... Et ce fut le nain qui me trahit ! Dans la nuit affreuse où j'ai senti les ténèbres s'abattre pour toujours sur ma pensée, le nain était là qui riait, qui me regardait en riant, c'est lui, oh ! c'est lui qui ouvrit la fenêtre, j'en suis sûre !

La pauvre Violetta, de ses yeux agrandis, semblait considérer quelque scène lointaine qui s'évoquait difficilement dans son esprit.

– Ma mère, murmura Giselle, ne songez plus à ces choses du passé. Vous êtes ici en parfaite sûreté.

– Le nain était d'accord avec Concini ! poursuivit Violetta d'une voix sourde et tremblante. Je le vis dans ma chambre au moment où je m'éveillai. Je vis qu'il riait – et moi, sans savoir pourquoi, moi qui voulais pleurer, j'éclatai d'un rire qui me faisait un mal affreux. Et depuis, lorsque je sens le hideux rire qui me gagne, je sens en même temps ma raison m'échapper.

La pauvre démente poussa un long soupir, puis d'une voix plus sourde, continua :

– Une nuit, j'avais bien pleuré : il me semblait qu'il n'y avait plus de larmes dans mes yeux... je m'étais endormie. L'homme entra ! Il entra par la fenêtre, et ce fut le vitrail brisé qui me réveilla, je le vis venir à moi, il riait, il grondait des paroles que je n'entendais pas, il flamboyait, et moi, glacée, je ne pouvais ni jeter un cri ni tenter un geste. Dans le même instant, Concini me saisit les deux mains... et le nain, l'affreux nain était là qui me regardait et riait.

– Oh ! l'infâme ! l'infâme ! haleta Giselle. Mère ! par pitié, taisez-vous !

– Le voici ! cria Violetta d'une voix d'épouvante. À moi, Charles !

La pauvre créature se jeta à bas de son lit avec un cri terrible. Et alors, ce fut la lutte affreuse de la folle contre un assaillant imaginaire ; alors, pantelante, les cheveux en désordre, les yeux exorbités, Violetta, en proie à une crise d'une violence qui épouvantait Giselle, se roula sur le parquet, se tordit, cria, supplia, menaça, et enfin, brisée, couverte de sueur, s'affaissa, prostrée, sans souffle. Avec la force du dévouement filial, Giselle parvint à la replacer sur son lit, la prit dans ses bras, et longuement, doucement, se mit à la bercer comme une enfant.

Les heures s'écoulèrent. La pièce, maintenant, était plongée dans les ténèbres, le silence était profond. Le sein de Violetta, d'un mouvement doux et uniforme, se levait et s'abaissait, sa physionomie avait repris une expression de vague bonheur. Paisiblement, Violetta dormait dans les bras de sa fille. Alors Giselle déposa un long baiser sur le front de sa mère et sortit sur la pointe des pieds.

Le duc d'Angoulême était parti pour la réunion des conjurés. Giselle, calme et attentive, s'occupa de tout préparer pour son retour, donna les ordres nécessaires aux deux domestiques de la maison, et, installée dans une salle du rez-de-chaussée, attendit l'arrivée de son père et de ses invités, le duc de Guise et le prince de Condé, afin de leur faire les honneurs. Et comme sa pensée repassait les événements de ce jour, comme, une fois encore, elle cherchait à revoir lucidement dans son esprit celui qui l'avait sauvée, peu à peu, ses yeux se fermèrent, et elle aussi, dans le fauteuil où elle attendait, s'endormit.

Tout à coup, comme dans le récit de Violetta, le bruit d'un vitrail qui saute en éclats. Tout à coup, la fenêtre qui s'ouvre violemment ! Tout à coup, aux yeux de Giselle soudain réveillée, un homme qui s'avance ! Et, comme dans le récit de sa mère, cet homme qui vient à elle, le rire aux lèvres, le regard flamboyant, cet homme, c'est Concini ! Derrière lui, deux acolytes sautent dans la salle. En même temps, dans l'antichambre, un bruit de lutte, les cris des valets.

Et Giselle, pétrifiée, glacée, comme dans le récit de sa mère, Giselle a vu venir l'homme, sans pouvoir faire un geste de défense, l'horreur la paralyse, sa pensée est en proie au vertige de l'épouvante... seule, une clameur désespérée, qui, par trois fois, jaillit de sa gorge, révèle la vie, dans le même instant, elle est saisie, bâillonnée, emportée, jetée dans une voiture dont les chevaux s'élancent à fond de train.

IX

Laguigne et Lachance

Lorsque le chevalier de Capestang, après un évanouissement qui dut être assez long, revint à lui, sa première pensée fut celle-ci :

– Voilà un lit aussi dur que le roc, aussi peu tendre que le cœur de dame Nicolette, patronne de cette auberge de la *Pie Voleuse*. Corbacque ! que ses lits sont durs ! J'en suis moulu, j'en ai les côtes en capilotade.

Il allongea les mains autour de lui et comprit qu'il n'était nullement dans un lit.

– Tiens ! fit-il, j'ai roulé sur le plancher. Oui, par ma foi, me voici bien sur des planches raboteuses. Je ne m'étonne plus maintenant d'avoir eu le cauchemar. Quel rêve ! Ventre du pape ! Quels enragés aboyant à mes chausses ! Quels coups ! D'estafilade ou de pointe, de tête ou de revers, j'en étais taillardé, mis en pièces, déchiqueté comme un jambon ! Morbleu ! Tâchons de regagner notre lit. C'est curieux comme la tête me tourne. Qu'ai-je bu donc à souper ?

Là-dessus, Capestang se souleva, ou plutôt essaya de se soulever. Mais alors il éprouva de telles brûlures sur huit ou dix endroits de son corps qu'il retomba en disant : « Aïe ! Ouf ! Peste ! » Puis il ajouta : « Je n'ai pas rêvé ! »

La mémoire, alors, se remit à fonctionner comme une délicate mécanique un instant détraquée qui reprend sa marche. Il revit son entrée dans Paris, sa rencontre avec Rinaldo, son arrivée à l'hôtel, le pauvre hère qu'il avait délivré des mains de son guide, sa réception chez le maréchal d'Ancre, la pièce dallée, les éclaboussures de sang, l'entrée silencieuse et nonchalante des spadassins, la bataille enragée, la fuite éperdue dans un escalier, puis dans un couloir au fond duquel il s'était retranché derrière une porte qu'il avait fermée à clef. Toutes ces images se succédèrent sur l'écran du souvenir avec une rapidité qui n'excluait pas la netteté.

– Décidément, bredouilla-t-il, j'ai rencontré Laguigne ! Que ne l'ai-je laissé étrangler ! J'ai soif. J'ai eu soif souvent. Mais jamais je n'ai enragé d'une pareille soif. Oh ! ajouta-t-il tout à coup avec un cri. Et mon cheval ! Mon pauvre Fend-l'Air ! Qu'en ont-ils fait ! mais que j'ai donc soif ! Hum ! Il fait bien noir ici... m'auraient-ils mis dans un four ? ou dans une tombe ? murmura-t-il soudain tandis que ses cheveux se hérissaient. Ah çà, est-ce que je serais mort ? Est-ce que je vais avoir soif ainsi pendant l'éternité ?

Le pauvre Capestang ne songeait guère à plaisanter. Il frissonna de terreur. Il acceptait l'une après l'autre toutes les idées plus ou moins lucides que la fièvre faisait défiler dans son esprit. Il raisonnait pourtant. Ou du moins il y tâchait, non sans vaillance. Il grommela :

– Il me semble tout de même que, si j'étais mort, je ne m'entendrais ni me sentirais. Or, j'entends. Voyons, crions quelque chose, *pour voir*... Et il cria : « Laguigne ! »

Pourquoi cria-t-il cela plutôt qu'autre chose ? Sans doute une bizarre fantaisie de la fièvre qui faisait sonner ce nom dans sa tête.

– Hein ? fit une voix indécise et lointaine, une voix que Capestang n'entendit pas.

Mais il s'était entendu lui-même. Et cela lui suffisait pour l'heure.

– Je ne suis pas mort, dit-il. J'entends parfaitement. Mes oreilles vivent. Il est donc probable que le reste vit aussi. J'entends même un roulement de tambour.

Ce roulement de tambour, c'était un crépitement ininterrompu et monotone sur le toit. Qu'était-ce que ce crépitement ? Il était impossible au blessé de s'en rendre compte.

– Mais continua-t-il, que fais-je ici ? Je me souviens que j'ai tourné une clef. Je me suis donc renfermé quelque part. Ah ! Oh ! Aïe ! La malepeste !

Un léger cri de souffrance avait interrompu le monologue. Cependant, dans le violent effort qu'il venait de faire, Capestang venait pour la première fois d'entrouvrir ses paupières lourdes comme des volets de plomb rabattus sur ses yeux. Il distingua alors qu'il se trouvait dans un étroit réduit, et qu'une lumière diffuse venait du plafond, c'est-à-dire des interstices que les tuiles du toit laissaient entre elles.

Ce toit était presque à pic, en sorte que Capestang eût pu se tenir debout presque partout dans le réduit, excepté dans l'angle extrême formé par le plancher et la pente de la toiture, et où il n'eût pu se glisser qu'en rampant. Il résultait de cet agencement qu'un homme qui eût marché debout de la porte à l'extrémité de cette mansarde eût infailliblement frappé de son front les tuiles du toit.

Une fois encore, Capestang essaya de se mettre debout. L'énergie de ce tempérament exceptionnel vint à bout de cette tentative. Le chevalier, haletant, s'appuya à la porte, essuya la sueur qui ruisselait sur son front et, sa nature exubérante reprenant alors le dessus, se mit à crier :

– Corbacque ! Maintenant je retrouve la chance !

– Hein ? répéta la voix mystérieuse et lointaine.

Mais, cette fois encore, Capestang ne l'entendit pas. Il venait de se retourner vers la porte, il se cramponnait des deux mains à la clef... Et, cette clef, il parvint à la tourner. Il tira à lui... La porte s'ouvrit !

La seconde qui suivit fut pour Capestang la hideuse, l'effroyable seconde d'épouvante où le cœur défaille, où le cerveau chavire, où les yeux refusent de croire à ce qu'ils voient, où l'échine frissonne au contact de ce reptile glacé qui s'appelle la peur. Capestang éprouva la peur dans ce qu'elle a de mortel. Il ferma les yeux, porta les deux mains à ses tempes qui battaient le rappel de l'horreur, et il râla :

– Muré ! Ils m'ont muré vivant ! Je vais mourir ici de faim et de soif ! Je vais me sentir mourir heure par heure, minute par minute ! Je ne me trompais pas : j'étais bien dans une tombe ! Seulement, ils m'y ont mis tout vivant ! Et la soif ! oh ! l'horrible soif qui me brûle, me consume, me dévore ! Oh ! une goutte d'eau ! rien qu'une goutte !

En parlant ainsi, il reculait devant ce mur de briques et de ciment qui bouchait la porte, comme le condamné recule d'un mouvement instinctif quand il voit l'échafaud. Il reculait, éperdu, fou de terreur et de fureur contre les bourreaux qui avaient imaginé pour lui une telle agonie. Il reculait, et soudain il trébucha. Sa tête heurta violemment un obstacle et il tomba sur les genoux. Dans le même moment, le jour se fit plus vif dans le réduit ; il y eut comme un bruit de glissement de quelque chose qui court et qui bondit ; puis, le silence : puis, très loin ou très bas, le bruit d'un objet, grès ou faïence, qui se brise sur des pavés.

Cet obstacle contre lequel Capestang venait de se choquer, c'était le toit en pente raide. Cet objet qui se brisait, c'était une tuile arrachée par le heurt de sa tête, et qui avait glissé, rebondit jusqu'au pavé d'une étroite courette. Capestang était tombé au-dessous de l'ouverture ainsi pratiquée, par où descendait maintenant un peu plus de lumière.

Et comme il était là, pantelant, essayant encore un geste de menace terrible, il sentit sur son front une délicieuse impression de fraîcheur, puis une autre, puis d'autres encore, et il entendit le roulement du tambour qui redoublait, et, ayant levé ses yeux hagards vers l'ouverture, il vit qu'il pleuvait à torrents... l'eau ruisselait, l'eau du ciel, bienfaisante, sauveuse, l'eau lui inondait la tête ; il se sentait renaître, son cœur s'apaisait, et alors, à cette eau du ciel, il tendit ses mains, son front, sa figure, il la respirait, l'absorbait avec une exquise frénésie... et il se relevait, il écartait une tuile, deux tuiles, il passait sa tête dans l'ouverture, reniflait, lampait l'averse, et bégayait :

– Ah ! que c'est bon, que c'est donc bon, l'eau généreuse du ciel !

Mais alors, ayant baissé les yeux vers le sol, il frissonna : il vit que toute tentative de fuite était impossible sur ce toit à angle aigu où aucune aspérité ne permettait de s'accrocher, Capestang vit, qu'il se trouvait à soixante pieds des pavés d'une courette située sur les derrières de l'hôtel de Concini, c'est-à-dire qu'il n'avait qu'un moyen d'éviter l'agonie par la faim et la soif : c'était d'agrandir le trou, de se laisser tomber, et de se fracasser le crâne sur ces pavés !

– Eh bien, soit ! fit-il. Il ne sera pas dit qu'un Trémazenc de Capestang se sera laissé mourir comme un renard qui n'ose sortir du terrier, alors, que, vive Dieu ! je puis encore choisir la mort qui me convient ! Non, ruffians ! non, sacripants, vous n'aurez pas cette joie de ramasser mon cadavre ! Un Capestang sait mourir comme et quand il lui plaît, et braver encore en mourant la mort et la guigne !...

– Hein ? dit pour la troisième fois la voix mystérieuse.

Et cette fois, Capestang l'entendit, l'étrange voix nasillarde qui jetait ainsi dans l'espace cette exclamation à la fois interrogative et stupéfaite. La voix, disons-nous, claironnait dans l'espace. Un instant, il lui sembla voir devant lui, dans l'espace, une tête étrange, pâle, grimaçante, et remarquable par sa complète calvitie.

– C'est l'ange de la pluie, fit-il.

Cependant il vit que, devant lui, la courette en question était fermée par une haute muraille sans aucune fenêtre ; mais cette muraille elle-même était surmontée d'un toit aigu, et vers le milieu de ce toit s'ouvrait une étroite lucarne. Ce fut à cette lucarne que ses yeux finirent par s'accrocher.

– Hein ? fit-il à son tour avec étonnement.

En effet, cette lucarne encadrait une tête, – une tête ornée d'une énorme chevelure. Cette tête ouvrait des yeux effarés. Et ces yeux le fixaient avec une stupeur que Capestang prit pour de l'insolence, car, oubliant sa terrible situation, il se mit à vociférer :

– Dites donc, monsieur l'impertinent...

– Plus bas ! interrompit la tête.

– Comment, plus bas ? fit Capestang. Qu'est-ce à dire, monsieur le faquin ?

– Parlez plus bas, mon gentilhomme ! Eh quoi ! ne me reconnaissez-vous pas ?

– Si je vous reconnais ? Je vous connais donc ? Au fait, il me semble avoir déjà vu ce nez pointu, cette bouche fendue jusqu'aux oreilles, ces yeux ronds et cette extravagante chevelure. J'y suis, corbacque ! J'y suis, et je te maudis, puisque, en te rencontrant, je me suis heurté au malheur ! C'est bien toi qui t'appelles Laguigne, que la peste étouffe !

– Pardon, mon gentilhomme, dit la tête de la lucarne, je ne m'appelle pas Laguigne.

– Aujourd'hui, je m'appelle Lachance.

– Ce matin, pourtant, tu t'appelais Laguigne ?

– Pas ce matin, mon gentilhomme ! Hier ! C'est hier que je m'appelais Laguigne. Hier dans la matinée, quand j'ai eu l'honneur d'être à demi étranglé par l'illustre Rinaldo, et le bonheur d'être délivré par vous.

– Ainsi, dit Capestang, c'est hier que je t'ai rencontré près de cet hôtel du diable ? Ainsi, continua-t-il, c'est hier que je me suis colleté avec cette demi-douzaine de démons ? J'ai donc dormi tout le reste de la journée et toute la nuit ? Çà, que fais-tu là ?

– Mais je suis ici chez moi, dit l'homme.

– Chez toi ! Tu habites donc l'hôtel de Pantalon ?

– Pantalon ? fit Laguigne – ou Lachance – effaré.

– Concini. Il me fait appeler Capitan par ses sbires. C'est bien le moins que je le décore du nom de Pantalon, puisqu'il veut jouer la comédie avec moi.

– Je ne comprends pas. Mais au vrai, je ne suis pas ici dans l'hôtel d'Ancre. Je suis chez moi, c'est-à-dire dans la mansarde la plus élevée de cette maison, qui est la dernière du cul-de-sac Maladre qui a son goulot sur la rue Garancière, qui... mais, mon gentilhomme, si j'ose vous adresser une question, que faites-vous vous-même, la tête passée à travers ce toit, et recevant la pluie qui vous fouette ?

– Ce que je fais ici ? dit Capestang que la fièvre rendait loquace et à qui d'ailleurs la physionomie de cet inconnu inspirait une sorte de confiance. Je suis en train de mourir, voilà tout.

– Mourir ! c'est affreux, ce que vous dites là !

– Affreux, mais vrai. Les drôles m'ont gratifié de je ne sais plus combien de coups d'épée et, par surcroît, m'ont muré dans ce réduit, en sorte que si je ne m'achève pas moi-même, je mourrai de faim, à moins que je ne meure de mes blessures.

– Et vous dites que ce sont les gens de cet hôtel qui vous ont mis en si piteux état ?

– Eux-mêmes, corbacque !

– Quelle chance ! s'écria joyeusement Laguigne.

– Drôle ! gronda Capestang. Tu te moques de moi !

– Non. C'est que je vous prenais pour un fidèle du Concini, puisque vous paraissiez au mieux avec l'infâme Rinaldo. Je me réjouis donc de savoir qu'au contraire vous êtes son ennemi. Quant au reste, fiez-vous à moi. Je suis de Périgueux et les Périgourdins ont l'esprit inventif. De plus, j'ai fait la guerre sous le grand Henri IV, enfin, je suis dans un de mes jours où je m'appelle Lachance, et vous en profiterez !

Là-dessus, la tête disparut, la lucarne se referma et Capestang qui se trouvait suffisamment rafraîchi, car la pluie n'avait cessé de tomber, rentra lui-même sa tête, tout ébahi de cette rencontre si toutefois le mot rencontre peut s'appliquer ici. Quoi qu'il en soit, l'espoir lui revenait, et avec l'espoir le désir de vivre.

Le premier soin de notre aventurier fut de se déshabiller et d'examiner ses blessures l'une après l'autre. Puis il mit sa chemise en lambeaux, s'en fit des bandes qu'il mouilla, en les exposant sur le toit, et pansa les blessures qu'il venait de dénombrer.

– Il y en a sept, réfléchit-il. J'ai donc sept coups à rendre, savoir : primo, le Concini. Ensuite, le Rinaldo. Ensuite, les cinq enragés. Cinq et deux font bien sept. Après quoi, je pourrai me reposer, comme le Seigneur. Il est vrai que le Seigneur a accompli six travaux pour se reposer le septième jour. Mais ce n'est pas ma faute s'ils sont sept, et si j'ai tout justement reçu sept coups de poignard ou de rapière.

Capestang, comme tous les aventuriers de cette époque, où il fallait savoir se recoudre soi-même tout en sachant découdre les autres, avait quelque teinte de chirurgie. Il put donc reconnaître avec une légitime satisfaction que, s'il avait de-ci de-là, un peu partout, les chairs labourées, aucune de ces blessures ne l'avait atteint en profondeur. Sans doute, il était fiévreux. Sans doute, il éprouvait de cuisantes brûlures. Mais, sous les compresses qu'il venait de poser à lui-même et dont il avait soin d'entretenir la fraîcheur, il sentait le travail des chairs qui se reprenaient.

– Cela mijote, murmurait-il. De plus, je puis remuer tête, bras et jambes. De plus, si j'ai soif, j'ai faim aussi, très faim. Il ne me manque donc rien, sinon un bon dîner et un bon lit. Un cuissot de chevreuil accompagné du moindre flacon de vin, et puis un bon somme de douze ou quinze heures voilà ce que me commanderait un chirurgien. Et c'est bien aussi ce que je me commande, puisqu'il n'y a pas de chirurgien ici.

Mais Capestang eut beau se commander ce traitement magnifique, il ne vit venir ni cuissot, ni flacon, ni lit. Cent fois dans la journée, il remit la tête à l'ouverture du toit. Mais la lucarne d'en face demeurait obstinément fermée. En outre l'averse avait cessé. Il avait soif. Il avait faim. Sa tête s'affaiblissait. Des vertiges le prenaient, de plus en plus fréquents. La souffrance devint terrible. Peu à peu, sa gorge se tuméfiait. Et une angoisse inexprimable s'emparait de lui.

La nuit descendit sur Paris. Capestang se coucha dans un coin du réduit obscur et chercha dans le sommeil un oubli momentané de sa misère. Mais le sommeil ne venait pas, et des idées affolantes traversaient son cerveau. Il était tombé dans une de ces douloureuses prostrations où le corps sent qu'il souffre, tandis que l'esprit bat la campagne. Il murmurait des mots sans suite et n'ayant aucune relation avec la situation où il se trouvait.

– Allons, bon, fit-il à un moment, voici les mouches à présent. En voici une grosse qui me chatouille le nez. Carogne de mouche, si je pouvais l'attraper ! Ah ! je la tiens !

En même temps, il se réveilla et s'aperçut qu'il avait réellement saisi une mince cordelette qui descendant de l'ouverture du toit, frétillait à quelques pouces au-dessus de son visage.

– Lachance ! fit-il avec un rugissement de joie, devinant aussitôt que cette corde n'avait pu lui être envoyée que par son voisin de la lucarne d'en face.

Il passa vivement sa tête dans l'ouverture et, en effet, il vit que la cordelette aboutissait à la toiture voisine, et dans l'obscurité distingua confusément un visage à la lucarne.

– Lachance ! répéta le chevalier.

– Non ! Laguigne, ce soir ! fit la voix de son voisin. Mais tout de même, tirez sur la corde, tirez doucement, et surtout ne lâchez pas le bout. J'ai eu assez de mal à vous l'envoyer. Voilà plus d'une heure que j'essaie mon adresse. C'est cela, tirez toujours.

Capestang tirait sur la cordelette qui venait à lui. Tout à coup, ses mains saisirent un paquet attaché par une ficelle à la corde. Il l'ouvrit le cœur tout battant. Le paquet contenait : 1° un flacon de vin ; 2° un pain tendre ; 3° un pâté dont l'odeur tout d'abord se porta aux narines de l'affamé. Capestang poussa le cri que peut pousser un naufragé à qui une substantielle pitance tomberait du ciel. Il commença par vider d'une lampée la moitié du flacon qui contenait un généreux vin de Bourgogne, puis à belles dents frénétiques, attaqua le pain et le pâté. Quand la bouteille fut vide jusqu'à la dernière goutte, quand il ne resta plus miette du pain et du pâté, Capestang se sentit fort comme Samson.

– Que fais-tu Lachance ? dit-il alors, il me semble que j'entends comme un bruit de mâchoires ?

– C'est que je mange aussi, monsieur... mais excusez ma curiosité, ce pâté est-il vraiment bon ?

– Il l'était. Celui-ci fut une succulente délice. Merci, Lachance !

– Laguigne, vous dis-je. Laguigne, ce soir ! Figurez-vous mon gentilhomme, que depuis trois mois, je passe devant la boutique du pâtissier qui confectionne ces succulentes délices, comme vous dites. Depuis trois mois, je me promettais qu'au premier écu qui me tomberait du ciel, je mangerais un de ces pâtés. Or, hier vous me donnâtes un écu. Je me promis donc qu'aujourd'hui serait le jour béni où s'accomplirait mon vœu. Seulement, comme je vous ai juré d'être à vous à la vie à la mort, et que vous aviez grand appétit, je vous ai envoyé le pâté. Ce qui fait que je mange en ce moment un morceau de pain bis en tâchant de me figurer que c'est une tranche de pâté. Et comme je n'arrive pas à faire dans mon gosier cette transmutation que je préparais dans mon imagination, je dis que je dois m'appeler Laguigne.

Capestang fut attendri.

– Laguigne, dit-il, tu es un homme digne de Plutarque. Saint Martin n'eût envoyé que la moitié du pâté.

– Monsieur, je vous assure que vous me consolez, dit Laguigne. Mais ce n'est pas tout. Continuez maintenant à tirer. Tirez toujours.

– Serait-ce encore un pâté ? fit le chevalier.

– Non, monsieur, c'est une planche, tout simplement. N'ayez pas peur, elle est solide. Je l'ai essayée aujourd'hui. Tirez. Tenez bon.

Le chevalier obéissait machinalement. De la lucarne, il vit en effet sortir le bout d'une forte et longue planche que Laguigne poussait tandis qu'il tirait. Bientôt le bout de la planche vint s'appuyer à l'ouverture de son toit, tandis que l'autre extrémité s'appuyait au rebord de la lucarne.

– Voilà le chemin ! dit Laguigne.

Capestang frémit à l'idée de se hasarder sur ce pont fragile suspendu à soixante pieds de hauteur. Un vertige, un faux pas, et tout était fini ! Il frémit, mais il n'hésita pas. Rapidement, il agrandit l'ouverture en supprimant un certain nombre de tuiles, se mit debout sur la planche, et marcha de ce pas sûr et hardi de l'homme qui, ayant fait les sacrifices de sa vie, n'a plus rien à craindre.

Quelques secondes plus tard, il se glissait à travers la lucarne de Laguigne. Alors seulement, la réaction nerveuse accomplissant son œuvre, il se laissa tomber sur un escabeau et essuya son front, où pointait une sueur froide.

Laguigne en même temps, ouvrait la porte de la mansarde, qui donnait sur un long couloir où Capestang entrevit des planches, des auges, des cordes – matériel des maçons qui réparaient les combles de cette maison, et dans lequel l'honnête et reconnaissant inconnu qui répondait à des noms si bizarres avait pu choisir, une fois la journée terminée, les instruments de délivrance auxquels le chevalier devait la vie et la liberté. Laguigne, donc, ayant ouvert sa porte, se mit à la lucarne, attira à lui la planche que peu à peu, il glissa dans le couloir, et qu'il remit en place avec la corde.

Alors, il alluma un lumignon à la fumeuse lueur duquel Capestang se vit dans une misérable chambrette ornée, pour tout meuble, d'un escabeau et d'un coffre. Il était assis sur l'unique siège. Mais le coffre l'intriguait.

– Qu'est-ce que c'est que ça ? demanda-t-il en soulevant le couvercle.

– Ma chambre à coucher et ma salle à manger, dit Laguigne. Quand je veux dormir, j'ouvre ce coffre et je me couche dans le foin qu'il contient. Quand je me mets à table, je ferme le coffre et sur le couvercle je mets mon couvert. Voilà. Ce matin, donc, à la première heure, je venais de ma chambre à coucher, et monté sur mon escabeau, j'examinais dans le ciel si je devais m'appeler ce jour Laguigne ou Lachance, car je suis quelque peu astrologue, lorsqu'il me sembla entendre des gémissements chez mon voisin, c'est-à-dire chez l'illustre maréchal d'Ancre. J'écoutai de toutes mes oreilles, et monsieur peut s'assurer qu'elles sont de taille convenable. Mais, n'entendant que la même plainte monotone, j'allais me retirer, après avoir décidé, vu la pluie torrentielle, de m'appeler Laguigne, lorsque j'entendis mon nom prononcé, me sembla-t-il dans le lieu même d'où partaient les gémissements. « Hein ? » m'écriai-je. Et je restai à mon poste. Peu après, je vis le toit se crever comme sous l'effort d'une catapulte intérieure, et une tête apparut : c'était la vôtre, monsieur. Vous me fîtes l'honneur de me raconter vos malheurs, je pris la résolution de vous tirer de votre cachot aérien, j'attendis la nuit pour agir, et vous savez le reste.

– Et tu m'as bel et bien sauvé, dit Capestang. Merci mon brave Laguigne. Mais quelle magnifique chevelure tu as !

– Pardon, monsieur, rectifia l'homme qui rougit un peu et ne releva pas cet éloge décerné à ses cheveux. Comme j'ai eu l'honneur de vous sauver, j'ai résolu de m'appeler Lachance maintenant.

– Écoute, dit Capestang, si nous devons passer ensemble quelques jours ou quelques heures, fais-moi le plaisir de m'informer d'avance du nom que tu portes, c'est-à-dire de celui que tu choisis, afin que je ne risque pas de t'humilier en t'appelant Laguigne quand tu dois te nommer Lachance, ou de t'enorgueillir en te nommant Lachance quand tu t'appelles Laguigne.

L'homme réfléchit un moment, puis il dit :

– Monsieur, je vais vous dire : je m'appelle Cogolin.

– Cogolin maintenant ! Pourquoi Cogolin ? fit le chevalier exaspéré.

– Ce n'est pas ma faute, monsieur. On s'appelle ainsi dans ma famille de père en fils.

– Tu as décidément trop de noms !

– Mais je n'ai qu'un cœur, dit simplement Cogolin, et je sens qu'il vous est attaché, comme je vous le disais, à la vie à la mort.

Capestang attendri cessa de gesticuler. Sa mauvaise humeur se dissipa. Car il y a des gens que la fièvre abat et terrasse. Il en est d'autres qu'elle rend furieux. Capestang était de ces derniers.

– Cogolin, dit-il, tu es un honnête homme. Mais, dis-moi, que fais-tu dans la vie ?

– Je cherche fortune, mon gentilhomme. C'est pour cela que je m'appelle tantôt Laguigne et tantôt Lachance, selon que cette fortune que je cherche semble s'approcher ou s'écarter de moi. En attendant, j'emploie mes dix doigts et l'intelligence que le ciel m'a départie du mieux que je peux pour assurer ma pitance au moins un jour sur deux. Courir après la balle perdue dans les jeux de paume et la rapporter au joueur, ouvrir la porte du cabaret renommé aux gentilshommes qui viennent s'y reposer, aider le charretier embourbé à sortir de l'ornière, tourner la broche dans telles rôtisseries, porter les billets doux de telles dames galantes, tantôt récompensé par l'amant, tantôt bâtonné par le mari, bref sortir le matin, regarder d'où vient le vent, et me mettre en quête du métier que j'exercerai pour un jour ou une heure, voilà ce que je fais dans la vie. Cela s'appelle chercher fortune, monsieur.

– Oui-da ! Eh bien ! Cogolin, figure-toi que moi aussi je suis venu chercher fortune !

– Vous trouverez, monsieur. Je vois cela à l'air de votre visage, à votre tournure, et puis, enfin, j'ai été autrefois au service d'un astrologue, ce qui fait que, à force de nettoyer les lunettes de mon maître, j'ai appris à m'en servir.

Cependant, Cogolin, avec une activité et une adresse de chirurgien, s'était mis à panser les blessures du chevalier au moyen de certain onguent qu'il venait de prendre sur une tablette, et comme Capestang s'étonnait de cette adresse :

– Monsieur, dit Cogolin, en sortant de chez l'astrologue, je suis entré en service chez un apothicaire qui a fini par me mettre à la porte parce que sa femme me faisait les yeux doux. Mais, pour ne pas m'en aller les mains vides, en disant un éternel adieu à l'apothicaire mâle et à l'apothicaire femelle, j'ai emporté un certain nombre de flacons, et petites boîtes d'onguents, ainsi que divers médicaments sucrés que j'ai absorbés un jour que j'avais faim, en suite de quoi j'ai été malade huit jours. Quant aux onguents, j'ai essayé aussi de les manger, mais il n'y a pas eu moyen, et bien m'en a pris puisque cela me permet de panser vos blessures. C'est fait, monsieur. Si vous le désirez, je vous cède ma chambre à coucher pour vous reposer cette nuit.

Capestang, la tête affaiblie par la perte de son sang, le front lourd par suite du flacon de vin qu'il venait de vider, se glissa dans le coffre, dont le foin lui produisit l'effet du plus moelleux des matelas. Il s'endormit d'un profond sommeil.

Lorsqu'il se réveilla le lendemain au grand jour, il trouva que la fièvre avait disparu, qu'il pouvait se mouvoir et marcher sans trop faire la grimace, et qu'il avait grand appétit.

– Cogolin, dit-il, je te prends à mon service. Tu me plais. Acceptes-tu ?

– Si j'accepte ? Mais c'est la fortune, monsieur ! Surtout après l'astrologue et l'apothicaire !

– Bon ! je t'indiquerai ton service. Pour le moment, prends cinq ou six pistoles.

– Cinq ou six pistoles ! s'écria Cogolin enthousiasmé. Ah ! monsieur, pour un jour encore, laissez-moi m'appeler Lachance !

– Prends donc ces pistoles dans ma bourse, rends-toi à la grande friperie de la halle, emporte ces habits qui sont déchirés, et, sur leur mesure, rapporte-moi un équipement complet. En échange de l'habillement que tu emportes, tu te procureras une tenue qui convienne au valet du chevalier de Capestang. Va, Cogolin, et, en revenant rapporte-nous les éléments d'un bon dîner.

X

Duel de Capestang et Cinq-Mars

Il était huit heures du matin lorsque Capestang revêtu de son nouvel équipement et Cogolin complètement transformé descendirent de la mansarde. Le chevalier, après un repas sommaire, que son nouveau valet lui servit sur le couvercle du coffre, avait dit :

– Maintenant, prends ce que tu possèdes de plus précieux, dis adieu à ton logis, et suis-moi.

– Le seul objet précieux que je puisse emporter d'ici, c'est moi-même, avait répondu Cogolin.

– En route, donc, et rappelle-toi ceci : quand je marcherai dans la rue, tu me suivras à trois pas si nous sommes à pied, à six pas si nous sommes à cheval, comme font les valets des gentilshommes. Tu auras soin qu'on voie bien que tu es à moi. Tu ne parleras que si je t'interroge. Pour le reste, nous verrons.

Là-dessus, Capestang, tout heureux d'avoir un valet à lui – nous croyons avoir indiqué qu'il était un peu glorieux – tout joyeux de sentir que ses blessures le gênaient à peine, ivre du bonheur de vivre après s'être vu si près de la mort, l'air conquérant, la fine moustache retroussée, la démarche assurée, la main sur la garde de sa rapière, se mit en quête d'une auberge pour s'y loger avec ses gens, c'est-à-dire Cogolin.

Parvenu rue de Vaugirard, il tourna d'instinct à droite, c'est-à-dire vers cette partie de la rue qui, après les Carmes-Déchaussés, devenait simple route, avec des maisons de plus en plus espacées, soit qu'il songeât à ménager sa bourse en se logeant loin du centre, soit qu'il cherchât un abri plus sûr dans la solitude. Comme il s'avançait suivi de Cogolin qui maintenait rigoureusement sa distance de trois pas, le chevalier entendit derrière lui le bruit d'un cheval qui trotte. Il se retourna et, à distance, aperçut en effet un cavalier qui évoluait, trottait, galopait, revenait sur ses pas, puis exécutait une volte, se remettait à galoper, enfin, manœuvrait comme quelqu'un qui essaie un cheval.

– Fend-l'Air ! C'est Fend-l'Air ! murmura Capestang qui tressaillit à la fois de joie et de fureur, Fend-l'Air monté, je veux dire déshonoré par l'un de ces sacripants qui m'ont tué ! Car ils m'ont bien tué et mis au tombeau, et ce n'est pas leur faute si je vis encore, tout mort que je devrais être.

C'était bien Fend-l'Air. Et le cavalier, c'était bien l'un des spadassins de Concini. Montreval, qui paradait sur la superbe bête. Capestang jeta un regard autour de lui, il vit qu'il venait de dépasser les Carmes et que l'endroit était désert.

– Bon ! fit-il en se remettant en marche. Nous allons rire.

Les six séides du maréchal d'Ancre avaient, la veille au soir, tiré au sort le cheval demeuré dans les écuries de l'hôtel. Il en était ainsi après chaque expédition : ils se partageaient les dépouilles de l'ennemi vaincu ou tué, et s'il n'y avait pas de quoi faire le partage, on s'en rapportait à la chance. Montreval, favorisé et devenu légitime possesseur du cheval, l'essayait donc, et se disait à lui-même qu'il avait désormais une monture royale, lorsque retentit un coup de sifflet bizarrement modulé.

Fend-l'Air s'arrêta net. Au premier coup d'éperon, il allongea ses narines frémissantes et secoua sa fine tête indignée ; au deuxième coup, il se campa, ramena sous lui les jambes de derrière et s'immobilisa comme un cheval de bronze.

– Ah ! fit Montreval, es-tu donc aussi rétif que ton ancien maître ?

Le sifflet se fit de nouveau entendre, mais modulé d'une autre manière. Aussitôt, Fend-l'Air se mit à reculer, malgré les objurgations, les flatteries et les coups d'éperon de son cavalier. Pour la troisième fois, le sifflet retentit, mais toujours sur un nouveau mode. Alors Fend-l'Air se porta tout à coup en avant par une série de sauts de mouton.

Montreval poussait des « holà ! » prolongés. Fend-l'Air s'encapuchonnait, détachait une formidable ruade, puis se dressait, pointait, exécutait sur place des tête-à-queue fantastiques. Fend-l'Air devenait un tourbillon, il semblait pris de folie. Cela dura deux ou trois secondes, et brusquement, d'un dernier coup de reins à désarçonner le plus solide écuyer, il envoya Montreval à dix pieds en l'air...

Montreval retomba sur la chaussée, où il demeura inanimé.

Fend-l'Air partit à fond de train et s'arrêta près de Capestang, en jetant un long et joyeux hennissement. L'aventurier saisit dans ses mains frémissantes la tête du noble animal et l'embrassa sur les naseaux ; puis légèrement, il se mit en selle, sans s'inquiéter de savoir si Montreval était tué.

– Monsieur ! Monsieur ! cria Cogolin, dois-je me placer à trois pas ou à six pas ? Car si vous êtes à cheval, je suis à pied, moi, et vous m'avez ordonné...

– Suis-moi toujours ! interrompit le chevalier.

Trois cents pas plus loin, Capestang s'arrêta devant une auberge de fort modeste apparence et généralement fréquentée par les rouliers de Vaugirard.

– Au *Grand Henri !* fit Capestang en levant le nez vers une peinture qui avait la prétention de représenter le roi Henri IV ou tout au moins sa barbe. L'enseigne est flatteuse. Ce doit être une noble hôtellerie, et si elle ne l'est pas, ma présence l'ennoblira.

Sur ce, il mit pied à terre, entra dans la cour, et un gros petit homme chauve se précipita vers lui, le bonnet à la main.

– Comment t'appelles-tu ? demanda le chevalier.

– Lureau, monsieur, je suis maître Lureau en personne, Lureau l'inventeur d'un pâté d'alouettes dont on ne fait que parler à la cour.

– Fort bien. J'en ai ouï parler aussi, et c'est ce qui me décide à venir loger chez vous. Eh bien, maître Lureau, une chambre pour moi, un cabinet pour mon écuyer, la meilleure place à l'écurie pour mon cheval. Maintenant, écoutez ceci, mon maître : si je vous surprends à écouter à la porte de mes appartements, je vous coupe les oreilles. Si j'apprends que vous avez dit à qui que ce soit l'honneur que je vous fais d'habiter ici, je vous arrache la langue.

Le patron du *Grand Henri* jura qu'il serait discret comme la tombe et conduisit son hôte dans une mauvaise chambre sur laquelle s'ouvrait un méchant cabinet noir.

– C'est pour le moins un prince en bonne fortune, songea-t-il. Monseigneur, ajouta-t-il tout haut, c'est ici la chambre des princes.

– Est-ce que vous êtes Gascon, mon brave ? fit Capestang, étonné de trouver quelqu'un de plus glorieux que lui, car la chambre lui paraissait fort peu princière.

– Non, monseigneur, je suis Normand, répondit naïvement Lureau. Pour vous servir.

– Très bien. Et combien, ajouta Capestang non sans inquiétude, combien votre chambre des princes, au mois ?

– Pour la chambre de monseigneur, la chambre du valet de monseigneur, et le râtelier du cheval de monseigneur, ce sera seulement six pistoles.

Maître Lureau, quand il louait par hasard cette chambre qui, effectivement, était la plus belle de l'auberge, en tirait généralement quinze à vingt livres. C'est donc une quarantaine de livres qu'il faisait payer à son hôte les « monseigneur » dont il le gratifiait.

– Paye ! dit superbement l'aventurier en jetant sa bourse à Cogolin.

Cogolin paya en jetant un étrange regard sur le crâne de Lureau.

– Lui aussi, il l'est ! murmura-t-il avec une sorte de sympathie.

L'hôte se retira enchanté. Cogolin, qui venait de voir qu'il restait encore quelques pistoles au fond de la bourse, fut également enchanté. Capestang qui venait tout au moins de s'assurer le couvert pour un mois, fut non moins enchanté, car il avait tremblé un instant que le prix de ses appartements n'excédât la somme qu'il possédait encore.

– Monsieur, dit à ce moment Cogolin, je vous demande la permission d'aller m'installer sur la route pour un petit quart d'heure.

– Cogolin, tu parles sans avoir été interrogé. Comme il y a quelques heures que tu m'as sauvé la vie, je ne dis rien pour cette fois ; mais, à la prochaine impertinence de ce genre, tu seras étrillé. Maintenant, pourquoi veux-tu aller sur la route ?

– Voici, monsieur : j'attendrai le premier cavalier qui passera, je me mettrai à siffler comme j'ai vu faire à monsieur, le cavalier sera désarçonné, et j'aurai une monture.

– Très bien, Cogolin. Va, mon ami, et essaie.

Cogolin ouvrit ses longues jambes et partit. Le bout de son nez frétillait. Le chevalier se prit à réfléchir sur tout ce qui lui était arrivé, et fut assez étonné de constater que, parmi tous ces événements, où il avait tour à tour risqué de faire fortune et d'être tué, il n'en était qu'un seul pour l'intéresser au fond de l'âme. C'était sa rencontre dans les bois de Meudon, avec cette jeune fille qu'il avait tirée des mains de Concini.

– Elle est la fille du duc d'Angoulême, songeait-il. Il conspire. Le Concini n'avait pas besoin de me l'apprendre. J'ai vu le duc à l'œuvre, à l'auberge de la *Pie Voleuse*. Le maréchal lui veut la malemort. Pourquoi ne préviendrais-je pas ce digne seigneur de se tenir sur ses gardes ? Je vais aller à l'hôtel de la rue Dauphine, où ce pleutre voulait m'envoyer assassiner le noble duc... et je lui dirai... que lui dirai-je ? et si elle est là, elle !

Capestang, à l'idée qu'il allait sans aucun doute sauver le duc d'Angoulême d'un mortel danger, éprouva une de ces joies d'autant plus violentes qu'on ne veut pas s'en avouer la vraie cause. Cette joie, tout à coup, tomba, se dissipa.

– Elle est la fille du duc d'Angoulême ! reprit-il, cette fois avec une inconsciente amertume. Elle est donc petite-fille de roi ! fille de l'un des plus orgueilleux seigneurs du royaume, roi lui-même, peut-être, demain ! Et moi, que suis-je ?

Ces pensées ne se présentèrent à l'esprit de Capestang qu'à l'état vague et imprécis. Toujours est-il qu'il prit la résolution de prévenir le duc, s'il le pouvait, et sans en espérer la moindre récompense.

Des heures sans doute s'étaient écoulées, car à ce moment, Cogolin rentra et dit simplement :

– Monsieur, il est midi, et j'ai commandé à maître Lureau un de ces pâtés d'alouettes.

– Monsieur, ajouta-t-il, avez-vous remarqué que maître Lureau n'a pas un cheveu sur...

– Midi ! interrompit machinalement le chevalier qui tressaillit. Midi ! répéta-t-il en se frappant le front. Mais je suis attendu aujourd'hui à midi, à l'hôtellerie des *Trois Monarques* par ce jeune faquin qui s'appelle le marquis de Cinq-Mars. Il va croire que je me dérobe ! Il va me prendre pour un lâche ! Mordieu ! Têtebleu ! Corbacque ! Cogolin, ma rapière, mon cheval !

– Monsieur, dit Cogolin, il s'en faut d'une bonne demi-heure. Seulement, quand il s'agit du dîner ou du souper, mon estomac avance toujours. Il y a si longtemps qu'il est en retard qu'il cherche maintenant à se rattraper. Ainsi donc, monsieur peut tâter de ce digne pâté, sans crainte d'arriver en retard aux *Trois Monarques*, qui sont à cinq minutes d'ici, rue de Tournon.

Pour toute réponse, Capestang ordonna à Cogolin de le suivre. Cogolin poussa un profond soupir, mais obéit. Sur l'ordre de son maître, il brida et harnacha Fend-l'Air. Puis le chevalier le vit avec surprise seller un autre cheval, rouan trapu et solidement taillé.

– Que diable fais-tu là ? demanda-t-il.

– Puisque monsieur sort nonobstant le pâté d'alouettes, il faut bien que je selle mon cheval pour suivre monsieur, répondit Cogolin avec son sourire le plus jocrisse. Monsieur peut être tranquille, je tiendrai ma distance à six pas.

– Ton cheval ! Tu as donc un cheval toi ? Et depuis quand ?

– Depuis une heure, monsieur. Ainsi que je vous en ai demandé la permission, je me suis mis sur le pas de la porte, et j'ai sifflé toutes les fois que j'ai vu passer un cavalier. Or, vous me croirez si vous voulez, mais j'ai eu beau siffler, enfler les joues, essayer de tous les airs, aucun de ces chevaux que j'ai vu passer ne s'est laissé émouvoir, aucun n'a désarçonné son cavalier pour venir se faire embrasser les naseaux par moi. Assez étonné, je l'avoue, j'allais rentrer dans l'hôtellerie lorsque je vis venir ce rouan, et fis une dernière tentative. Enfin ! À mes coups de sifflets stridents, j'eus la joie de voir mon rouan s'arrêter court. Malheureusement, c'était le cavalier qui venait d'arrêter sa monture. Cet homme, au lieu de se laisser désarçonner, mit simplement pied à terre, s'en vint à moi, saisit un bâton qui se trouvait là, et se mit à me rosser d'importance en disant que je m'étais moqué de lui et que cela m'apprendrait à siffler. Puis il me demanda qui m'avait poussé à lui faire cet affront. Aussitôt, je lui contai l'affaire. Alors, monsieur, cet homme qui, comme je l'ai su par maître Lureau, est un honnête maquignon de Vaugirard, cet homme se mit à rire, me fit mille caresses, et m'assura que si je voulais siffler de la manière qu'il m'indiquerait, le rouan viendrait à moi tout aussitôt. Et il ajouta que dès lors, le cheval m'appartiendrait sans qu'il m'en coûtât un denier. Transporté de joie, je le pressai de m'apprendre à siffler, et c'est ce qu'il consentit à faire. Je sifflai donc, le rouan vint à moi, et je le mis à l'écurie, tandis que le maquignon poursuivait à pied son chemin. Seulement, par un entêtement qui gâte sa belle action, cet homme ne voulut jamais m'apprendre à siffler avant que je lui eusse versé en mains quelques pistoles que je pris dans votre bourse.

– Et combien lui as-tu donné de ces pistoles ? fit le chevalier en frémissant.

– Quinze, monseigneur, quinze pauvres pistoles. Ce n'est rien pour connaître un si beau secret.

Capestang examina le cheval en connaisseur, et murmura :

– Cent cinquante livres ! Allons, ce n'est pas trop cher. Tu as raison, Cogolin, il te fallait une monture, et ce maquignon ne t'a pas volé ! Mais combien reste-t-il dans la bourse ?

– Neuf pistoles, monsieur. Vous êtes riche encore.

– Nous leur donnerons les noms des neuf muses, dit le chevalier qui se mit en selle tout joyeux de se trouver encore riche.

Il s'élança donc d'un bon trot, et bientôt, descendit la rue de Tournon sans prendre d'autre précaution que de rabattre son feutre sur ses yeux. C'était d'une insolente audace. Mais Capestang, qui sous ses airs de rodomont ne laissait pas que de raisonner subtilement, se disait que le meilleur moyen de n'être pas vu, c'est de ne pas se cacher. Et puis Capestang se disait qu'on le tenait pour mort. Et puis enfin, la bravade était dans son tempérament. Il pouvait avoir peur, il ne pouvait laisser voir à d'autres ni à lui-même qu'il avait peur. Quoi qu'il en soit, il arriva sans encombre aux *Trois Monarques*, se fit conduire à l'appartement du marquis de Cinq-Mars, et y entra au moment où midi sonnait.

– Bravo ! fit le jeune marquis. Vous êtes, chevalier, d'une politesse vraiment royale, c'est-à-dire d'une exactitude qui...

– En auriez-vous douté, par hasard ! interrompit Capestang qui déjà se redressait, le poing sur la hanche.

– Dieu m'en garde ! Convenons donc tout de suite des conditions de notre combat. Car, ajouta le marquis avec hauteur, je vois que vous pourriez sortir de cette royale politesse que je vantais tout à l'heure en vous.

– Corbacque ! gronda Capestang dont les oreilles s'échauffaient, la politesse en matière de duel consiste à dégainer sans phrases.

– Bon, bon. Vos armes ?

– Les vôtres ! dit Capestang.

– La rapière et le poignard, alors !

– Soit ! Pourvu qu'elle pénètre, toute arme est bonne.

– L'heure, maintenant. Cet après-midi, à trois heures ?

– À merveille ! dit Capestang.

– Derrière les jardins de M. le duc de Luxembourg ?

– Va pour les jardins.

Le marquis salua et dit :

– Monsieur le chevalier de Capestang, j'aurai l'honneur de vous attendre avec mes témoins à trois heures de ce jour derrière les jardins de M. le duc de Luxembourg, pour vous y combattre par la rapière et le poignard.

Capestang rendit salut pour salut, et dit :

– Monsieur le marquis de Cinq-Mars, à l'heure et au lieu dits, avec les armes que vous dites, j'aurai l'honneur de me rencontrer avec vous.

Les deux jeunes gens, de nouveau, s'inclinèrent et, en se redressant, ne purent s'empêcher de s'admirer l'un l'autre.

– Il est gentil, ce marquis ! songea Capestang.

– Il est merveilleux, ce capitan ! songea Cinq-Mars.

Et comme le chevalier se dirigeait vers la porte, le marquis s'écria :

– Puisque nous devons nous pourfendre qu'à trois heures, ne me ferez-vous pas l'honneur de me traiter en ami jusque-là, et la grâce d'accepter le modeste dîner qu'en prévision de votre visite j'ai fait préparé ?

Là-dessus, Capestang avoua qu'il avait grand appétit, et les deux adversaires étant passés dans une chambre voisine où se trouvait dressée une table magnifiquement servie, s'installèrent l'un en face de l'autre en attendant l'heure de se couper la gorge.

Le repas était succulent, les vins étaient nobles, les convives dignes l'un de l'autre : l'entretien fut étourdissant. Cinq-Mars raconta ses amours, et Capestang ses batailles. Mais il eut bien soin de ne pas avouer qu'il avait pu assister à une assemblée de conjurés à l'auberge de la *Pie Voleuse*, et que dans cette assemblée il avait été introduit par Cinq-Mars lui-même. Il se contenta de dire qu'il était venu à Paris dans l'intention de faire fortune, et Cinq-Mars l'assura que si tous deux sortaient sains et saufs de leur duel, il mettrait à son service l'influence dont il disposerait bientôt, surtout après son mariage.

– Car, ajouta-t-il avec un soupir, par les ordres de mon père et en vue de certaines combinaisons politiques, je dois me marier... j'ai une fiancée qu'on dit fort belle et que je ne connais pas, et que j'espère connaître le plus tard possible...

Capestang, voyant le front de son hôte s'assombrir n'insista pas et se hâta de changer le cours de l'entretien. Bref, vers deux heures, les deux adversaires se regardaient avec une sympathie évidente. Car rien n'attire la sympathie comme ces irrésistibles aimants qui sont la jeunesse, la loyauté, la bravoure.

– Il conspire avec le duc d'Angoulême, songea Capestang. Il est donc l'ennemi de Concini. Tout en me réservant le mérite de prévenir le duc et en gardant pour moi ce que j'ai appris dans le cabinet, c'est-à-dire dans le coupe-gorge du maréchal, je puis bien lui raconter ma bataille avec la bande enragée...

– Quel dommage, songeait de son côté Cinq-Mars, que ce galant homme me dispute justement la seule fille que je puisse aimer... Marion, ma chère Marion !

– Ma foi, mon cher marquis, dit Capestang, j'ai bien failli arriver en retard à votre rendez-vous, et même ne pas y arriver du tout, ce qui, croyez-le bien, m'eût été un véritable crève-cœur. Mais, à l'heure qu'il est, je devrais être mort, ce qui d'ailleurs vous eût épargné la peine de me tuer.

Et Capestang, la tête pleine de fumées de gloire, fumées de vin, le verbe sonore, le geste multiple, commença un récit qu'il mima, joua, se levant, allant, venant, se fendant, se débattant, parant, ripostant, un récit épique d'une action épique, un récit flamboyant que Cinq-Mars écouta avec enthousiasme et admiration.

– C'est superbe ! s'écria-t-il enfin lorsque Capestang, sur un dernier trait, termina, saisit son verre, le balança un instant d'un geste glorieux et le vida d'une lampée. Superbe ! Merveilleux !

– N'est-ce pas ? dit naïvement le chevalier qui, d'ailleurs, appliquait ces épithètes à son bonheur et non à son courage.

– Ah ! chevalier, pourquoi sommes-nous ennemis ! Pourquoi faut-il que nous soyons forcés de nous pourfendre !

– Au fait, marquis, pourquoi diable nous battrons-nous ? Je veux être pendu si je le sais ! Et vous ?...

Cinq-Mars regarda fixement son adversaire, et dit :

– Chevalier, j'ai d'autant plus de regret de me battre aujourd'hui que j'avais pour ce soir un rendez-vous auquel je serai au désespoir de manquer, si je suis blessé. Vous allez tout comprendre, ajouta-t-il en appuyant sur les mots : ce rendez-vous m'a été donné par Mlle Marion Delorme.

Cinq-Mars mentait : il voulait simplement pousser Capestang, lui arracher la vérité, se convaincre de son malheur, et entendre dire à son rival qu'il était au mieux avec Marion. En un mot, il s'attendait à voir sauter Capestang. Mais fort tranquillement, le chevalier répondit :

– Bah ! Avec cette si jolie fille que je rencontrai à Longjumeau ?

– Avec elle-même ! dit Cinq-Mars d'un ton menaçant.

– Écoutez, mon cher, fit Capestang, il y a un moyen de tout arranger : allez à votre rendez-vous ce soir, et nous nous battrons demain.

– Quoi ! s'écria Cinq-Mars transporté, cela ne vous fait donc rien que j'aie un rendez-vous avec Marion Delorme, et qu'elle m'aime... car elle m'adore !

– Moi ? Que voulez-vous que cela me fasse, sauf le plaisir que je vous souhaite ?

Cinq-Mars se leva, courut à Capestang, le serra dans ses bras et cria :

– Ah ! mon cher ami ! J'ai cent livres de moins sur la conscience ! Je suis l'homme le plus heureux de Paris, de France et de Navarre ! Figurez-vous que je croyais, ou plutôt ne vous figurez rien, mais disposez de moi, usez-en, abusez-en ; ma bourse, mes influences, je veux tout partager !

– Cher marquis ! fit Capestang émerveillé ! Mais, hélas ! voici qu'il est trois heures, et...

– Au diable le duel ! s'écria Cinq-Mars avec fougue. Lanterne !

Lanterne ! ajouta-t-il en appelant son valet qui apparut. Du vin, drôle ! Du meilleur ! du xérès ! Du chypre ! Ne vois-tu pas que M. le chevalier, mon ami, a soif et que nous nous battons à qui videra le plus de flacons !

– Ah ! marquis, dit le chevalier, ceci n'est pas loyal, ceci sent son guet-apens : vous m'attirez à un duel de vins d'Espagne et des îles, alors que je ne suis fort que sur les vins de France !

– Lanterne ! vociféra Cinq-Mars. Du vin d'Anjou ! Du vin de Bordeaux ! Du vin de Bourgogne ! Du vin de Champagne ! De toutes les provinces ! Je veux toute la France sur cette table !

Lanterne, énorme valet bouffi de vanité apparut avec plusieurs flacons que Cogolin l'aidait à porter en disant :

– Ah ! monsieur de Lanterne, que de fonds de bouteilles pour nous !

Le valet ainsi anobli se rengorgeait.

Et les deux amis d'éclater de rire et de se mettre à déboucher force flacons. Cependant, comme il n'est soif ou joie, même d'amour, qui ne finisse par s'apaiser, comme il n'est roman auquel il ne faille mettre le mot « fin », et qu'un déjeuner, si succulent qu'il soit, n'est autre chose qu'un roman gastronomique, les adversaires, devenus amis intimes, se quittèrent vers cinq heures, en se jurant force amitiés et en se faisant force promesses de se revoir.

Capestang, suivi à six pas par Cogolin qui, d'un mot, lui indiquait la route, gagna la rue Dauphine et, à l'angle du quai que lui avait signalé Concini, vit en effet un seigneurial hôtel qui ne pouvait qu'être celui qu'il cherchait. Mais ce magnifique logis avait un visage d'une ineffable tristesse. Les volets rabattus, les lézardes des murs, cette porte fermée immuablement dont le marteau n'avait pas été soulevé depuis si longtemps, l'usure, l'abandon, le silence profond de l'intérieur, tout imprimait à cette demeure une expression de mystère et de deuil qui fit frissonner le chevalier. En vain souleva-t-il le lourd marteau qui, chose étrange, représentait un lion portant dans sa gueule une sorte de banderole sur laquelle ces mots, à demi-rongés de rouille, se détachaient encore : « *Je charme tout.* » Le coup de marteau réveilla dans l'intérieur de longs échos qui parurent se répercuter à travers des pièces vides, de vastes salles désertes...

– *Je charme tout !* murmura Capestang en déchiffrant l'inscription. La fameuse devise de Marie Touchet, maîtresse de Charles IX et mère du duc d'Angoulême !...

Capestang sentit une inexprimable angoisse l'étreindre à la gorge, et, pour la première fois, une mystérieuse douleur descendit sur son cœur.

– Pourquoi ? Comment eut-il brusquement cette sensation que ce cœur, qui battait si libre, et si fier dans sa poitrine, contenait un trop-plein d'aspirations qui cherchaient à s'épandre ? Pourquoi à ce moment et non à un autre, comprit-il la fabuleuse distance qui le séparait de la petite-fille de Charles IX, roi de France ? Par un rapide phénomène, son esprit se dédoubla. Il se vit lui-même, comme il eût regardé un inconnu qui lui fût apparu soudain. Il se vit si chétif, si pauvre, si humble, si seul au monde qu'un rire d'amertume éclata sur ses lèvres crispées. Il secoua violemment la tête et reprit le chemin de la rue de Vaugirard.

Capestang et Cogolin arrivèrent au *Grand Henri* comme la nuit tombait. Cogolin conduisit les chevaux à l'écurie, les pansa, les fit boire et leur donna à manger, opérations diverses qui lui demandèrent environ une heure et auxquelles il parut s'attarder, tout en surveillant du coin de l'exil l'entrée de la cour. Bref, il faisait nuit noire lorsque Cogolin eut terminé sa besogne, et ce moment coïncida avec l'apparition d'une ombre qui se glissa dans la cour de l'auberge et fit au valet un signe, auquel il répondit par un hochement de tête approbatif.

Alors, Cogolin entra dans la chambre de son maître, qu'il trouva assis sur le bord de son lit, le menton dans la paume de la main et le coude sur le genou, les yeux troubles et la mine désespérée.

Capestang avait la tête lourde. Les vins puissants qu'il avait absorbés en quantité lui brouillaient la cervelle en même temps que les pensées d'amertume auxquelles il se livrait. Capestang se trouvait malheureux. Capestang avait besoin d'être consolé. Et, comme il avait l'imagination vive, Capestang souhaitait ardemment l'entrée imprévue d'un ange consolateur, juste au moment où Cogolin pénétra chez lui.

– Qui te permet d'entrer ici sans y être appelé ? vociféra le chevalier. Tu vois cette discipline ? Là ? À ce clou ?

– Je la vois, dit Cogolin frémissant. Elle prouve que cette chambre a été habitée par quelque novice désireux de prendre robe. Il eût bien dû l'emporter en s'en allant !

– Oui, mais il l'a oubliée, et c'est ce qui prouve qu'il y a une Providence. Prends cette discipline Cogolin, prends-la et t'en applique trois bons coups sur les épaules.

– Quoi, monsieur, vous voulez que moi-même... fit Cogolin larmoyant. Il poussa un soupir et alla décrocher la discipline qu'il considéra avec une telle grimace de désespoir que Capestang éclata de rire.

– Arrête ! fit le chevalier. Je te pardonne pour cette fois. Maintenant, va-t'en. Tiens ! tes cheveux remuent ?

– Non, monsieur ! s'écria Cogolin en fixant ses cheveux sur sa tête d'un coup de poing. Je ne m'en irai pas sans vous dire qu'il se passe ici des choses fort étranges.

– Que se passe-t-il donc ici ? dit le chevalier.

– Ici... c'est-à-dire dans ma bourse, je veux dire dans votre bourse. Permettez-moi une question, monsieur. Est-ce que les neuf muses étaient mariées ? Calliope, Euterpe, Clio, Terpsichore et les autres avaient-elles pris des époux ?

– Eh ! Cogolin, mais tu connais les noms des muses, il me semble ?

– Je vais vous dire, monsieur : j'ai été en service chez un régent de collège avant d'entrer chez l'astrologue puis chez l'apothicaire. Ce régent, lorsque j'avais mal brossé sa robe ou commis quelque autre faute, me punissait à sa manière. Vous, monsieur, vous me voulez forcer à m'administrer à moi-même la discipline. L'apothicaire me purgeait. L'astrologue me mettait à la diète. Le régent lui m'obligeait à apprendre les leçons qu'il devait enseigner à ses élèves. C'est ainsi que j'ai appris la mythologie, et même un peu de latin. Mais j'en reviens à ma question : étaient-elles mariées, les muses ?

– Pourquoi me demandes-tu cela ?...

– C'est que tout à l'heure, il restait neuf pistoles dans la bourse, et vous avez déclaré que c'étaient là les neuf muses. Or, maintenant, il y a dix-neuf pistoles dans la même bourse. Voyez, monsieur, ajouta Cogolin en mettant la bourse sous les yeux du chevalier ; j'ai placé les neuf muses à gauche, et leurs dix enfants à droite.

– Où as-tu eu ces dix pistoles ! fit Capestang inquiet.

– Je vous jure, monsieur...

Capestang sauta sur la discipline.

– Scélérat, gronda-t-il, si tu t'es livré à quelque trahison, je t'arrache les cheveux !

– Ne faites pas cela ! cria Cogolin. Je vais tout dire. Aujourd'hui, tandis que vous faisiez à M. de Cinq-Mars l'honneur de dîner à sa table, je fus invité à partager vos restes avec M. Lanterne, un bien aimable homme qui m'a embrassé parce que je l'ai appelé de Lanterne. Nous étions donc dans l'antichambre à vider nos fonds de bouteilles, lorsque M. Lanterne fut appelé par son maître... Alors la porte s'ouvrit vivement et je vis entrer une sirène...

– Une sirène ?

– Ou du moins une jeune dame qui m'apparut telle par sa beauté et par le son mélodieux de sa parole. En effet, monsieur. « Prends ceci », me dit-elle. Et ceci, c'étaient dix pistoles qu'elle glissa dans ma main. Elle ajouta : « C'est bien M. le chevalier de Capestang qui est ici ? – Lui-même », répondis-je.

– Ah ! misérable, tu vois bien que tu m'as trahi !

– Eh ! monsieur, lorsque nous fûmes arrivés aux *Trois Monarques* et qu'on vous eut amené M. Lanterne, vous avez dit vous-même : « Va dire à ton maître qu'Adhémar de Trémazenc, chevalier de Capestang, attend ici ! » Et vous l'avez crié si haut qu'il n'est personne dans l'hôtellerie qui n'ait entendu. Car vous criez fort, monsieur, quand vous vous y mettez !

– C'est juste. Après ?

– Après ?... fit une voix jeune, au timbre clair à l'accent un peu moqueur. Après ? Je vais vous dire le reste, monsieur le chevalier !

Capestang se retourna et demeura ébahi, frémissant, effaré. La porte s'étant ouverte et, en même temps que le long et maigre corps de Cogolin se glissait subtilement par cette porte entrebâillée et disparaissait comme une anguille dans son trou, une jeune fille au regard effronté – mais si doux ! – au sourire provocant – mais si plein de charme ! – une jeune fille à la fraîche et radieuse beauté entra !

– Mlle Marion Delorme ! murmura le chevalier, pétrifié de stupeur.

Elle vint à lui, et, avec une sublime impudence de vierge qui se donne, avec cette câlinerie, ces palpitations, ces yeux noyés de larmes, cet émoi sincère et ces attitudes déjà apprêtées, enfin cette instinctive science de l'amour qui devait faire d'elle la plus glorieuse, la plus étonnante, la plus conquérante des prêtresses de l'amour, Marion Delorme lui jeta ses bras autour du cou. Marion Delorme pour la première fois, chercha de ses lèvres encore ignorantes et déjà ardentes le baiser de l'homme, Marion Delorme, pour la première fois, balbutia ce mot que si souvent elle devait répéter :

– Je t'aime !...

– Mais, bégaya le chevalier dans un dernier effort de scrupule, n'aviez-vous pas ce soir un rendez-vous avec le marquis de Cinq-Mars ?

– La jolie fille secoua la tête, et éclata de rire, l'enlaçant plus étroitement, et répéta :

– Je t'aime !...

Cette idée illumina l'esprit de Capestang : qu'il devait se boucher les oreilles pour ne pas entendre la voix de la sirène, fermer les yeux pour ne pas voir ces lèvres tremblantes et ardentes qui s'offraient à ses lèvres. Mais ce ne fut qu'une lueur. Elle s'éteignit. Marion resta !

Que voulez-vous, lecteur sévère ? Le chevalier avait vingt ans. Et puis les bons vins de Cinq-Mars... et puis il était si malheureux, il se sentait si faible, si isolé, petit, avec un profond désir de consolation... et puis enfin, nous avons seulement accepté la mission de raconter les faits et gestes de ce héros, mais non celle de les commenter, ou de les excuser.

Oui, lecteur, Marion resta ! Et ce fut ainsi que se termina le duel du marquis de Cinq-Mars et du chevalier de Capestang.

XI

Chapitre bref où le sire de Laffemas fait ses premières armes

Au moment où Marion Delorme toute palpitante avait pénétré dans la cour du *Grand Henri*, et fait signe à Cogolin, deux hommes qui la suivaient à distance vinrent s'arrêter devant l'auberge. L'un portait un élégant manteau violet. L'autre, un manteau noir, qui lui donnait l'allure d'un vilain oiseau de nuit. Le manteau violet était d'attitude fière, impérieuse. Le manteau noir d'attitude obséquieuse, ondoyante. Il y avait du lion chez le premier, du tigre chez le second.

– Que vous disais-je, monseigneur ! fit le manteau noir. Elle courait à un rendez-vous !

Celui qu'on appelait « monseigneur » demeura quelques minutes tout frissonnant, la main crispée sur la garde de son épée. Il souffrait. La pire souffrance de l'homme qui aime, c'est de savoir aux bras d'un autre la femme qu'il convoite. Car alors, c'est l'orgueil, qui saigne, la chair qui crie, le cœur qui se révolte : cet homme, donc, eut un rauque soupir de détresse ; et ses yeux jetèrent un éclair de menace. Il s'élança vers l'auberge. Le manteau noir se plaça devant lui.

– Que faites-vous, monseigneur ? Que dira demain la cour, que dira la ville en apprenant que M. l'évêque de Luçon, duc de Richelieu, premier conseiller de la reine mère, s'est battu dans une auberge pour les beaux yeux d'une donzelle ?

Richelieu s'arrêta, sombre, pensif ; mais un frémissement de rage l'agitait.

– Que j'entre, moi, à la bonne heure ! continua le manteau noir. J'entrerai donc, je saurai ce qu'est venue faire ici Marion Delorme.

– Quoi ! Tu consentirais, mon brave Beausemblant ? Oh ! le nom de cet homme qu'elle est venue retrouver ! Oh ! savoir ce nom ! et alors, malheur à cet homme !

Le manteau noir se courba ; la voix sèche et insinuante à la fois répondit :

- Épier, écouter, interroger, c'est mon affaire. J'y éprouve un plaisir étrange ; et ce m'est une jouissance exquise que de pénétrer au fond des secrets d'autrui. Écoutez, monseigneur, j'ai aujourd'hui vingt-cinq ans, et il est temps que je prenne une décision ; je me donne à vous. Je suis laid, je suis petit, j'ai un gros ventre sur deux jambes grêles ; je sens que je vis dans une atmosphère de mépris. Et je commence à haïr l'humanité. La haine, ce sera ma carrière à moi. Épier, écouter, interroger, dénoncer, oui, c'est cela qu'il me faut à moi. Je me donne à vous. Je vous servirai dans vos faiblesses et dans vos grandeurs. Vos amours ou votre politique, peu importe. Saisir Marion ou vous aider à décapiter la noblesse comme vous le rêvez, même besogne. Vous avez besoin d'un dévouement qui ne recule devant rien : je suis ce dévouement-là. Ne me remerciez pas. J'ai besoin de vous, et vous avez besoin de moi. Vous avez le génie des vastes combinaisons, et j'ai le génie de la ruse. Et, si j'ose dire, je vous complète. C'est que je ne veux pas m'appeler Beausemblant, moi, comme s'appelait mon père, qui n'avait pas de nom ! C'est que je ne veux pas demeurer le pauvre avocat que je suis ! C'est que je veux monter, grimper, me hisser aux sommets d'où l'on écrase les autres ! Et alors, monseigneur, je m'attache à vous parce que vous êtes celui qui monte, parce que, dans cette cour livrée à de pauvres intrigues, dans ce Paris où se déchaînent de piètres ambitions, j'ai reconnu la profondeur de votre intrigue et l'envergure de votre ambition ! Et moi, monseigneur, je veux que mon nom devienne illustre ou terrible. Je veux qu'on tremble un jour en prononçant tout bas le nom de M. de Laffemas !...

Le petit homme au manteau noir se redressa. Puis, plus profondément, il se courba, et dit :

- Monseigneur, en cette soirée, Laffemas s'offre à vous, corps et âme. Que décidez-vous ?

- C'est bien, dit Richelieu. Je te prends.

Une bouffée de joie sinistre monta au front de Laffemas.

- C'est bien, fit-il à son tour. Vous pouvez rentrer en votre hôtel, mon seigneur et maître. Moi, j'entre là ! Je me suis donné à vous. Vous m'avez pris. Mon service commence ce soir. Demain matin, monseigneur, vous saurez le nom de l'amant de Mlle Marion.

Richelieu grinça des dents.

– Je tuerai cet homme ! gronda-t-il.

– Non, monseigneur, dit Laffemas. Ceci est mon affaire ! Il suffit que vous le condamniez à mort. Le condamnez-vous ?

L'évêque de Luçon eut une hésitation vite balayée par le large souffle de la jalousie.

– Qu'il meure donc ! prononça-t-il d'une voix tremblante de rage et d'amour.

– C'est bon, dit Laffemas. Je tuerai l'amant de Marion Delorme... ou je le ferai tuer !

Et il entra dans l'auberge, tandis que Richelieu s'éloignait dans la nuit, le manteau relevé par l'épée, les éperons sonnants, la démarche souple et le regard terrible. Laffemas demeura deux heures dans l'auberge du *Grand Henri*, après quoi il regagna son logis, rue Dauphine, à l'angle du quai, en face l'hôtel d'Angoulême.

Le lendemain matin, de très bonne heure, Laffemas qui avait passé la nuit à méditer se présenta rue de Tournon, à l'hôtellerie des *Trois Monarques*, et se fit conduire à l'appartement occupé par le marquis de Cinq-Mars. L'entrevue du marquis et de l'espion dura quelques minutes à peine. À la suite de cette entrevue, Cinq-Mars descendit aux écuries comme un fou, sauta à cheval, et, la figure bouleversée de fureur, se rua vers la rue de Vaugirard, c'est-à-dire vers l'hôtellerie du *Grand Henri*, c'est-à-dire vers Capestang, c'est-à-dire vers la vengeance, vers le meurtre ! Quant à Laffemas, il courut tout d'une traite chez l'évêque de Luçon et le trouva qui se disposait à se rendre auprès de la reine mère pour la séance du conseil. Le jeune prélat était tout pâle de sa nuit sans sommeil. Il interrogea l'espion d'un ardent regard.

– Monseigneur, dit Laffemas, il faut que vous obteniez dès aujourd'hui un édit punissant de mort quiconque aura tué son adversaire en duel.

– Pourquoi ?

– Parce que, d'ici trois jours au plus tard, aujourd'hui même peut-être, le marquis de Cinq-Mars aura tué le chevalier de Capestang. Ainsi, nous serons débarrassés du petit Cinq-Mars, qui gêne nos vues sur Mlle Marion...

Richelieu gronda :

– Il ne s'agit pas de Cinq-Mars, misérable ! Il s'agit de l'homme qui, cette nuit...

– Eh bien ! monseigneur, interrompit Laffemas, l'homme qui, cette nuit, a été visité par Marion est un aventurier de sac et de corde, tout frais débarqué à Paris. Cet aventurier s'appelle le chevalier de Capestang !

Richelieu tressaillit violemment. Laffemas, courbé en deux, sa figure livide balafrée par un sourire terrible, acheva froidement :

– Cinq-Mars et Capestang se disputent Marion. Je fais tuer Capestang par Cinq-Mars. À vous, monseigneur, de faire tuer Cinq-Mars par l'édit sur les duels !

– Allons voir d'abord Cinq-Mars tuer ce Capestang ! dit Richelieu.

XII

La conspiratrice

Revenant sur nos pas, ramenons le lecteur à ce coquet logis de la rue Casset où nous avons vu pénétrer le maréchal d'Ancre, vers le moment où le chevalier de Capestang tombait évanoui dans le réduit où il venait d'être muré. Dans le même instant, la marquise d'Ancre apparaissait à l'encoignure du jardin des Carmes et descendait la petite rue déserte. Elle passa devant la maison sans s'y arrêter. Mais près de cette porte que venait de franchir son mari, elle eut un tressaillement nerveux, et son visage refléta une haine sauvage.

– Il l'a mise là, murmura-t-elle avec une sorte de sanglot. Il l'aime. J'en avais l'affreux pressentiment. Maintenant, j'en suis sûre. Il aime cette Giselle. Ô mon Concino, et moi ? Tu ne vois donc pas que je souffre et que je t'adore ? Tu ne vois donc pas que pour supporter Maria, je dois étouffer les plaintes de mon cœur sous les cris de mon ambition ? Et qu'est-ce que mon ambition, sinon ta gloire, ta grandeur, ta fortune que je rêve si haute que le monde étonné se demandera quelle main puissante a pu, de si bas, te faire monter là où montent seuls les élus de Dieu !

Elle atteignit le carrefour du Vieux-Colombier et s'y arrêta, interrogeant avidement du regard les voies qui aboutissaient là. Léonora Galigaï attendait quelqu'un. Des pensées terribles tourbillonnaient sans doute dans sa tête. Elle tremblait convulsivement et murmurait :

– Viendra-t-elle ? Sainte Madone, fais qu'elle vienne, et je te promets une statue tout entière fondue dans l'or pur !

Concino Concini était dans le petit hôtel de la rue Casset. Dans le vestibule, veillait un magnifique Nubien, les jambes et les bras nus, la tête d'un beau noir d'ébène émergeant d'une tunique de soie blanche. La large lame effilée d'un cimeterre pendait à sa ceinture.

– Nul n'est venu ? demanda Concini.

Le noir secoua la tête.

– Et si quelqu'un avait essayé d'entrer ?

Le noir eut un sourire qui découvrit ses dents éblouissantes et montra son cimeterre.

– C'est bien, dit Concini, tu es un bon serviteur.

Le noir s'inclina, saisit la main de son maître et la baisa.

– Tu m'es donc bien dévoué, toi ?

Le noir se mit à genoux.

– Oui, maître ! dit-il simplement. Mais en lui-même, il ajouta : Presque autant qu'à ma maîtresse Léonora...

Concini monta un escalier couvert de tapis épais. Le luxe effréné des grandes courtisanes régnait dans cet étrange intérieur. Concini avait dépensé des trésors d'imagination pour faire à ses amours un cadre de volupté savante. Il est juste d'ajouter qu'il avait dépensé aussi l'argent de toute une année d'impôts. À l'antichambre du premier étage veillait une femme, comme dans le vestibule du rez-de-chaussée veillait le Nubien. Concini s'avança sans parler à cette femme. Il tremblait. Brusquement, il poussa une porte, entra, et vit Giselle debout, si calme, si pareille aux vierges guerrières qui n'ont rien à redouter, une telle sincérité dans ses yeux, où il n'y avait ni crainte, ni défi, ni pas même du dédain, qu'il s'arrêta, pâle comme un mort.

Il s'avança. Elle n'eut pas un geste. Seulement, elle le tenait sous son regard. Il marchait vers elle, trébuchant, haletant, défiguré par la luxure. Et de son regard, à elle, peu à peu, jaillit une flamme qui s'aiguisa, flamboya, s'épandit en nappes puissantes, et elle fut alors semblable à quelque intrépide dompteuse en face du fauve. Il s'arrêta, avec un sourd rugissement. Puis, tout à coup, la tête basse, les mains tremblantes étendues vers elle, la voix grelottante :

– Écoutez, il faut que vous sachiez à quel point je vous aime. Je ne vous demande pas pardon de vous avoir saisie par ruse et violence. Si vous m'échappiez, je serais capable de ruses plus lâches et de violences plus hideuses pour vous saisir à nouveau. Voici ce que je vous offre. Je suis riche à l'excès. Je puis acheter une principauté en Italie. Je puis forcer le pape à briser les liens du mariage qui m'unissent à Léonora. Libre et prince, un prince puissant, je vous jure, et dont il sera parlé... un prince qui, s'il est soutenu dans la vie par une femme telle que vous, peut réaliser le rêve de Machiavel, reprendre les conquêtes de César Borgia au point où il les a laissées et devenir le maître de l'Italie !... Prince, donc, parmi les plus redoutables, riches parmi les plus opulents, libre, je vous offre de devenir ma femme. Un seul mot de vous me suffit. Si vous dites oui, vous sortez d'ici à l'instant. Moi, ivre du bonheur promis, capable alors de soulever un monde, je pars, je fais élever votre trône et, quand tout est prêt, dans trois mois, dans six mois, vous venez rejoindre votre fiancé Concino, duc et prince de Ferrare en attendant mieux, et vous recevez de ses mains, en même temps que l'anneau nuptial, la couronne ducale, bientôt remplacée sur votre tête par la couronne royale. Voilà ce que j'ai à vous dire. Et vous, qu'avez-vous à me répondre ?

Giselle, petite-fille du roi Charles IX, garda l'attitude pétrifiée de ces hautaines princesses de jadis lorsqu'elles recevaient le placet du condamné, le recours en grâce :

– J'ai à vous répondre ceci : que vous m'offrez une richesse volée ; que la principauté sera achetée avec de l'argent volé ; que la couronne sera faite d'or volé ; vous m'offrez donc d'unir ma vie à celle d'un larron. Allons, monsieur, pour séduire une fille telle que moi, il faut de moins pauvres inventions que le vol, le rapt et la rapine.

Elle se tut. Concini grinça des dents et se courba, écrasé.

Presque aussitôt, il se ressaisit et se redressa un peu.

– N'en parlons plus, dit-il en soufflant avec effort. Je suis un voleur. Soit. Je fais mon métier. Je vous vole. Je vous prends comme je prends l'or qui payera ma principauté. Avant de mettre la main sur vous, j'ai encore à vous dire : votre père est en mon pouvoir. Il avoue qu'il a conspiré contre la vie du roi. Demain commence le procès. Dans quinze jours, la tête de votre père tombera. Dites un mot, et je vous conduis à la Bastille, et vous-même ce soir, vous ouvrez la porte du cachot d'où le duc d'Angoulême ne doit sortir que pour marcher à la place de Grève !

Un long tressaillement agita Giselle. Un frisson parcourut les plis rigides de la statue. Mais sa voix plus faible, comme plus éloignée, demeura pourtant d'une sérénité tragique et elle dit :

– Mon père mourra donc. Mais le duc d'Angoulême n'aura courbé la tête que sous la hache du bourreau et non sous le poids de l'infamie...

Cette fois Concini releva tout à fait sa tête flamboyante de rage. Quoi ! Était-il donc abject au point que cette fille préférât condamner à mort son propre père plutôt que d'accorder l'aumône d'un baiser à l'homme qui implorait, menaçait en vain ! Il bondit à la porte, qu'il ouvrit. À son signe, la femme de l'antichambre accourut. Et il rugit :

– Qui a-t-on amené ici ce matin ?

– Une femme, monseigneur, une folle, qui se nomme Violetta.

– Ma mère ! cria au fond d'elle-même Giselle, vacillante de terreur.

– Où l'a-t-on mise ? continua Concini, de cet accent rauque de fauve en démence.

– Là-haut, monseigneur, au-dessus de cette chambre.

– Ma mère ! râla Giselle pantelante.

– Belphégor ! hurla Concini.

Giselle entendit comme en rêve un pas rapide, et l'instant d'après, vit se dresser dans l'encadrement de la porte le Nubien, qui apparut semblable au démon dont il portait le nom.

– Belphégor, gronda Concini, tandis que son regard sanglant surveillait Giselle, tu vas monter là-haut...

Giselle se sentit devenir folle. Elle eut la foudroyante intuition que quelque chose allait se passer, qui dépasserait les limites de l'horreur.

– Oui, maître ! dit Belphégor.

– Tu t'arrêteras devant la porte, continua Concini, d'une voix hachée, et tu attendras que je te crie : « Va ! »

– Oui, maître !

– Et quand j'aurai crié : « Va ! », tu entreras...

Une sorte de gémissement funèbre, atrocement triste, s'éleva ; et Concini vit Giselle qui s'abattait sur ses genoux, les yeux hagards, les traits décomposés par l'épouvante. Il sourit et il continua :

– Alors, tu saisiras la femme, tu entends ? tu la saisiras par les cheveux... d'un seul coup de ton cimeterre, comme on fait aux condamnés en ton pays, tu feras voler sa tête, tu entends ? et cette tête... eh bien ! cette tête... tu l'apporteras ici, et tu la remettras à cette fille que voici !

Une clameur effrayante jaillit des lèvres de Giselle.

Elle se releva d'un violent effort de tout son être et s'élança, ou du moins, voulut s'élancer, crut s'élancer vers Concini et Belphégor. En réalité, elle demeura rivée à sa place, les yeux exorbités, le cerveau chaviré dans l'horreur, impuissante à marcher, impuissante à réfréner la plainte funèbre qui fusait de ses lèvres. Belphégor avait disparu ! Belphégor montait vers l'étage supérieur ! Concini essuya la sueur glacée qui ruisselait sur son visage. Il marcha sur Giselle. Sans la toucher, il se pencha sur elle.

– Eh bien, que décides-tu ? Dis ? Parle ! Ou bien, fais un geste ! Es-tu mienne ? Ton père vit, ta mère vit, tu es princesse ! Quoi ? Que dis-tu ? Tu te refuses ? Tu assassines donc ton père et ta mère ! C'est toi, c'est toi seule qui les frappes ! Dans une minute, tu pourras demander pardon à la tête sanglante de ta mère !

Elle se sentait mourir. Elle ne savait plus où elle était, ni qui était cet homme, ni ce qu'il voulait. Dans le vertige d'épouvante surhumaine, elle luttait contre une abominable, une infernale vision. Et c'était le Nubien qui jetait à ses pieds une tête exsangue. Brusquement, elle tomba tout d'une pièce, toute raide les yeux fermés, sans connaissance. Et chose affreuse, de ses yeux clos, de ses yeux d'agonisante privée de tout sentiment, les larmes alors se mirent à jaillir, des larmes silencieuses qui roulaient une à une sur les joues décolorées. Concini se mit à genoux, la saisit par les épaules, la secoua frénétiquement, et rugit :

– Parle ! oh ! tu parleras ! Dis ! dois-je crier à Belphégor d'entrer là-haut !

Il oubliait qu'il venait de jouer une épouvantable comédie ! Et que le duc d'Angoulême était libre ! Et qu'il n'y avait pas de Violetta dans la chambre du haut ! Il l'oubliait vraiment ; il se rua vers la porte pour crier : « Va ! » Et il demeura pétrifié :

À cette porte, il y avait deux femmes ! L'une, c'était Léonora Galigaï, marquise d'Ancre ! Sa femme !... Et l'autre, c'était Marie de Médicis, reine mère ! Sa maîtresse !

Marie de Médicis, mère de Louis XIII, la reine que la marquise d'Ancre appelait tout simplement Maria, venait de franchir la quarantaine. C'était une femme d'une forte beauté, dont l'âge commençait à peine à empâter les traits du visage et les lignes du corps.

Ce corps avait eu naguère la souple fermeté des statues antiques ; ce visage avait eu la régularité un peu froide des beautés florentines ; mais l'un et l'autre conservaient, soit par une grâce de la nature, soit par les efforts de l'art, une sorte de splendeur qui s'éloignait de plus en plus de la grâce féminine pour se rapprocher chaque jour de sa majesté.

Elle aimait les arts. Elle avait le sens des belles choses. Ce n'était pas un esprit créateur ; elle ignorait la peinture, mais excellait à graver d'après le modèle. Froidement égoïste, résolue à prendre de la vie tout ce qu'elle pouvait lui offrir de bon, calculatrice jusque dans ses passions, elle était pourtant dominée par un amour qui l'étonnait elle-même. Elle était parvenue en effet à cette période de la quarantaine où, la nature accomplissant chez les femmes une dernière évolution, certaines d'entre elles deviennent capables de toutes les folies. La folie de Marie de Médicis à quarante ans, c'était Concini...

Léonora Galigaï debout près de la porte dévorait du regard Giselle. Et ce regard noir, d'une sinistre acuité, ce regard glacial, c'était une condamnation à mort. Léonora regardait Giselle ; Marie de Médicis regardait Concini.

Concini, avec cette admirable souplesse qui faisait de lui l'égal des plus profonds diplomates, le maître des plus grands comédiens, s'était ressaisi en quelques instants. Il s'inclinait devant la reine et murmurait :

– Eh quoi ! Est-ce bien Votre Majesté que je vois ici ?

– N'y suis-je donc pas déjà venue ? dit froidement la reine en prenant à peine la précaution de baisser la voix pour ne pas être entendue de Léonora.

Mais elle eût pu parler haut : Léonora semblait avoir oublié la reine et Concini ; elle les avait peut-être oubliés vraiment. Elle s'avançait lentement vers Giselle. Et Léonora se mettait à soigner Giselle, à lui faire respirer des cassolettes, à lui humecter les tempes.

– Belle, oh ! si belle ! Et moi, si laide ! Laide ? Je suis laide, et c'est là le poison de ma vie ! Celle-ci est belle, et Concino l'adore pour sa beauté... Eh bien ! je la hais la beauté, moi ! Je veux ma part d'amour ! Et ma part, c'est Concino. Malheur à qui me l'enlèvera !... Celle-ci mourra comme est morte Mlle de Pons, comme est morte Mme de Givernoy, comme est morte cette bourgeoise de la rue Saint-Martin... comme meurent l'une après l'autre toutes celles qui ont connu le baiser de Concino, en sorte que ses baisers distillent du poison et que son amour sent la mort !

Voilà ce que songeait Léonora Galigaï tandis que Giselle revenait au sentiment des choses et ouvrait les yeux. Le premier mot de Léonora fut :

– Rassurez-vous, mademoiselle : votre père n'est pas arrêté ; votre mère n'est nullement prisonnière en ce logis. M. le maréchal d'Ancre a menti.

D'un bond, Giselle fut debout ; la vie lui revint à flots ; elle saisit les deux mains de Léonora, qu'elle étreignit convulsivement dans les siennes ; et transfigurée, radieuse, éclatante de beauté, elle murmura ardemment :

– Votre nom, madame ! Votre nom, ô vous qui me sauvez du plus effroyable désespoir ! Votre nom, que pas un jour ne se passe où je ne le bénisse au fond de mon cœur !

– Je suis la marquise d'Ancre, répondit Léonora avec une terrible simplicité.

Giselle frissonna. Un froid glacial la pénétra jusqu'aux moelles. Elle recula, d'instinct. Alors son regard se croisa avec celui de Léonora, et elle comprit qu'elle était condamnée... Elle se détourna, et alors elle vit la reine qu'elle reconnut à l'instant. En deux pas, elle fut devant Marie de Médicis, et, redevenue vaillante, intrépide, puisqu'elle n'avait plus à craindre que pour elle-même :

– Madame, prononça-t-elle avec un accent d'adorable dignité, vous êtes la mère du roi qui représente la justice. J'en appelle à vous de la contrainte qui m'est faite.

– Justice sera faite, dit Marie de Médicis d'un ton que Catherine, la grande Catherine de Médicis eût admiré comme un modèle de mortelle ironie. M. le maréchal m'assure qu'il a dû vous faire saisir et amener ici pour vous interroger au sujet d'une conspiration. C'est bien cela, maréchal.

Concini s'inclina. Il vacillait. Il eût hurlé de rage et de douleur. Il était livide de l'effort qu'il faisait pour demeurer calme et souriant comme à son ordinaire. Et il souriait en effet !

– C'est donc moi qui interrogerai cette enfant, reprit Marie de Médicis. Et s'il y a lieu, les juges poursuivront l'affaire. Mademoiselle, il faut que vous me suiviez au Louvre.

Concini chancela. Un soupir gonfla sa poitrine. Ses yeux devinrent hagards. Un instant, il se demanda s'il n'allait pas poignarder sa femme...

– Ah ! madame, s'écria Giselle, au Louvre, à la Bastille, où il plaira à Votre Majesté, pourvu que ce soit loin d'ici et de cet homme !

– Venez donc ! dit la reine qui, aussitôt, sans jeter un regard à Concini, foudroyé, se retira lentement.

Giselle s'avançait. Léonora la saisit par le bras et lui glissa à l'oreille :

– Vous me devez plus que la vie. En échange, je ne vous demande qu'une chose : ménagez-moi une entrevue avec le duc d'Angoulême dès que vous serez libre. Me le promettez-vous ?

– Je vous le jure, madame, dit doucement Giselle.

Et elle passa devant Concini qui, à son approche, frémit, se redressa et murmura :

– Adieu !

Giselle avait l'âme d'une guerrière. Cette âme, à ce moment, se révolta.

– Vous vous vantez, dit-elle : il est impossible que nous nous disions adieu. J'ai juré à ma mère, brisée par vous qui vouliez la flétrir, je lui ai juré de vous tuer. Et je vous tuerai. Sinon de ma propre main, du moins par celle de l'homme dont je porterai le nom... l'homme que j'aime !

Et elle passa. Concini sentit la rage se déchaîner en lui, tous les démons de la jalousie se mirent à hurler dans sa tête. Il eut un mouvement furieux pour s'élancer sur Giselle et l'étrangler. Mais il s'arrêta, pantelant, hagard, foudroyé par un regard de Marie de Médicis qui se retournait à ce moment, et lui disait :

– Monsieur le maréchal, vous voudrez bien m'apporter au Louvre un rapport sur la conspiration que vous dénoncez, et nous tiendrons conseil.

L'instant d'après, la reine et la fille du duc d'Angoulême avaient disparu.

Léonora silencieuse, pareille à un spectre, s'était glissée dans l'angle le plus obscur de cette pièce. Ses yeux demeuraient fixés sur son mari. Sa pensée éperdue cherchait un moyen de le reconquérir – ou de le conquérir. Car jusque-là, il ne l'avait jamais aimée. Et elle l'aimait, elle, de toutes les forces de son être. Elle souffrait atrocement. Et elle n'avait même pas le droit de se plaindre ! Personne à qui confier sa peine, car elle était orgueilleuse. Elle se débattait seule dans la vie ; elle se consumait à cette lutte étrange, fantastique et terrible : la conquête de son mari ! Tout ce qu'elle disait, faisait, pensait, aboutissait là. Tous les actes extérieurs de sa vie, son âpre ambition, sa rude soif de l'or, tout cela n'était qu'un moyen et non un but. Le vrai but, c'était d'être aimée enfin par Concini.

Concini, d'un pas souple et rude, allait et venait par la chambre. D'abord, il parut assez calme. Il mâchonnait de sourdes imprécations. Une colère furieuse, peu à peu, montait en lui. Puis, la douleur d'amour et de jalousie fut la plus forte. Un sanglot roula dans sa gorge, comme ces coups de tonnerre lointains qui sont le prélude de l'orage. Puis, la douleur éclata. Brusquement, il tomba à genoux, enfouit sa tête dans les coussins de soie d'un canapé, et, les épaules secouées, longtemps, il cria sa douleur en plaintes inarticulées.

Des larmes silencieuses coulaient sur les joues de Léonora immobile, et elle songeait :

– Ô mon Concino, mon pauvre adoré comme il souffre !... Pleure, va, pleure, mon pauvre bien-aimé, tu ne pleureras jamais autant que pleure mon cœur.

Doucement, elle toucha son mari à l'épaule. Il tressaillit, leva la tête, et la vit. Alors, il se rappela... Il allait triompher de Giselle, là, tout à l'heure. Il la tenait. Elle était presque vaincue. Et vaincue ou non, elle aurait été à lui ! Et alors, sa femme était apparue ! Concini se releva. Il haletait. Une formidable expression de menace s'étendit sur sa figure convulsée. Il souffla fortement, et gronda :

– C'est toi qui as prévenu Maria ?

– C'est moi, dit Léonora – et ses larmes continuaient à rouler sans arrêt, sans qu'elle songeât à les essuyer. – C'est moi qui lui ai fait savoir que tu allais la trahir ; c'est moi qui lui ai envoyé Marcella ; c'est moi qui l'ai amenée ici ; c'est moi qui l'ai conduite jusqu'à cette porte derrière laquelle nous avons écouté... c'est moi ! Concini. Tue-moi, si tu veux. Au moins, je ne souffrirai plus.

Elle parlait doucement, et il y avait une supplication intense dans sa voix. Concini grinça :

– Je vais te tuer en effet...

Elle leva les yeux sur lui, et le vit au paroxysme de la rage ; dans ses yeux striés de rouge, elle vit luire la folie du meurtre ; elle vit sa main qui se crispait sur le manche du poignard qu'il portait à sa ceinture ; elle vit la lame sortir du fourreau... Et elle sourit... D'un geste rapide, elle arracha les dentelles qui couvraient sa gorge, et elle dit, toujours en souriant, toujours tandis que ses larmes d'amour tombaient sans arrêt, sourire et larmes se mêlant, sublime d'amour, elle dit :

– Frappe, mon Concino, tue-moi, puisque j'ai fait du mal à ton cœur, puisque je lui en ferais encore si je vivais ! Frappe d'un seul coup. Ta Léonora te dit adieu... elle meurt désespérée, Concino. Elle meurt avec l'affreuse pensée que jamais il n'y eut chez toi une seule vibration d'amour pour la pauvre femme qui t'a tant aimé... Frappe donc ! Je meurs et je pleure sur toi, mon Concino. Moi morte, que vas-tu devenir ? Comment vas-tu échapper à la vengeance de Maria ? Qui te réconciliera avec elle ? Et quelle meute de chiens enragés autour de toi, dès l'instant où l'on saura que la reine t'abandonne ! Ô Concino, Concino ! Frappe-moi ! Du moins, je ne verrai pas ta chute et ta mort !...

Léonora Galigaï était sincère. Mais si Léonora n'avait pas vraiment mis son cœur à nu, si elle n'avait pas été sincère, les paroles qu'elle venait de prononcer eussent été la merveille des chefs-d'œuvre.

En effet, à cette évocation soudaine de sa chute, la reine l'abandonnant, ses ennemis se ruant sur lui, Concino recula. Un bouleversement inouï se fit en lui. Fureur, douleur, rage, amour, passion, tout s'effondra en lui. Léonora vit cette terreur. Une lueur d'espoir brilla dans ses magnifiques yeux noirs. D'une voix plus ardente, elle continua :

– Ce n'est pas tout, Concino ! Tu sais ou tu ne sais pas, mais depuis longtemps j'étudie la science des astres avec Lorenzo. Par mon ordre, cent fois, Lorenzo a recommencé ton horoscope. Tu as comme moi une confiance absolue dans la sublime science de cet homme si petit par le corps, si grand par l'esprit. Eh bien, Concino, les réponses magiques, toujours sont les mêmes : tu mourras dès l'instant où la reine Maria ne t'aimera plus... Tu mourras de mort violente ! Et c'est pour cela que moi... moi qui t'adore, je permets, je souffre que tu sois aimé de Maria !

Cette fois, Concini livide, sentit le spectre de la peur le saisir à la gorge. Il recula. D'un geste violent, il jeta son poignard, se mordit le poing, et rugit :

– Je suis trop lâche !

Dans un mouvement de passion irrésistible, Léonora le saisit à pleins bras, l'enlaça, l'étreignit avec la violente douceur de l'amour exalté, et, de sa voix ardente, lèvres contre lèvres :

– Non, tu n'es pas trop lâche ! Reprends conscience de toi-même et de ta force. Ne parlons plus de cette fille, Concino ! Tous les caprices, je te les supporterai. Je suis ta femme et ta maîtresse, et ta servante et ton esclave. Mais je ne veux pas que ton cœur parle pour une autre. Entends-moi, comprends-moi. Des caprices d'une heure ou d'un jour, oui, tu es le maître. De l'amour, non ! Cette fille mourra, Concino ! Ne tremble pas, ne pleure pas, ne te révolte pas, mon bien-aimé ! En la tuant, je te délivre. Elle t'eût conduit à la suprême catastrophe. Ah ! tu me comprends ! Moi, moi seule, Concino, puis avoir assez d'amour pur et dévoué pour assurer ta fortune et ta grandeur !

– Ma fortune ! gronda amèrement Concini. Tu as soufflé dessus. Ma grandeur, tu l'as réduite à néant. Toi-même, tu l'as dit : la vengeance de Maria, c'est ma déchéance et peut-être ma mort !...

Elle se colla à lui plus étroitement. Sa voix baissa.

– Maria ! Ce soir, demain, je te réconcilie avec elle... tu deviens plus puissant... écoute...

– Et *elle* ! haleta Concini.

– Elle ! Cette fille ? Ce soir, elle sera libre.

– Libre ! rugit Concini, flamboyant de joie.

– Libre… jusqu'à ce que je la tue ! Libre, parce qu'elle va me mettre en présence du duc d'Angoulême, de Guise, de Condé… parce que, par elle, je vais devenir l'âme de la conspiration ! Et dès lors… le roi… le roi qui règne en ce moment…

– Le roi ! balbutia Concini.

– Eh bien… le roi… dans quelques jours… le roi est mort !

Léonora dénoua ses bras dont elle enserrait le cou de son mari. Elle se redressa. Une flamme d'amour terrible et d'orgueil indescriptible illumina son visage. Concini la considérait avec une sorte d'épouvante admirable.

– Le roi mort ! murmura-t-il sourdement.

Léonora acheva :

– Et comme il faut un roi à ce royaume, comme Maria de Médicis nous appartient, comme Condé s'en ira quand nous l'aurons gorgé d'or, comme Guise pourrira dans un cachot, comme Charles d'Angoulême, le plus redoutable de tous, ne sera plus à redouter puisque sa tête va rouler sous la hache du bourreau. Concino, Concino, il n'y a plus qu'un roi possible !

Et tandis que Concini stupide d'épouvante et de convoitise, ébloui, fasciné, écrasé, de la fortune qu'il entrevoyait se courbait sous le puissant regard de Léonora Galigaï, elle ajouta :

– Ce roi, Concino, ce sera toi !

XIII

Sa Majesté Louis XIII

Le lendemain matin de cette soirée où Marion Delorme avait pénétré jusqu'au fond de l'auberge du *Grand Henri* et où Laffemas s'était contenté d'entrer dans la salle commune de ladite auberge ; en cette matinée par conséquent, où le duc de Richelieu se préparait à tuer Cinq-Mars, tandis que Cinq-Mars courait après Capestang pour l'étriper, l'éventrer, le pourfendre, le mettre en capilotade – ce matin-là, Louis XIII, roi de France, de fort bonne heure, se préparait à aller chasser. On avait signalé de hâtifs passages de hérons au-dessus des bois de Meudon.

Le jeune roi, donc, se fit habiller par son valet de chambre de son costume de chasse : hauts-de-chausses en velours noir, pourpoint de même étoffe sur laquelle tranchait la blancheur du col rabattu, ceinturon de cuir à boucle d'or supportant un poignard ou couteau, bottes en cuir noir dont les tiges souples enserraient les cuisses jusqu'au hauts-de-chausses, feutre de forme basse, orné d'une longue plume blanche et cavalièrement retroussé ; enfin, gants de peau qui remontaient très au-dessus des poignets et couvraient les manches du pourpoint.

Ainsi équipé, Louis XIII passa dans une vaste galerie dont les fenêtres donnaient sur la cour intérieure du Louvre. Il était simplement escorté de deux gentilshommes de service et de quelques pages. Dans la galerie, il n'y avait personne, sinon la garde d'honneur commandée par le sire de Vitry, capitaine des gardes. D'une voix retentissante, Vitry fit présenter les armes. Louis porta nonchalamment le pommeau de sa cravache au bord de son chapeau, et il continua de s'avancer dans la galerie solitaire. Pas de courtisans dans les antichambres ; pas de chefs militaires à costumes étincelants, pas de prélats s'inclinant sur le passage du roi. Il s'en allait seul, triste, mais hautain et déguisant son humiliation sous un masque de dédaigneuse indifférence. Il avait alors un peu plus de quinze ans.

Comme il allait sortir de la galerie, Louis XIII, tout à coup, tressaillit, redressa la tête, et se porta vivement vers l'une des fenêtres ouvertes : de la cour, une bouffée de bruits joyeux venait de monter jusqu'à lui ; murmure de voix animées, cliquetis d'éperons et d'épées ; une cinquantaine de gentilshommes parlant haut, riant, s'interpellant, somptueusement vêtus, éblouissante escorte de quelque roi cent fois plus riche et plus puissant que lui ! Ils étaient tous jeunes, beaux, insolents, ils tourbillonnaient autour de leur maître qui s'avançait, calme, froid, orgueilleux, saluant à peine, comme s'il eût été le potentat à qui tout était dû, à qui tout appartenait... C'était Concini !

Et à son arrivée, le Louvre semblait s'éveiller. Des valets s'empressaient, couraient prévenir la reine, les gardes de la grande porte présentaient les armes ; des portes, à l'intérieur, s'ouvraient précipitamment.

– Le vrai roi de France ! murmura Louis XIII pâlissant.

Puis il se retourna, et alors il se vit en présence d'un homme de haute stature, la moustache grise, les cheveux noirs et rudes, l'œil étincelant sous les touffes épaisses des sourcils. Cet homme considérait le roi avec une pitié attendrie, presque paternelle.

– Bonjour, maréchal, dit Louis XIII.

C'était le maréchal d'Ornano, chef du bataillon des Corses.

– Dieu garde Votre Majesté, dit-il en s'inclinant. Je crois que le roi vient de prononcer d'étranges paroles.

– Quelles paroles, maréchal ?

– Vous avez dit, sire, vous avez dit en parlant de ce valet d'antichambre, de ce freluquet musqué, pommadé, frisé, de ce saltimbanque d'alcôve, Dieu me pardonne, vous avez dit, sire : « Voici le vrai roi de France ! »

– Maréchal !

– Un mot, sire ! Un mot de vous ! Et je saisis le Concini au milieu de sa bande de mignons, et je l'empale sur la flèche de la Sainte-Chapelle !

Le jeune roi devint très pâle. Son regard erra un instant de Concini qui s'engouffrait alors avec toute son étincelante escorte vers les appartements de la reine, à Ornano, qui, tranquille comme la statue de la force, attendait. Une seconde, les lèvres de Louis XIII s'agitèrent comme s'il allait donner l'ordre d'arrêter Concini. Mais tout à coup, il ploya les épaules, détourna la tête, et murmura :

– Adieu, maréchal, je m'en vais chasser à Meudon avec mes faucons.

Le maréchal d'Ornano pivota sur les talons et s'en alla, faisant sonner ses éperons sur le parquet de la grande galerie. Louis XIII, déjà, descendait en courant un escalier dérobé tandis que là-bas, Concini montait en tourbillon tapageur par le large et monumental escalier trop étroit pour lui et sa bande. Les yeux du jeune roi étincelaient. Ses lèvres se serraient. Un pli vertical creusait son front. Au bas de l'escalier il s'arrêta et, ce front rouge de honte, il le pressa à deux mains.

– Je suis trop jeune ! murmura-t-il. Trop petit, trop faible. Patience... la force viendra et alors...

Un geste menaçant termina sa pensée. Il attendit là une minute pour composer son visage. Car le premier soin, le premier devoir des rois ou de ceux qui veulent gouverner les hommes, c'est d'apprendre à se faire des masques impénétrables. Alors il se dirigea vers la petite cour retirée où se trouvait la fauconnerie.

Là, un homme donnait des ordres, d'une voix métallique. Il tenait un jeune faucon sur son poing gauche, et, de la main droite, puisait dans une terrine de petits morceaux de viande qu'il présentait à l'oiseau. Cet homme aux yeux perçants, aux gestes vifs et abondants, de taille élevée, d'allure élégante, la lèvre moqueuse, le nez crochu, cet homme, c'était le maître de la volerie du cabinet. Il s'appelait Charles d'Albert, et se faisait appeler Albert, duc de Luynes, parce qu'il avait hérité d'un vague parent une petite métairie qui portait ce nom. Un instant Louis XIII examina en connaisseur le travail auquel se livrait son maître de la volerie. Puis il s'approcha.

– Que lui donnes-tu là ? fit-il. De la viande lavée ?

– Sire, je vous présente mes humbles hommages, fit Luynes en se retournant et en s'inclinant. De la viande lavée ! Non sire ! Voyez, cet oiseau ne perche pas encore. La viande lavée lui donnerait la maladie. Elle est bonne seulement pour les faucons... Quand Votre Majesté voudra, tout est prêt pour la chasse, ajouta-t-il en remettant le fauconneau à un valet.

– La chasse ! Toujours la chasse ! Voilà le seul plaisir qu'on me tolère ! fit le roi, avec un soupir.

– Eh ! sire, votre pédagogue ne vous a-t-il pas fait lire dans Platon que la chasse est l'école des vertus guerrières ? s'écria Albert de Luynes avec une étrange familiarité. Je vais plus loin que cet illustre philosophe et je soutiens que la chasse est l'école des vertus royales. Henri IV était un roi chasseur. Ah ! c'était un rude chasseur, sire ! Ventre-saint-gris ! comme disait votre illustre père. Quelles randonnées à travers la France ! Quels coups d'estoc et de taille ! On n'entendait que le bruit des arquebusades, le gibier éperdu, fuyait, courait, revenait pour le découdre, mais lui le traquait, le forçait, lui enfonçait l'épieu jusqu'au fond de la gueule, et, finalement, il entrait à Notre-Dame pour saler la bête abattue, puis au Louvre pour la manger à la sauce qui lui conviendrait !

Louis XIII accoté au mur palpitait. Ses yeux fulguraient. Ardemment, il murmurait :

– Oh ! la belle épopée !

– Vous voulez dire la belle chasse ! claironna Luynes dont les narines frémissaient et qui était superbe en cette minute. Il y a chasse, et chasse, mordieu ! Vous allez voir le héron piquer droit dans le ciel, très haut et se perdre au fond de l'azur infini. Qui peut l'atteindre là ? Quelle flèche ? Quelle balle ? Attends un peu, héron, mon ami, je vais t'apprendre qu'un roi, je veux dire un chasseur, peut monter plus haut que toi ! Et voici le faucon parti ! Le faucon, c'est le bec du roi ! Le faucon s'élance. Il pousse son cri perçant, son cri de guerre : « Vive le roi ! » Le héron l'entend, et il se sait perdu, car il se dit : « Voici l'envoyé du roi ! » Le faucon fond sur lui et l'attaque à coups redoublés. « Vive le roi ! » Bientôt les ailes du héron se replient et il tombe, il tournoie, il glisse du haut des airs, le faucon attaché à lui, et, quand il est à terre, il meurt en disant : « C'est bien fait. Ça m'apprendra à voler trop haut ! – Vive le roi ! » répond le faucon. Sire, regardez autour de vous. Il n'y a que faucons prêts à s'élancer. Où sont les hérons ? Dites, sire ?

– Tais-toi ! Tais-toi ! haleta Louis XIII en se couvrant les yeux d'une main, comme s'il eût été ébloui de ce que Luynes lui faisait entrevoir.

Et les paroles du formidable Ornano grondaient dans ses oreilles.

– Un mot, sire ! et j'empoigne le Concini pour l'empaler sur la flèche de la Sainte-Chapelle !

– Il y a chasse et chasse, continua Luynes avec un rire terrible. Peut-être Votre Majesté préfère-t-elle la chasse à courre ? Moi aussi, alors ! Daguet ou vieux dix-cors, ça m'est égal ! Nous détournons l'animal, nous lançons les limiers, et la meute suit ! Oui, oui, tu peux ruser, tourner, détourner, retourner, voici le bien-aller qui sonne ! Ah ! te voici hallali ! Bon ! Attention, sire ! La dague au poing, droit à l'animal, un bon coup dans le poitrail, et c'est fait ! Et si vous ne voulez daguer vous-même, voici vos piqueurs. Où est l'animal, sire ? Quand faut-il découpler les limiers ? Dites, sire !

À ce moment, une corneille passa au-dessus de leurs têtes en jetant son cri aigre. Comme s'il eût été heureux de saisir l'occasion de ne pas répondre, Louis XIII leva la tête et considéra attentivement le vol lourd de l'oiseau qui s'élevait vers les toits du Louvre.

– Tenez, sire ! fit Luynes qui, haussant les épaules, présenta au roi une arquebuse toute chargée.

Le jeune roi visa rapidement. La détonation éclata. La corneille tomba tout droit et vint s'abattre sur un pavé aux pieds de Luynes, qui vraiment émerveillé, s'écria :

– Sire, l'histoire vous appellera Louis le Juste !

Un sourire d'orgueil illumina le front du jeune roi. Il saisit Luynes par le bras et gronda :

– Tu vois que quand j'aurai décidé d'abattre l'animal, je n'aurai besoin ni de limiers, ni de piqueurs. Maintenant, à cheval, et en chasse !

XIV

La route de Meudon

Vers le moment où le roi suivi de Luynes, de quelques gentilshommes et de pages portant les faucons, sortait du Louvre et se dirigeait vers les bois de Meudon, le marquis de Cinq-Mars, pâle de fureur, mettait pied à terre devant l'auberge du *Grand Henri*, et pénétrait dans la cour. Dans la cour, il n'y avait personne, sauf un homme qui pansait un cheval. Cinq-Mars tressaillit.

– Je connais cette figure de coquin, songea-t-il. Eh oui, c'est bien le valet du sacripant ! du traître ! du misérable fier-à-bras ! du capitan à qui je vais couper les oreilles avant de l'embrocher !

De son côté, Cogolin reconnut instantanément le marquis et se mit à étriller la croupe de son cheval avec une activité fébrile.

– Me reconnais-tu, drôle ? grinça Cinq-Mars, qui s'approcha en faisant siffler sa cravache.

– Comment vous reconnaîtrais-je, mon gentilhomme, puisque c'est la première fois que j'ai l'honneur de vous voir. Eh là ! Eh là ! Tenez votre cravache en repos, ou je m'affaiblis, je m'évanouis, je me subtilise !

Cogolin esquissait un rapide mouvement de retraite.

– Il ne me connaît pas. Tant mieux, murmura le jeune homme. Écoute, ajouta-t-il, il y a cinq doubles pistoles pour toi !

– Oh ! oh ! fit Cogolin, qui se rapprocha la main tendue et la bouche fendue. Vous parlez d'or.

– Oui, je parle d'or. Attrape ! (*Cogolin empocha la bourse de Cinq-Mars.*) Mais si tu as le malheur de ruser, de me tromper ou de ne pas répondre, je t'attache à ce pieu, je te mets les épaules à nu et je t'arrache la peau à coups de cravache. Maintenant, conduis-moi sans bruit à l'appartement du sire de Capestang.

– Monsieur, c'est impossible...

– Ah ! ah ! cria Cinq-Mars en levant sa cravache.

– Parce que M. de Capestang n'a plus d'appartement ici ! acheva Cogolin. M. le chevalier est parti, voici près d'une heure, comme s'il eût eu tous les diables d'enfer à ses trousses, et tenez, voici maître Lureau, patron de cette hôtellerie, qui n'a pas son pareil pour le pâté d'alouettes, et qui vous dira comme moi.

Maître Lureau, qui venait d'apparaître sur le perron, opina du bonnet.

– Cet homme a dit la vérité, affirma-t-il de ce ton mélancolique qui lui était particulier et qu'il devait au désespoir où le plongeait sa calvitie.

Cinq-Mars demeura atterré. Il baissa la tête et frémit de rage.

– Si vous cherchez le chevalier de Capestang, continua Lureau, vous le trouverez à Meudon. C'est là qu'il s'est rendu, car il m'a demandé certains renseignements qui...

Cogolin foudroya du regard l'aubergiste, qui jugea prudent de regagner ses cuisines.

– Écoute, reprit alors Cinq-Mars, une femme, une jeune fille est venue trouver ton maître, hier. Je sais qu'elle a passé la nuit ici. Dis-moi la vérité. Est-elle partie avec le sire de Capestang ?

– Je vois où le bât vous blesse, mon gentilhomme, ceci soit dit sans vouloir vous comparer à un âne, Dieu m'en préserve ! Je serai d'autant plus franc que M. le chevalier, après m'avoir injurié, battu comme plâtre, gratifié de je ne sais combien de soufflets, ce déloyal chevalier, donc...

– Tiens, mon ami, prends encore ces deux pistoles !

– Merci, monsieur ! fit Cogolin en s'essuyant les yeux. Ce sacripant, donc, car c'est un vrai sacripant, est parti sans me payer. Et il m'a annoncé qu'il ne remettrait plus les pieds à Paris. Je ne suis donc tenu à aucun ménagement, et vous dirai tout net que la jeune fille en question est sortie d'ici bien avant le chevalier, et que je doute fort qu'elle le veuille rejoindre.

– Ainsi, le sire de Capestang est parti en disant qu'il ne reviendrait plus ?

– Oui, monsieur, et me voici sans maître.

– Viens me trouver à l'hôtellerie des *Trois Monarques* demain matin, je te prends à mon service. (*Cogolin s'inclina en accent circonflexe jusqu'aux genoux du marquis.*) Et tu dis que cette jeune fille est partie de son côté ?

– Par là ! fit Cogolin, en étendant la main dans la direction de la rue de Tournon.

À ce moment, ses yeux tombèrent sur deux cavaliers qui arrêtés près de la porte charretière et penchés sur leurs montures, paraissaient écouter cette conversation. Cinq-Mars déjà tournait le dos à Cogolin et se dirigeait vers son cheval. Cogolin se précipita pour lui tenir l'étrier et il vit les deux cavaliers s'éloigner au trot vers la route de Meudon. Ces cavaliers, c'étaient Richelieu et Laffemas !

Lorsque le marquis fut en selle, il balança un moment s'il tournerait vers la rue de Tournon et s'il irait se jeter aux pieds de Marion ou bien s'il prendrait la route de Meudon pour essayer de rattraper Capestang et le percer d'outre en outre. Ce dernier parti l'emporta et Cinq-Mars, piquant des deux, s'élança à fond de train dans la direction de Meudon.

Cogolin rentra furieux dans l'auberge et cria dans le nez de maître Lureau épouvanté :

– Votre compte est bon, à vous ! Malgré vos promesses, vous avez dit que le chevalier de Capestang habite dans votre méchante auberge. Vous pouvez faire votre deuil de vos oreilles. Car mon maître, lui, n'a qu'une parole, et son premier soin, en rentrant, sera de vous les couper !

Lureau jeta un cri de miséricorde et courut à sa chambre où il s'enveloppa la tête d'un large foulard qui cachait entièrement ses oreilles.

Cogolin avait menti en assurant que Capestang était parti pour toujours, après l'avoir battu. Mais il était exact que le chevalier avait quitté le *Grand Henri* de très bonne heure. À ce moment-là, il trottait doucement sur la route de Meudon. N'ayant pu réussir à pénétrer la veille dans l'hôtel du duc d'Angoulême pour le prévenir de ce que Concini tramait contre lui, le chevalier s'était promis de pousser une pointe jusqu'à l'endroit où il avait eu le bonheur de sauver Giselle des mains du maréchal.

Capestang cheminait donc, et, au moment où nous le rejoignons, s'adressait de violents reproches :

– Qu'avais-je besoin de céder à cette enragée diablesse qui m'est venue relancer hier soir ? Il est vrai que ma tête battait la campagne et mon cœur la chamade, autant qu'il m'en souvienne. Enfin, elle est partie. Bon voyage. Pauvre Marion ! Jolie, spirituelle, pétillante, capiteuse... hum ! trop capiteuse ! Puisse-t-elle rencontrer la fortune que, comme moi, elle est venue chercher à Paris ! Au fait, pourquoi ma tête battait-elle la campagne ? Pourquoi avais-je envie de pleurer, tel un jeune veau ? Le vin, corbacque ! c'était le vin de M. de Cinq-Mars ! Et pourquoi étais-je triste ? Pourquoi le suis-je encore ? Pourquoi mon cœur bat-il encore la chamade ?

Il poussa un profond soupir.

– Fille de prince, petite-fille d'un roi, qu'est-ce qu'elle peut être pour moi ? Allons donc, Capestang ! oserais-tu lever les yeux sur la fille de monseigneur le duc d'Angoulême, qui peut-être demain sera roi de France ? Tout ce que tu peux faire, c'est, vienne l'occasion, de mourir pour elle !

À cet instant, le cheval de Capestang dressa les oreilles et se mit à hennir.

– Qu'y a-t-il, Fend-l'Air ? De quoi me préviens-tu, mon brave compagnon ?

Il achevait à peine de parler, qu'il entendit derrière lui le galop furieux, saccadé, désordonné, d'un cheval lancé ventre à terre. Il n'eut que le temps de se ranger : le cheval passa comme un éclair, avec cette allure folle, cette rigidité de la ligne suivie que prennent les chevaux emballés.

– À moi ! À moi ! cria le jeune cavalier vêtu d'un pourpoint de velours noir, qui, monté sur la bête furieuse, faisait des efforts évidents et inutiles pour l'arrêter.

– Le malheureux ! murmura Capestang, il va se briser la tête contre un arbre au premier tournant ! Hop, Fend-l'Air ! Hop ! Hop !

Déjà Fend-l'Air se ruait en bonds gigantesques, en une envolée terrible des quatre sabots ; déjà l'apocalyptique Fend-l'Air, affolé par les cris de son maître, dévorait l'espace en foulées puissantes ; la distance qui le séparait du cheval emballé diminuait ; une seconde encore, et il le touchait presque ; hop ! hop ! une superbe ruée, un bond vertigineux... et Capestang se trouva botte à botte avec le jeune inconnu.

– Courage ! Courage ! Tenez-vous ferme en selle !

L'inconnu jeta un rapide regard sur l'homme qui, la figure flamboyante d'audace insensée, galopait éperdument à ses côtés ; tout à coup, il ne le vit plus ! Disparu, l'homme aux yeux fulgurants ! Arrêtée net, demeurée en arrière, la magnifique bête qu'il montait ! Et, dans le même instant, il vit son propre cheval à lui secouer frénétiquement la tête, il l'entendit hennir de douleur, il sentit que son allure se ralentissait ; une seconde plus tard, l'animal dompté, couvert d'écume, tremblant de tous ses membres, s'arrêtait !...

– Vous êtes sauvé, monsieur ! dit une voix.

Le gentilhomme au pourpoint noir vit alors le cavalier qui, debout sur la route, le saluait ! Par une manœuvre intrépide, dont il n'y a que deux ou trois exemples dans l'histoire de l'équitation, Capestang arrivé botte à botte avec le jeune inconnu, s'était penché en avant, avait saisi à deux mains la crinière de l'animal, s'était jeté hors de sa selle, et, tandis que Fend-l'Air s'arrêtait, s'était cramponné d'une main, pendant que de l'autre il étreignait les naseaux fumants du cheval emballé. L'inconnu sauta à terre et dit :

– Merci, monsieur. Je vous dois la vie. Je ne l'oublierai pas.

Mais Capestang ne l'écoutait pas. Il ouvrait des deux mains la bouche du cheval qu'il venait d'arrêter par la plus téméraire des voltiges. Il flairait, il aspirait l'âcre parfum qui s'échappait de cette bouche avec des volutes de vapeur tiède.

– Mais, monsieur, fit-il enfin, votre cheval était ivre. Vous lui avez fait trop boire de liqueur mélangée à son avoine, ce matin... Ah ! c'est bien dangereux d'exciter un cheval par les liqueurs fortes ! Vous vouliez donc vous tuer ?

Le jeune gentilhomme au pourpoint noir était devenu affreusement pâle. Il considérait son cheval d'un œil sombre où se lisait une épouvante sans nom.

– Oh ! les misérables ! les misérables ! murmura-t-il au fond de lui-même.

– Vous pouvez le monter, maintenant, reprit Capestang ; il sera doux comme un mouton ; l'accès d'ivresse furieuse est passé et l'a fort abattu.

– Ô Ornano ! songea l'inconnu. Ô Luynes ! Est-ce donc vous qui aviez raison ? Est-il donc vrai que si je ne frappe pas, je serai frappé ? La mort rôde donc autour de moi ? Oui, oui ! Les poignards s'aiguisent dans l'ombre maudite des conspirations ! Le poison se prépare ! Tout sera bon pour m'apporter la mort, puisque déjà on affole le cheval que je dois monter, afin qu'un accident laisse vacant le trône de France ! Oui, oui, il est temps d'agir !

– Monsieur, ajouta-t-il en se remettant en selle, j'habite le Louvre. Venez-y quand vous voudrez, demandez M. Vitry qui est un de mes parents, dites-lui simplement : Meudon. Et il saura ce qu'il a à faire.

Il piqua son cheval qui s'éloigna à pas tremblants, et bientôt disparut aux yeux de Capestang stupéfait.

– Corbacque ! songea celui-ci, voilà un gentilhomme qui me semble en user avec quelque sans-gêne. J'ai risqué pour lui de me rompre les os, et puis : « Allez voir mon parent Vitry ! » Attends un peu ; si le Vitry en question espère ma visite, il pourra l'espérer longtemps. Merci ! J'aurais l'air d'aller mendier au père ou à l'oncle un remerciement dont je me soucie comme de ceci !

Il fit claquer ses doigts. Puis il siffla Fend-l'Air qui accourut. Et se mettant en selle, il continua son chemin.

Vers ce moment-là, une troupe de cinq ou six cavaliers quittait Paris et se lançait à fond de train sur la route de Meudon. C'étaient des gens que nous avons entrevus à l'hôtel Concini ; c'étaient les sires de Bazorges, de Montreval, de Louvignac, de Chalabre, de Pontraille ; à leur tête galopait Concini, flanqué de Rinaldo. Ils allaient silencieux et rapides, pareils à une bande de vautours que pousse un vent de tempête. Ils avaient des figures sinistres. Concini, de ses yeux terribles, interrogeait l'horizon.

– Vite ! Plus vite ! Pourvu que j'arrive à temps pour mettre la main sur Luynes. Vous entendez, mes braves, pas de quartier ! Et nous sommes les maîtres ! Vite ! Plus vite !

Et les spadassins, rués en leur infernal galop, s'assuraient que leurs poignards glissaient bien dans leurs gaines. Et c'était une funèbre, une fantastique chevauchée qui, pareille à un météore, ne laissait derrière elle que tourbillons de poussière et imprécations.

Que s'était-il passé ? Ceci : Léonora Galigaï, arrivée au Louvre une heure après son mari, avait eu une mystérieuse conversation avec un homme. Et alors, elle avait cherché Concini, l'avait trouvé achevant de se réconcilier avec la reine, et lui avait glissé ces mots à l'oreille :

– Je crois qu'il va arriver un accident de cheval à Sa Majesté le roi. Il serait bon que l'oiseleur n'en profite pas à votre place. Allez donc voir ce qui se passe sur la route de Meudon !

Il est onze heures du matin. Le soleil, presque au zénith, irradie la plaine et les bois. Une buée de chaleur étouffante monte de la terre gercée, crevée de sécheresse. Tout se tait. Une torpeur immense règne sur la nature. C'est à cette heure-là qu'une autre troupe de cavaliers sort de la maison de Meudon située en face de l'auberge de la *Pie Voleuse*. Ils sont trois. Ils vont au pas vers Paris, et l'un d'eux semble écrasé sous le poids de quelque douleur. Ils sont masqués. Et ceci n'a rien de surprenant à une époque où l'on porte le loup pour se garantir le visage, aussi communément qu'on porte aujourd'hui des gants.

Le duc d'Angoulême ! Le prince de Condé ! Le duc de Guise ! Ils sortent de la maison où ils ont tout convenu pour la suprême réunion des conspirateurs qui doit avoir lieu trois jours plus tard, le 22 août, à Paris... Mais ce n'est pas seulement pour conspirer qu'Angoulême est venu à Meudon. Il est surtout venu dans l'espoir de retrouver là sa fille... son âme ! l'adoration de sa vie !

Il n'a trouvé que Violetta. Il n'a trouvé que la pauvre folle, à qui il a à peine adressé quelques mots. Et maintenant, escorté du duc de Guise et du prince de Condé, il s'en retourne à pas lents, la tête sur la poitrine, tressaillant parfois, songeant à cet inconnu, à ce chevalier de Capestang dont il a trouvé l'étrange billet et qui, sûrement, lui a enlevé sa Giselle. Et alors une malédiction monte à ses lèvres qui profèrent quelque terrible serment de vengeance.

Il est onze heures. Éperdument, le marquis de Cinq-Mars galope à travers bois, à la recherche du rival détesté. Il parcourt les sentiers, il pénètre dans les taillis. Il ruisselle de sueur. Cinq-Mars a poussé jusqu'à la *Pie Voleuse* pour s'y rafraîchir. Et là, qu'a-t-il appris ?

C'est que celui qu'il cherche est venu se reposer là un instant ! Oui, dame Nicolette qu'il connaît, à qui il a raconté son aventure avec ce besoin d'expansion qu'on a à dix-huit ans, dame Nicolette lui a assuré qu'elle a vu le chevalier de Capestang, et que celui-ci est rentré sous bois dans la direction de Paris ! Et Cinq-Mars n'a fait qu'un bond jusqu'à son cheval. Et il galope, il ne s'aperçoit pas qu'il est suivi par deux cavaliers qui vont où il va, courent quand il court, s'arrêtent quand il s'arrête...

Et ces deux-là s'appellent le duc de Richelieu et Laffemas !

Il est onze heures. Le roi Louis XIII s'est longtemps arrêté sous le couvert d'un massif de hêtres au feuillage touffu. Là, l'esprit de ce jeune roi de quinze ans que nul n'aime, excepté peut-être son maître de la volerie, cet adolescent qui ne sait à qui confier ses amertumes, s'est mis à rêver. Une formidable rêverie. Il est lentement descendu dans l'abîme des épouvantes, escorté de spectres qui portent une plaie ou montrent un visage décomposé par le poison. Et ce sont les fantômes des rois qui l'ont précédé sur le trône. Et son imagination chancelante d'effroi, cherche, trouve, devine un crime dans la mort de tous ces rois. Une sueur d'angoisse mouille son front pâle. Et lorsqu'enfin il revient au sentiment de la réalité, son visage a pris une expression de résolution farouche. Ses traits se sont durcis. Dans son regard limpide jusqu'à ce jour, la lueur des défiances s'est allumée pour ne plus jamais s'éteindre... il est désormais le Louis XIII de l'histoire !

Le roi, donc, vers cette heure-là que nous signalons, s'est mis à la recherche d'Albert de Luynes, qu'il trouve enfin courant et appelant. Luynes jette un cri de joie...

– Oui, sauvé, mon brave Luynes, dit Louis que ce cri a ému.

– Sauvé ! répète Luynes, cette fois en lui-même. Je suis sauvé !...

C'est à lui-même, en effet, à lui seul que Luynes a songé en criant : « Sauvé ! » Si le roi était mort, il sait bien ce qui l'attend. Le roi c'est sa raison d'être. C'est son espoir. C'est le rêve encore inavoué de sa fortune future. Le roi, c'est sa haine contre Concini bientôt satisfaite.

– Sire, il faut retourner au Louvre, dit Luynes d'une voix encore tremblante d'émotion. Ah ! que j'ai eu peur ! Non ! jamais, dans ma vie, je n'ai éprouvé une peur pareille !

Le roi sourit. Luynes sonne du cor pour rallier les pages et les gentilshommes de service. Le roi se met en route. Brusquement il s'arrête, se frappe le front, et murmure :

– Quoi ! Je l'ai à peine remercié ! il a failli mourir pour moi, sans me connaître, et moi, lâche, tout entier à mon épouvante, je suis parti... quoi ! sans un mot du cœur ! Oh ! je ne lui ai même pas demandé son nom !

– Sire, de grâce, rentrons au Louvre !

– Non, Luynes, la chasse continue !

Il est onze heures. Capestang, après le sauvetage audacieux du jeune inconnu au pourpoint noir, avait poussé jusqu'à Meudon. Il s'est assis sous une tonnelle de la *Pie Voleuse*, l'âme vide, l'esprit harassé, pris d'une immense lassitude. Il pense à Giselle. Et comme onze heures sonnent à l'horloge de Meudon, il se remet en selle pour regagner Paris, et tout à coup, son regard tombe sur la mystérieuse maison où il est entré comme dans un château enchanté, où il a trouvé table mise, équipement complet, et argent !

Une curiosité aiguë s'empare de lui, une sorte d'appétit du mystère ! Il se décide ! Il fait rapidement le tour des murs, il entre, il passe à travers les broussailles et les ronces que le soleil éclaire, et, là-bas, sur le perron, une figure blanche lui apparaît soudain. La folle.

Capestang s'est approché. Il la salue d'un grand geste héroïque et doux. Elle ne semble pas le voir. Elle regarde au loin quelque chose ou quelqu'un qui s'éloigne, et elle murmure :

– Duc d'Angoulême, ne suis-je donc plus votre duchesse bien-aimée ?

– Duc d'Angoulême ! rugit Capestang qui d'un bond, saute à terre. Madame ! Oh ! madame, de grâce, écoutez-moi...

– Qui êtes-vous ? dit Violetta en ramenant son regard sur le chevalier. Ah ! c'est vous ! Je vous reconnais ! Je vous avais dit de venir quand je vous appellerais...

– Madame... un mot... un seul... il y va de la vie d'un homme que je voudrais sauver fût-ce au prix de ma propre vie !

La folle sourit :

– Je vous ai appelé, vous êtes venu, c'est bien !

– Madame ! Vous avez prononcé un nom ! Celui du duc

d'Angoulême ! Par pitié, dites ! Le connaissez-vous ? Savez-vous où je puis le trouver ? Parlez, de grâce !

Violetta passa lentement une main sur son front.

– J'ai écouté, prononça-t-elle. J'ai entendu le 22 août. Oui, c'est bien cela que j'ai entendu. Alors, dites, vous voulez le voir ?

– Pour le sauver, madame ! s'écria Capestang avec une exaltation qui fit frissonner Violetta.

– Pour le sauver ? murmura-t-elle. Soit. Sauvons-le ! Venez me chercher ici le 22 août quand se couchera le soleil derrière les bois, venez alors, vous m'entendez, et je... oui... écoutez. Oh ! qui êtes-vous ? Que faites-vous ici ? Taisez-vous... écoutez... on pleure.

La folle, tout à coup, partit d'un éclat de rire strident et rentra à l'intérieur de la maison. Capestang fit un mouvement pour la suivre, mais elle se retourna si majestueuse, avec un geste si impératif qu'il recula. Hors de lui, Capestang s'élança en selle, et, au galop, sortit du vieux parc, et se jeta à travers bois. Il songeait :

– C'est une pauvre démente. Elle a dit : « Le 22 août au coucher du soleil. » Pourquoi ce jour-là plutôt qu'un autre ? Paroles de folle sans doute.

Il galopait au hasard des sentiers qui se présentaient à lui. Les pensées, les images, les souvenirs, les suppositions évoluaient, tourbillonnaient, s'entrechoquaient dans sa tête qui, peu à peu s'alourdissait, et, tout à coup, il s'aperçut que Fend-l'Air s'était arrêté non loin de la grande route et qu'il était immobile, pensif, sur sa selle, alors qu'il croyait encore galoper.

– D'où vient cette lassitude ? murmura-t-il en se secouant. Eh bien ! puisque mes yeux se ferment, que tout s'embrouille dans ma cervelle, et que Fend-l'Air s'est arrêté ici, c'est que je dois dormir sous ce vieux sapin que voici. Dormons donc !

Là-dessus, il mit pied à terre, s'allongea sous le sapin, dans l'herbe épaisse, et ferma les yeux...

XV

Rêve de Capestang

Nous reviendrons au marquis de Cinq-Mars aux pas agités duquel nous allons nous attacher. Cinq-Mars, donc, après avoir quitté la *Pie Voleuse* avait recommencé sa recherche enragée ; mais cette fois il prit au trot la route de Paris. Comme il venait de dépasser trois cavaliers masqués auxquels, tout à ses projets de vengeance, il ne prêta aucune attention, il entendit sur sa droite un hennissement sonore, et, ayant porté ses yeux du côté d'où venait cette sorte d'appel, il vit un cheval qui, le cou tendu, le regardait passer, et non loin de la bête, au pied d'un arbre, un homme profondément endormi. Cinq-Mars poussa un cri terrible et sauta à terre en hurlant :

– Sang-Dieu ! Tête-Dieu ! Tripes du diable ! C'est le sacripant ! C'est le Capitan !

Il paraît que le chevalier dormait en toute conscience, car à cette bordée de jurons avec lesquels il était d'usage d'aborder un ennemi, selon la tradition homérique, à ces féroces interjections, il ne répondit que par le soupir paisible de l'homme qui voyage au pays des heureux songes. Cinq-Mars mit l'épée au vent et battit furieusement le sol de ses appels de pied.

– Hé là ! Hé là ! Monsieur ! Éveillez-vous, s'il vous plaît ! Debout ! que je vous embroche ! Hé là ! M'entendez-vous, traître, perfide, éveillez-vous, monsieur de Capestang !

– Ah ! Ah ! fit une voix près de Cinq-Mars, c'est là le Capestang en question ? Voyez, monseigneur, le beau profil de sacripant...

Et Laffemas montrant à Richelieu le chevalier endormi et Cinq-Mars ivre de rage, la rapière au poing, ajouta avec un ricanement de ses lèvres minces :

– Je crois que nous allons assister à une jolie algarade. Vous voyez que j'avais raison, monseigneur, et que nous avons bien fait de suivre l'écervelé.

À ce moment Capestang ouvrait un œil. Son premier regard tomba sur la figure blafarde de Laffemas et sur la figure sombre de

Richelieu qui se reculaient dans un renfoncement de feuillage, et il frissonna.

– Debout, traître ! hurla Cinq-Mars. Défends tes oreilles !

Capestang ouvrit l'autre œil. Son deuxième regard tomba sur l'épée de Cinq-Mars qui jetait des éclairs, et il sourit. Dans le même instant, il fut debout, se secoua, mit le chapeau à la main et dit :

– Eh quoi, marquis, est-ce vous qui menez tout ce tapage ? Corbacque, je ne vous pardonnerai de ma vie. Vous m'éveillez au plus beau de mon rêve.

– En garde ! vociféra Cinq-Mars. Défendez-vous ou, par le Dieu vivant, je vous cloue à cet arbre d'un coup d'épée !

– Oh ! fit Capestang, vous tenez donc bien à recevoir la leçon que j'étais venu vous offrir chez vous et que vous avez eu la prudence de refuser ?

En même temps, d'un geste flamboyant, il tira sa longue rapière et tomba en garde. Les deux fers se croisèrent, cliquetèrent, fulgurèrent, tic-tac ; cela dura deux secondes. L'épée de Cinq-Mars sauta en l'air, alla retomber de dix pas, et Capestang, appuyant la pointe de sa rapière sur le bout de sa botte, se tourna vers Laffemas et Richelieu, tandis que son adversaire, avec un cri de rage, courait ramasser son arme.

– Monsieur de la Triste-Figure, dit le chevalier, et vous aussi, mon gentilhomme aux yeux de chat qui guette la souris, vous êtes sans doute les témoins du petit marquis. Ne vous gênez pas. Flamberge au vent, messieurs, et me charger, si vous l'osez !

– Ah ! misérable bravache ! rugit Cinq-Mars en se ruant sur lui et lui portant botte sur botte. Vantard ! Capitan de comédie ! À ton tour ! pare celle-ci !

– Je pare ! riposta Capestang de sa voix de trompette. *(Car le sang lui montait à la tête et déjà il reprenait son attitude de matamore.)* Je pare, corbacque ! *(Et il para d'un rude cinglement.)* Capitan ! Oui, vrai Dieu ! Capitan ! Je vous l'ai déjà dit sur les bords de la Bièvre ! Mais pour te combattre, moucheron, c'est une latte de bois qu'il me faudrait !

– Tu n'oses attaquer ! rugissait Cinq-Mars.

– J'ai peur de te fatiguer le poignet ! cinglait Capestang. Tiens, petit, repose-toi ! *(Pour la deuxième fois, l'épée de Cinq-Mars sauta.)*

Allons, messieurs, en ligne ! en garde ! Vous ne serez pas trop de trois pour attaquer un Capestang !

– Capestang ! gronda une voix. Lui ! Enfin !

En même temps, un cavalier masqué, suivi de deux compagnons masqués aussi, apparaissait, sautait à terre, courait à Cinq-Mars qui se précipitait encore avec la furie du désespoir décuplé par la honte, le saisissait à pleins bras et lui disait quelques mots rapides à voix basse.

– Monseigneur ! supplia Cinq-Mars en résistant.

– Je le veux ! S'il me tue, vous foncerez, mon fils, et vengerez le duc d'Angoulême.

– Soit, monseigneur. Allez donc, puisque vous m'ordonnez de vous céder mon tour.

– Allons, allons ! grondait Capestang. Avancez, arrivez ! Trois et trois font six ! Trois pour un Capestang. Ce n'était pas assez. Six, cela commence à bien faire !

– Moi seul ! dit le cavalier masqué en s'avançant. Monsieur, vous êtes bien le chevalier de Capestang ?

– Adhémar de Trémazenc, chevalier de Capestang, oui, monsieur. Et vous ?

– Mon nom ne peut se crier tout haut ! gronda le duc. Monsieur, est-ce bien vous qui avez laissé certain billet dans une maison de Meudon ?

– Corbacque ! songea le chevalier. Le maître du château enchanté... Oui, monsieur, ajouta-t-il tout haut. Mais je dois vous dire...

– Monsieur ! interrompit violemment Angoulême, vous avez commis une action vile, un rapt.

Les paroles s'étranglèrent dans sa gorge.

– Il me reproche les pistoles que je lui ai empruntées ! songea Capestang. Le mot est dur, monsieur et je vais vous le rentrer dans la gorge !

– Misérable ! hurla le duc en se précipitant sur le chevalier. C'est moi qui vais te tuer, mais il faudra d'abord que tu dises où tu as mis ce que tu m'as volé.

– Ah ! par la mordieu ! vociféra Capestang qui pâlit, c'est vous qui allez mourir ici !

Et, à son tour, il fondit sur le duc. Dans le même instant, cette idée soudaine, rapide comme un coup de foudre qui illumine la nuit, traversa son cerveau :

– Je ne puis pas tuer cet homme tant que je ne lui aurai pas rendu ce que je lui ai emprunté !

L'engagement dura deux minutes, silencieux, acharné de part et d'autre ; mais il était évident que le chevalier cherchait seulement à se défendre.

– Malheur sur moi ! rugissait-il en son cœur, tout en parant. Que n'ai-je cent pistoles, mille pistoles à lui jeter à sa figure masquée, et le tuer ensuite ! Patience ! Cela viendra !

Tout à coup, dans l'instant où le duc d'Angoulême venait de porter une botte terrible que le chevalier avait parée d'un coup de revers, plusieurs chevaux couverts de sueur s'arrêtèrent là ! Les cavaliers qui les montaient aperçurent Capestang, se regardèrent entre eux avec une stupéfaction mêlée d'une sorte de terreur superstitieuse, puis sautèrent à bas de leurs montures, et s'avancèrent.

– Concini ! murmurèrent le duc de Guise et le prince de Condé qui, saisissant le duc d'Angoulême, l'entraînèrent à quelques pas.

Capestang s'adossa à un arbre et éclata d'un rire fantastique.

– Tiens ! fit-il de sa voix cinglante. *Il signor* Pantalon dénommé ici Concino Concini ! Et l'illustre Rinaldo. Parisien des Pouilles ! Et messieurs les limiers de la meute sanglante ! Bonjour, messieurs !

Alors, l'hésitation, l'effarement, la stupeur de Concini et de sa bande s'évanouirent.

– C'est lui ! C'est bien lui ! gronda Concini. Vivant !

– Tiens ! Vous vivez bien, vous ! dit Capestang.

– Vivant ! rugit Rinaldo. Oh ! le *briccone* ! le *birbante* !

– À mort ! À mort ! – Sus ! – Taïaut ! vociférèrent Chalabre, Louvignac, Montreval et les autres spadassins ordinaires du maréchal.

Puis, brusquement, pendant quelques secondes, il y eut ce lourd silence qui précède les coups de tonnerre. Le chevalier de Capestang, adossé à son arbre, d'un regard circulaire, embrassa toute cette scène.

À sa droite, le gentilhomme masqué, que ses deux amis également masqués, avaient entraîné et qui se retournait alors vers lui ; et des deux trous du masque jaillissait la flamme d'une menace mortelle. Capestang comprit que c'était là un ennemi qui ne pardonnerait jamais. Près du duc d'Angoulême, dont le chevalier ignorait ainsi la personnalité, c'était Cinq-Mars, le visage décomposé par la haine. « Et de deux ! » compta Capestang. À sa gauche, c'était Laffemas, et c'était Richelieu qui, sombre, hautain, ne le perdait pas de vue et dardait sur lui un regard d'une méchanceté aiguë. Que lui voulait celui-là ? Il ne le connaissait pas. Mais enfin il flaira un ennemi mortel. Et de trois ! Enfin, devant lui, c'était Concini ! Et de quatre ! Les autres, les Rinaldo, les Laffemas, les Chalabre et tutti quanti, il ne les comptait pas. Ils étaient là par surcroît !

Angoulême, Cinq-Mars, Richelieu, Concini ! Formidable quatuor de haines ! Et en arrière, les comparses tout aussi haineux, le poignard ou la rapière au poing.

– C'est fini, songea Capestang. Je n'en sortirai pas. Ils sont trop.

Puis, son tempérament excessif reprenant le dessus, il eut un grand geste, jeta à ses pieds son chapeau, le toucha de la pointe de son épée, et, narquois, hérissé, l'œil pétillant, la lèvre insultante :

– Qui de vous sautera le premier par-dessus la plume du Capitan ? Qui de vous viendra s'embrocher le premier sur cette lardoire ?

Et il tomba en garde, rayonnant, terrible, fort comme Samson, audacieux comme Achille. Une féroce bordée d'imprécations, de jurons, d'insultes, de rires, de clameurs, et tous ensemble se ruèrent, tous, tous, Concini, Rinaldo avec leurs épées, Pontraille, Montreval, Louvignac, Bazorges, Chalabre avec leurs poignards, tous, jusqu'à Cinq-Mars qui se jeta en avant en hurlant : « À moi ! Je le veux pour moi ! » Jusqu'à Laffemas qui, se glissant derrière l'arbre, s'apprêta à frapper dans le dos !

– Bas les armes ! tonna quelqu'un. Arrière tous !

Toutes les têtes se tournèrent vers celui qui survenait. Tous les visages pâlirent. Guise, Condé, Angoulême remontèrent sur leurs chevaux et disparurent. Cinq-Mars s'éloigna en grondant. Richelieu se renfonça davantage dans l'ombre du taillis. Laffemas se glissa comme un serpent parmi les broussailles.

– Oh ! oh ! murmura Capestang en baissant la pointe de son épée, le petit gentilhomme qui, tout à l'heure, avait le mors aux dents !

Concini se découvrit et, comédien génial, se découvrit dans un large geste ; en même temps, d'une voix grave, solennelle, il prononçait :

– Le roi ! Chapeau bas, messieurs...

– Vive le roi ! cria la bande des assassins dans une acclamation qui retentit au loin.

– Le roi ! murmura Capestang frappé de stupeur...

Louis XIII s'avança de quelques pas, tandis que Luynes et les gentilshommes de service demeuraient immobiles. Concini souriait et saluait. Et il grinçait des dents ! L'accident de cheval annoncé par Léonora ne s'était donc pas produit !

– Que se passe-t-il ? demanda le jeune roi.

– Sire, dit Capestang, ces messieurs me soutenaient que l'escrime de leur pays est la plus belle du monde. J'étais en train de leur démontrer la supériorité de l'escrime française.

En même temps, il salua de son épée, joignit les talons, et remit la lame au fourreau. Le roi admira un instant cette figure qui semblait ciselée dans le bronze d'une médaille et sur laquelle se jouait un rayon de pure intrépidité.

– Monsieur, reprit Louis XIII après un instant de silence pendant lequel on entendit frémir la rage de la bande comme on entend frissonner les feuilles au vent d'orage, monsieur, tout à l'heure, au péril de votre vie, vous avez sauvé la mienne. Vous avez arrêté mon cheval, qui, piqué sans doute par un taon ou une guêpe, avait pris le mors aux dents. Dans mon émotion, j'ai omis de vous demander à qui le fils d'Henri IV doit de régner encore. Je viens réparer cet oubli. Votre nom, mon gentilhomme ?

– L'accident ! L'accident ! gronda Concini en lui-même. L'accident s'est produit ! Sans Capestang, demain j'eusse été roi ! Ah ! malheur à toi, je t'écraserai, misérable Capitan, matamore !

– Sire, répondait le chevalier avec cette sorte de fierté qu'il mettait toujours à prononcer son nom, le gentilhomme qui a en ce moment l'insigne honneur de converser avec Sa Majesté le roi de France s'appelle Adhémar de Trémazenc, chevalier de Capestang.

Le roi inclina légèrement la tête, et rassembla les rênes de son cheval.

– Sire, dit Concini, mes gentilshommes et moi nous allons avoir l'honneur de vous escorter jusqu'au Louvre.

Louis XIII laissa tomber un pâle regard sur l'amant de Marie de Médicis.

– Inutile ! répondit-il. M. le chevalier de Capestang sera mon escorte. Venez, chevalier.

Concini ploya les épaules et devint livide.

– La chute ! balbutia-t-il, c'est la chute ! À moins que...

Capestang avait senti son cœur bondir de joie. Lui aussi avait pâli. Et il murmura :

– Attention, Capestang, voici la fortune qui passe !

Il sauta sur Fend-l'Air et s'apprêta à suivre le roi. Louis XIII jeta un long regard sur la bande, et prononça :

– Messieurs, je vous informe que le chevalier de Capestang est au nombre de mes amis. Les ennemis de mes amis sont mes ennemis à moi... j'ai dit !

Les têtes se courbèrent, puis se redressèrent comme à un signal, car c'était une troupe merveilleusement dressée, et, de nouveau l'acclamation retentit dans le grand silence des bois :

– Vive le roi !

Louis XIII déjà s'éloignait. Sur son ordre, Capestang chevauchait près de lui. Luynes et les pages suivaient. Concini, aussi longtemps que Capestang fut visible, tint sur lui un regard qui semblait distiller tous les poisons de la haine. Et lorsqu'il disparut enfin :

– Messieurs, dit Concini, cent mille livres à qui me délivrera de cet homme. Je dis cent mille livres. Quels que soient le jour et l'heure. Quel que soit le moyen, poignard, épée ou poison !

Il y eut un frémissement dans la troupe. Mais Rinaldo gronda entre ses dents :

– Cent mille livres, c'est un joli denier. Mais, *corpo di Cristo*, si je les avais, je les donnerais volontiers pour avoir le plaisir de lui dévorer le foie... Messieurs, un instant, s'il vous plaît. Il y a deux manières d'arranger l'affaire des cent mille livres.

Pontraille, Louvignac, Chalabre, Montreval et Bazorges l'entourèrent, les yeux étincelants, car la somme en valait la peine.

– Parle ! dirent-ils, tandis que Concini à l'écart se plongeait en quelque effroyable méditation.

– Première manière, dit Rinaldo. Nous allons tirer au sort la peau et les tripes du Capitan. Celui qui gagnera aura seul le droit de l'éventrer et par conséquent, à lui la somme.

– Oui, dit Chalabre, mais par cette méthode, nous risquons de nous faire tuer l'un après l'autre par le drôle.

– Deuxième manière, donc ! reprit Rinaldo. Nous mettons en commun l'effort et la somme. Nous travaillons tous ensemble à forcer la bête, et quand elle est abattue, comme nous sommes six, il nous revient à chacun seize mille six cent soixante-six livres et quelques sols.

– Tu comptes comme Archimède ! s'écria Pontraille.

– Est-ce adopté ?

– Adopté ! répondit la bande tout d'une voix.

– Bon, maintenant, écoutez ceci, messieurs. Nous allons relancer *l'animal,* unir nos ruses, nos intelligences, nos forces, pour acculer le Capitan à l'impasse où nous n'aurons qu'à le frapper. Il est évident que l'un de nous arrivera bon premier pour porter le coup mortel. Si c'est moi tout va bien. Si ce n'est pas moi, tripes du pape ! Je cède ma part à celui de vous qui me cédera sa place. Et cela lui fera trente-trois mille cent trente-deux livres et des sols.

Les spadassins se regardèrent, les lèvres serrées.

– Moi, dit enfin Bazorges, ni pour or, ni pour argent, je ne cède ma place et pourtant, ventre du pape, je suis pauvre comme le Job des Écritures saintes !

– Moi, dit Pontrailles qui portait une bande de taffetas noir sur son œil crevé, je donnerais l'œil qui me reste plutôt que de céder ma place à l'hallali !

– Moi, dit Louvignac, je poignarde celui de vous, messieurs, qui tenterait de me voler ma place au cas où j'arriverais bon premier pour daguer la bête !

– Eh bien ! s'écria Rinaldo, convenons au moins de le frapper tous ensemble !

Pendant que sous les frais ombrages se tenait ce conciliabule funèbre, le chevalier de Capestang cheminait aux côtés de Louis XIII.

Le roi chevauchait silencieux et la tête baissée.

L'aventurier, le front rayonnant, raidi dans une attitude d'orgueil, songeait que sa fortune était faite. Il se voyait au Louvre. L'or et les honneurs pleuvaient sur lui... et il se disait, avec un indescriptible sourire de triomphe :

– Je n'aurais jamais cru qu'il fût si facile de faire fortune !

Comme ils arrivaient aux portes de Paris, Louis XIII s'arrêta et dit :

– Merci de m'avoir escorté, chevalier.

– Sire, c'est moi qui suis reconnaissant à Votre Majesté d'avoir mis un souvenir aussi honorable dans ma vie.

Le roi fit un léger signe de tête, et reprit :

– Souvenez-vous du mot que je vous ai dit. Lorsque vous aurez besoin de me voir, de jour ou de nuit, venez au Louvre, demandez Vitry et prononcez le mot. En même temps, Louis XIII rendit les rênes et partit au trot. Cinq minutes, Capestang demeura sur place, tout étourdi.

– Oh ! oh ! fit-il enfin, est-ce qu'il serait plus difficile de faire fortune que je ne l'imaginais ? Il me semble que je la vois s'éloigner bon train, la déesse à l'unique cheveu ! Bah ! Pourquoi diable n'aurait-elle qu'un cheveu, la fortune ? Pour moi, corbacque, elle aura une perruque !

Il se mit en route assez mal content et réfléchissant profondément à sa situation qui lui apparaissait hérissée de dangers. Ces quatre paires d'yeux flamboyants qui, là-bas, sous le sapin, l'avaient dévisagé, ces yeux terribles de Concini, de Richelieu, de

Cinq-Mars et d'Angoulême lui avaient crié qu'il était condamné à mort. De ces quatre personnages, Capestang n'en connaissait que deux : Concini et Cinq-Mars. Il n'avait pas reconnu Angoulême sous son masque, et quant à l'évêque de Luçon, il ne l'avait jamais vu. Mais il comprenait que ces deux-là seraient aussi impitoyables que les deux premiers. Et à eux quatre, puissants comme ils étaient ou comme il les devinait, ils formaient un formidable bloc de haine, sous lequel il serait tôt ou tard broyé. Quant à ce Laffemas, qu'il avait parfaitement vu se glisser derrière l'arbre pour le frapper dans le dos, quant à Rinaldo et à ses compagnons, il ne les comptait que par surcroît.

– C'est la menue monnaie, conclut-il, c'est le zeste de la haine des quatre terribles. Mais d'où vient cette haine ? Je comprends admirablement celle de Cinq-Mars, qui a sans aucun doute appris l'infidélité de cette Marion que la peste étouffe, pour jolie qu'elle soit ! Passe encore pour mon Concini qui m'en veut, lui, de ce que je ne sois pas mort dans son grenier, comme si un pareil galetas était une tombe convenable pour un Capestang ! Ce sont les deux autres que je ne comprends pas ! L'homme au masque, d'abord. Eh quoi ! est-ce pour ces quelques misérables pistoles ? Non, non. Cet homme-là a un air de grandeur visible, et sûrement l'argent ne compte pas pour lui. Que lui ai-je fait ? Qu'est-il ? Et l'autre, ce gentilhomme aux yeux d'aigle, au sourire livide comme l'éclair d'une hache de bourreau. Que lui ai-je fait à celui-là ? Ils sont puissants, tous quatre ! Le moindre d'entre eux suffira pour me briser. Ah ! pauvre Capestang, te voilà dans un joli mortier, où tu seras haché menu, pilé, mis en marmelade, sans que ce pauvre petit roitelet puisse seulement te tendre la main ! Si je m'en retournais à Capestang ?

Brusquement, il se redressa sur ses étriers, dans l'attitude héroïque d'un Capitan dont les spectateurs n'auraient nulle envie de rire. Les passants virent avec stupeur ce jeune homme maigre, étincelant, hissé sur le fantastique Fend-l'Air, dressé sur ses étriers, le poing tendu, mais aucun d'eux n'eut envie de sourire.

– Fuir ! M'en aller ! rugit-il en lui-même. Allons donc ! Venez-y, Cinq-Mars, Concini, et vous, l'homme au masque, et vous, Rinaldo. Venez-y tous, tous, et d'autres encore ! Capestang vous attend de pied ferme ! Conspirez, aiguisez vos poignards, allongez vos griffes sur la couronne du petit roitelet ! Prenez garde, messieurs ! Le petit roitelet a tout à l'heure sauvé Capestang, et Capestang vous défie tous ! Capestang sauvera le roi de France !

Il se mit en route, l'imagination enflammée, roulant des pensées de bataille et de gloire, échafaudant ce rêve de monter seul la garde autour du trône. Et tout à coup il pâlit, il sentit que quelque chose venait de briser les ailes qu'il déployait dans l'azur de son rêve. Pour sauver le trône et le roi, il lui faudrait combattre le duc d'Angoulême ! Et le duc d'Angoulême, c'était le père de celle qu'il aimait !

XVI

Le royaume des poisons

Quelques jours se sont écoulés. Nous arrivons à cette date du 22 août que Violetta, la pauvre démente de la mystérieuse maison de Meudon avait indiquée à Capestang : simple imagination de folie, peut-être ! Ou peut-être date se raccrochant à quelque pensée confuse luisant vaguement dans les ténèbres de cet esprit.

Ce jour-là, vers les six heures du soir, Concini était dans sa chambre, aux mains de son valet Fiorello. Sombre, les sourcils froncés, les lèvres serrées, il songeait tandis que Fiorello, le peignait, frisait sa barbe et sa moustache, lui mettait du rouge et du blanc, et tous les fards habituels, le parfumait, l'habillait enfin d'un costume en satin cerise avec flots de rubans pourpres et aiguillettes d'or, feutre de forme haute encerclé d'une grande plume ébouriffée en touffe par-devant ; enfin long manteau de satin cramoisi à collet couvrant les épaules.

Concini s'était placé devant une immense glace. Il s'examina quelque temps en silence, puis se tournant vers un homme qui, à cheval sur une chaise, les jambes allongées, avait assisté à cette scène :

– Qu'en dis-tu, Rinaldo ? Parle sans contrainte...

Rinaldo, pour toute réponse, fit entendre ce sifflement qui exprime l'admiration portée à son plus haut degré.

– Oui, reprit Concini. Plus d'un grand seigneur me jalouse. Les femmes me trouvent beau. Je le suis en effet, et j'ai le droit de parler ainsi sans ridicule puisque je considère ma beauté comme une arme, non comme un mérite. Mais à quoi me sert tout cela, dis ! À quoi me sert de ressembler à l'Antinoüs que j'ai vu à Florence, et d'être plus riche qu'une galiote d'Espagne venue du Pérou, et d'être auréolé d'une puissance auprès de laquelle la puissance royale n'est qu'un lumignon fumeux ? À quoi bon tout cela, puisqu'elle me hait !

– Bah ! fit Rinaldo, elle vous aimera !

– Elle me hait, Rinaldo ! Elle me méprise ! J'ai vu dans son regard une telle exécration que j'en ai frissonné d'épouvante, un tel mépris que je m'en suis senti écrasé.

– Vengez-vous !

– Me venger ! Me venger ! Je ne rêve qu'à cela. Mais comment ! Elle aime quelqu'un ; et ce quelqu'un, vois-tu, j'en jure par l'enfer, c'est le damné Capitan ; c'est cet homme qui m'a souffleté de son gant, alors que je lui pardonnais, que je lui offrais fortune et honneur ! Cet homme que l'autre jour encore, j'ai trouvé sur ma route !

Rinaldo grinça des dents.

– Ainsi, pas de nouvelles ? reprit Concini au bout d'un silence.

– Pas encore. Nous sommes fourbus. Chalabre et Pontraille visitent tous les cabarets et tavernes, depuis les plus riches jusqu'aux plus humbles. Bazorges et Louvignac ont reçu en partage les jeux de paume, les tripots, les salles d'armes. Montreval et moi, nous avons les places publiques, la rue.

– Et qu'en est-il résulté ?

– Que j'ai déjà tué deux chevaux et que Montreval ne tient plus debout. Que Louvignac et Bazorges ont ramassé je ne sais combien de querelles avec des imbéciles qui criaient : « Mort aux sbires de Concini ! » Et enfin, que Pontraille et Chalabre sont ivres nuit et jour. Mais du Capitan, pas l'ombre ! pas une trace ! Le lâche a fui Paris, monseigneur.

– Je ferai fouiller la France, je l'atteindrai vif ou mort... Qu'il aille, qu'il fuie, qu'il se réfugie dans une tombe, qu'il coure se cacher aux confins du monde, je l'aurai ! Adieu Rinaldo, je m'en vais au Louvre. Et tandis que je ferai ma cour à Maria, oh ! malheureux ! je chercherai comme un bonheur suprême, à entrevoir sa prisonnière !

– Un instant, monseigneur ! Il me semble que vous aviez à me parler de choses sérieuses. Capestang, c'est bien : son intervention sur la route de Meudon a peut-être changé le cours de l'histoire de France. Il mourra. C'est entendu. Mais il n'y a pas que Capestang, que diable !

– Que veux-tu dire ? fit Concini avec impatience.

Rinaldo baissa la voix :

– Je veux dire, monseigneur, que si vous vous appeliez sire, la fille du duc d'Angoulême ne vous résisterait plus !

– Tu crois ? haleta Concini.

Rinaldo garda un instant le silence ; puis, brusquement :

– Monseigneur, vous m'en avez trop dit l'autre jour pour que nous en restions là ! On ne fait pas entrevoir aux hommes une fortune inouïe, pour ensuite les planter là. Vous m'avez dit que je serai duc et gouverneur de l'Île-de-France si je vous aidais dans cette entreprise qui étonnera le monde dans les siècles des siècles. J'y ai engagé ma tête, monseigneur. Prenez garde. Je ne suis plus Rinaldo, je suis votre complice !

– Que veux-tu ? balbutia Concini épouvanté.

– Que vous me mettiez au courant, que vous me disiez l'heure où il faudra agir, marcher sur le Louvre ! Et d'abord, la *signora* Léonora a-t-elle pu voir Angoulême ?

Concini reprit tout son sang-froid. Il caressa de la main le manche de son poignard.

– Tu sauras tout en temps utile, mon bon Rinaldo, dit-il froidement. Sois tranquille. Oui, Léonora a vu le duc. Et c'est Giselle elle-même qui lui a procuré les moyens de le voir. Oui, le duc d'Angoulême est maintenant persuadé que je travaille pour lui, et par conséquent, il cesse d'être redoutable. Tiens-toi en repos. Au moment voulu, tu gagneras ton duché et ton gouvernement.

– Qu'aurai-je à faire ? haleta Rinaldo.

– T'emparer du duc d'Angoulême à l'heure où celui-ci croira qu'il n'a plus qu'à se rendre au Louvre pour y recevoir la couronne de mes mains. Est-ce que cela te va ?

– Si cela me va, *trippe del papa !* rugit Rinaldo dans un rire terrible. Bataille ! Ah ! je donnerais cinq ans de ma vie pour que ce soit ce soir !

Concini admira un instant le bravo, puis, lui frappant sur l'épaule :

– Patience, comme disait le grand Sixte ! Tu piaffes, pareil à un cheval impatient ! La lice va s'ouvrir, mon brave duc !

– Faites donc au plus tôt sonner les hérauts, sire ! répondit Rinaldo.

Concini ouvrit la porte près de laquelle il se trouvait, pour sortir, et cacher le trouble profond, la prodigieuse sensation que lui causait ce mot que pour la première fois on lui jetait à la face : « Sire !... »

– Un moment ! Je n'ai pas fini ! reprit vivement Rinaldo.

– Que veux-tu encore ?

– Monseigneur, dit Rinaldo, quand vous m'avez avoué avec cette haute franchise qui vous fait si grand, que la fille du duc d'Angoulême vous hait, je vous ai répondu : « Elle vous aimera ! »

– Eh bien ? murmura Concini en tressaillant d'un espoir insensé.

– Quand vous m'avez assuré qu'elle vous méprisait, je vous ai répondu : « Vengez-vous ! » Monseigneur, je vous apporte ce que je vous ai promis. Je vous apporte la vengeance et l'amour. Voici ce que j'ai pu obtenir de Lorenzo, le marchand d'herbes du Pont-au-Change.

Concini, d'une main tremblante, saisit le flacon que lui tendait Rinaldo et l'examina avec l'intense curiosité qu'un moribond peut mettre à étudier la potion qui va le sauver.

– Trois gouttes tous les soirs, continua Rinaldo. Dans l'eau, dans le vin, dans une tisane. Trois gouttes tous les soirs, pendant huit jours... et elle vous aimera. Lorenzo l'a dit. Lorenzo ne se trompe jamais. Lorenzo est l'héritier direct de Ruggieri. Lorenzo connaît les formules prodigieuses de la cabale. Monseigneur, je vous dis qu'elle vous aimera !

– Huit jours ! murmura Concini, le front brûlant de fièvre, le cœur battant à se rompre. Huit jours. Huit siècles ! N'importe ! J'ai pu gagner la servante que la reine a mise près d'elle. Dès ce soir, ce sera commencé !

Et Concini s'élança, emportant le précieux flacon, vers la cour où l'attendait son carrosse.

– Au Louvre ! commanda-t-il.

Le lourd carrosse s'ébranla, escorté de douze gentilshommes armés jusqu'aux dents.

Vers ce moment où le crépuscule commence à descendre sur Paris, une litière s'arrêta non loin du Pont-au-Change. Il en descendit une femme vêtue de noir et le visage couvert d'un voile épais, qui s'avança et s'arrêta devant l'une des maisons du côté d'aval, située presque au milieu du pont. La maison était triste, avec un de ces visages sournois et lépreux que le temps a rongé. Ses deux petites fenêtres étaient closes de solides volets. Close sa porte en chêne bardé de fer.

La femme heurta d'une certaine manière. Bientôt, elle entendit le bruit d'une chaîne qu'on laisse tomber, de verrous que l'on tire et de clefs qui grincent dans des serrures. La porte s'entrouvrit juste assez pour livrer passage, puis se referma hermétiquement. La femme, alors, leva le voile qui la couvrait, et le visage pâle de Léonora Galigaï apparut, avec les deux diamants noirs de ses yeux.

Un petit homme était devant elle, un tout petit homme, presque un nain, grêle, fluet, les yeux perçants, la physionomie ricanante, une barbe longue, soyeuse, fluviale, descendant jusqu'à sa ceinture, ce gnome, ce farfadet d'Écosse, c'était un savant d'un tempérament exceptionnel, c'était un de ces sombres génies pour qui la créature vivante n'est que matière à expériences. C'était un toxicologue, un manieur de poison, un créateur de mort, comme d'autres sont créateurs de vie.

Il s'appelait Lorenzo. Il venait de Florence, éblouissante patrie des arts prestigieux, terrible patrie des grands génies du mal. Il vendait des herbes. C'est-à-dire qu'il vendait de la vie et de la mort, de l'amour et de la haine ; la science aphrodisiaque n'avait pas de secrets pour lui ; tous les secrets de Paris venaient aboutir à cette humble boutique encombrée d'herbes desséchées et au-dessus de laquelle se trouvait le laboratoire où n'entra jamais une créature vivante.

Léonora Galigaï et Lorenzo se regardèrent un instant. La maréchale d'Ancre, pâle et grave, le nain, tout rose et souriant.

– Il est venu, fit tout à coup Lorenzo en se frottant les mains ; aujourd'hui même, il est venu. Hé ! Fié ! *carissima signora,* il paraît que votre noble époux veut en finir !

Léonora frissonna. Les ongles de ses doigts s'incrustèrent dans ses paumes ; elle souffrit affreusement pendant quelques secondes ; mais, surmontant sa faiblesse :

– Ainsi, Rinaldo est venu ? Et tu lui as remis... ce que voulait Concini ?

– Un flacon, oui, *signora.* Un petit flacon qui contient une cinquantaine de gouttes, pas plus, du précieux liquide... à moins...

Seigneur Jésus ! ajouta le nain en se frappant tout à coup la poitrine, est-ce que je me serais trompé ? Malheur ! oui ! je me suis trompé ! Tenez, *signora*, voyez... là... sur cette étagère... il y avait deux flacons ! Ah ! malheur sur moi, je crois que j'ai donné celui qu'il ne fallait pas !

Léonora palpitait. Le nain sauta sur un escabeau, atteignit l'étagère, saisit le flacon qu'il venait de signaler et s'écria :

– Courez, *signora*, courez ! Je me suis trompé ! Il n'y a plus de doute ! Ah ! maudite distraction ! Ah ! pauvre jeune fille qui...

– Assez de comédie, Lorenzo, interrompit Léonora. Dis-moi simplement l'effet que produira le poison.

Lorenzo, avec d'infinies précautions, déposa sur une table le flacon qu'il tenait à la main et qui était encore plus petit que celui qu'il avait remis à Rinaldo.

– Voici, fit-il froidement. La jeune fille devra absorber tous les soirs trois gouttes pendant huit jours. J'ai d'ailleurs donné les indications nécessaires à Rinaldo. Au bout des huit jours, le poison commencera à produire son effet ; il sera entré dans la circulation du sang, et la jeune fille n'en éprouvera aucun malaise. Seulement, un beau matin, vers le dixième ou le douzième jour, en se regardant à son miroir, elle apercevra sur le front ou les joues un minuscule bouton d'un rose vif auquel elle ne prêtera pas grande attention. Ce sera, *signora*, la première floraison du poison. Au bout de quelques jours elle verra se produire toute une éruption de petites cloques semblables à la première. Ces cloques se gonfleront, éclateront et deviendront des pustules, sur le front, sur le nez, sur les joues, autour des yeux, partout ! Les cils, les cheveux, les sourcils tomberont ; les gencives seront impuissantes à retenir les dents éblouissantes de cette bouche de corail... et, pourtant, elle ne souffrira pas, ou du moins pas beaucoup. Un peu de fièvre, voilà tout. Puis la fièvre s'en ira. Puis, l'une après l'autre, les pustules sécheront. Et ce sera fini. La jeune fille sera guérie. Elle sera aussi forte, aussi saine qu'avant le poison. Seulement, à la place de chaque pustule, sur son visage, la gorge, les seins, les bras, les mains, il y aura un trou, une cicatrice que rien ne pourra effacer. Et alors, *signora*, cette jeune fille, avec le trou noir de sa bouche sans dents, avec ses yeux à demi rongés, sa tête sans cheveux, sa peau couturée comme si elle avait été parcourue par une infinité de larves empoisonnées, aura l'aspect d'une vieille, très vieille femme qui va mourir... à moins qu'elle n'ait l'aspect d'un cadavre qui se serait levé de la pourriture de la tombe pour épouvanter les vivants !

Léonora Galigaï avait avidement recueilli cette effroyable description. Lorsque le nain se tut, elle poussa un profond soupir et s'absorba dans la sinistre rêverie de l'affreuse vengeance entrevue. Lorenzo tenait ses petits yeux vifs obstinément fixés sur le minuscule flacon qu'il avait déposé sur la table.

– Lorenzo, dit enfin Léonora, ta composition est un chef-d'œuvre. Tu seras dignement récompensé.

Le marchand d'herbes sourit et haussa les épaules.

– La composition que j'ai remise à Rinaldo n'est qu'un jeu d'enfants, dit-il. Il n'y a pas une bohémienne d'Égypte qui ne la connaisse. Vous parlez de chef-d'œuvre... J'en ai un... Celui-là est vraiment une merveille ; c'est moi qui l'ai trouvé, moi seul !

Léonora tressaillit. Une flamme mystérieuse jaillit de son regard noir.

– Voici mon chef-d'œuvre, continua Lorenzo en saisissant le flacon et en le faisant miroiter devant une lampe.

Il y avait dans son regard une sorte d'admiration passionnée. Il continua, comme se parlant à lui-même :

– Oui, l'aqua-tofana que j'ai d'ailleurs reconstituée et dont vous avez pu vous servir, *cara signora,* c'était très bien. L'aqua-tofana tue sans laisser de trace. Oui, il y a de merveilleux poisons. Les uns foudroient en un centième de seconde. Les autres assassinent en un mois, six mois, au gré de l'opérateur. Tout cela est très bien. Mais c'est de l'enfantillage auprès de celui-ci, qui est l'empereur des toxiques, le roi des liquides meurtriers, la formule sublime définitive que seul j'ai trouvée, et qui mourra avec moi.

Lorenzo reposa la petite fiole sur la table. Il ajouta froidement :

– Ce secret mourra avec moi. Je ne tiens ni à la gloire, ni à l'argent. Misérable avorton de la création, je pouvais me mettre à haïr l'humanité. Je pouvais avec la magnifique intelligence dont la nature m'a doué, conquérir à mon choix la fortune ou la puissance. Rien de tout cela ne m'a tenté. Seulement quand se réalise dans mes creusets ou dans mes cornues le rêve insaisissable que les chiffres m'avaient laissé entrevoir, alors, j'éprouve une minute d'orgueil. Alors, je me sens plus fort, plus grand que l'humanité tout entière. Ce secret mourra, et nul n'emploiera ce poison, qui m'a coûté dix ans d'efforts. Ce flacon, lorsque j'aurai fait une expérience, une seule, je le jetterai au feu. Sachez d'ailleurs qu'il me faudrait plus d'un an pour obtenir une nouvelle quantité semblable à celle-ci.

Il se tut. Léonora frissonnait. Son regard brillait. Elle posa sa main sur l'épaule du gnome :

– Lorenzo, dit-elle sourdement, tu as dit *que tu ferais une expérience* de ce poison...

– Une seule ! fit Lorenzo qui leva sur la Galigaï des yeux d'une étrange clarté. Seulement, il faut que l'expérience en vaille la peine, vous comprenez ? Écoutez, il y a dans ma pauvre vie un plaisir unique. Cela m'amuse de me pencher sur l'humanité comme on se penche sur un nid de fourmis. Ces insectes, qui vont, viennent, s'agitent en tous sens, ce sont des hommes. Alors, quelquefois, d'un geste, il me plaît de bouleverser la destinée de l'un de ces insectes, pour voir ce qui en résultera. Un jour, c'est un seigneur qui veut tuer sa femme ; quelquefois, un frère qui veut empoisonner son frère ; plus souvent, une femme qui veut détruire une rivale. Moi, j'écoute, et toujours, sans me lasser, avec la même indulgence, je distribue de la mort... et puis je regarde. Mais cette fois-ci, avec mon chef-d'œuvre, je voudrais agiter la fourmilière, frapper de stupeur le nid tout entier, voir l'effarement des insectes, leur course affolée, et me dire : « C'est moi qui suis cause de ces catastrophes ! » Allumer la guerre civile dans un royaume comme la France, précipiter des douzaines de prétendants vers le trône, assister à leurs efforts désespérés, voir les batailles, les armées qui se ruent, entendre le bruit des arquebusades, les cris de triomphe ou de désespoir, et me dire, au fond de mon trou : « C'est moi qui suis cause de ce grand bouleversement dans la fourmilière ! » Il n'a fallu pour cela que quelques gouttes de mon chef-d'œuvre dans le bouillon froid que tous les soirs prend le roi de France !

Léonora jeta un cri et considéra Lorenzo avec une sorte d'épouvante. Le nain se redressait ; il semblait grandir ; il prenait dans l'imagination de Léonora Galigaï l'envergure et l'apparence des archanges de ténèbres qui, sur l'humanité, agitent leurs ailes immenses.

– Démon ! gronda-t-elle. Tu as lu dans ma pensée ! Tu sais ce que je rêve !

– Je vous ai devinée depuis longtemps, *signora,* dit gravement Lorenzo.

– Tu m'as devinée ! balbutia-t-elle, haletante.

Et ses yeux hagards cherchèrent autour d'elle si cette scène étrange n'avait pas eu quelque témoin qui courrait la dénoncer.

– Calmez-vous, dit Lorenzo, ou bien je ne reconnaîtrai plus en vous Léonora, la grande Léonora pour qui seule j'ai inventé cette formule. Tenez, prenez, *signora !*

Léonora, en effet, soit qu'elle eût une confiance illimitée en cet homme, soit que son énergie exceptionnelle défiât tous les dangers, se calma rapidement, reprit sa physionomie impassible et glacée comme celle de la fatalité antique.

– En ce cas, dit-elle, explique-moi les vertus de ce poison.

Lorenzo sourit... Il parut méditer quelques minutes, la tête basse, les yeux perdus dans le vague. Et ce fut dans cette attitude qu'il parla :

– Les vertus ! oui, c'est bien le mot qui convient ici. Madame, lorsque vous avez administré à un homme un poison foudroyant, si, à ce moment même, la nécessité vous apparaît de le faire vivre une heure encore et que de là dépende la réussite de vos projets, vous êtes perdue. Car déjà l'homme a succombé. Si vous avez administré un poison lent qui ne doit agir... prenons un terme... qu'au bout de deux mois ; si, au bout d'un mois, vous vous apercevez qu'il y a une erreur dans vos calculs et qu'il vous est impossible d'attendre un mois encore la mort de cet homme, vous êtes perdue. En un mot, dès que vous administrez le poison, l'homme ne vous appartient plus : il appartient à la mort.

– C'est vrai, dit Léonora, et c'est là un des inconvénients graves de l'emploi du poison.

– Bien. Maintenant que je vous ai montré ce côté de l'abîme, est-il vrai, madame, que la manière la plus sûre et la moins dangereuse de tuer un homme, c'est de lui offrir une fleur empoisonnée ? Une rose, par exemple. L'homme respire le parfum : il a respiré la mort ; il tombe.

– Oui, dit Léonora avec la sérénité d'un élève discutant avec son maître, et cette sérénité était quelque chose d'effroyable ; oui, mais on a vu l'homme respirer la rose ; on saisit la fleur, on l'analyse, et l'empoisonneuse monte à l'échafaud. Il y a encore un danger plus grave : c'est que l'empoisonneuse ait elle-même respiré la rose. Cela est arrivé maintes fois.

Lorenzo sourit encore. Et cette fois il y eut une lueur infernale dans le pétillement de ses yeux.

– Madame, dit-il avec un accent de triomphe qui fit frissonner Léonora, quelle que fût sa puissance sur elle-même, vous empoisonnerez la rose comme je vais vous l'expliquer. Vous pourrez la respirer. Tout le monde pourra la respirer sans danger. On pourra analyser la rose, on n'y trouvera que les sucs naturels de cette fleur. Or, cette rose, madame, cette rose inoffensive pour vous, cette rose que vingt personnes auront respirée devant le sujet à tuer, eh bien ! cette rose, madame, *sera mortelle pour lui,* POUR LUI SEUL !

– Chimère ! murmura sourdement Léonora en pressant à deux mains son front livide. Rêve impossible !

Pour la troisième fois, Lorenzo sourit.

– Revenons à notre point de départ, madame ! dit-il froidement. Nous disions que, lorsque le poison a été versé à celui qui doit mourir, il y a danger à ne pas connaître exactement la minute de sa mort. Et même si on connaît cette minute, il y a danger à ne pouvoir la changer. L'inéluctable est accompli. Eh bien ! madame, vous, quand vous aurez empoisonné le roi, Louis XIII empoisonné continuera de vivre, entendez-vous bien ? Oh ! écoutez, car ceci est sublime ! Ceci, madame, dépasse les bornes de la puissance humaine ! Et pourtant, c'est une réalité radieuse et formidable qui m'écrase d'orgueil quand j'y songe ! Le roi, madame, le roi *empoisonné* vivra dix ans, vingt ans, jusqu'au terme normal de sa vie, si jamais vous ne venez lui dire : « Maintenant, il est temps de mourir ! » Le poison n'agira que sur votre ordre, entendez-vous ! Le poison que vous aurez versé ce soir le tuera quand vous voudrez qu'il meure, à ce moment-là, plutôt qu'à un autre ! Et cela, sans que vous ayez fixé d'avance la minute fatale !

– Illusion ! répéta Léonora haletante. Rêve de folie !

Et elle ajouta :

– Oh ! si c'était possible ! Ce serait la réussite assurée, sans risques, sans dangers pour mon Concino !

– Tout est possible, madame, dit Lorenzo avec la fermeté du savant qui sait. Vous allez comprendre le mécanisme très simple de l'opération qui vous apparaît comme une chimère. J'ai trouvé un poison mortel et je l'ai dédoublé en deux poisons inoffensifs, voilà tout mon secret. Chacun d'eux est inoffensif, comprenez-vous ? Et, lorsque l'un vient compléter l'autre, la puissance destructive reparaît.

Pantelante, suspendue aux lèvres de l'homme qui lui révélait ces redoutables mystères, Léonora tremblait.

– Je vais de la synthèse à l'analyse, pour revenir à la synthèse. Voici un poison. Je l'ai dédoublé en deux poisons que j'appelle positif et négatif. Le négatif seul ne peut tuer. Le positif seul ne peut tuer. Tenez, madame, prenez ce flacon : il contient mon poison *négatif.* Que quelqu'un l'absorbe ce soir, ce quelqu'un portera en lui un poison inoffensif, mais que cinquante ans de vie ne lui suffiront pas à éliminer. Cet homme, donc, vivra sans éprouver le moindre malaise. Si jamais mon poison positif ne l'atteint, il vivra son existence normale. Maintenant, supposez que dans dix jours ou dans dix ans vous ayez empoisonné une rose avec mon poison *positif.* Vous, moi, votre époux, mille personnes peuvent respirer la rose. Elle est inoffensive, parce qu'aucune de ces mille personnes ne porte en elle le poison négatif. Mais que la rose soit respirée par celui qui a jadis absorbé le contenu de ce flacon... alors, madame, se produit la synthèse ! Alors les deux poisons négatif et positif entrent en contact. Alors il se produit une combinaison chimique ; alors le poison initial est reconstitué dans toute sa vertu, et l'homme tombe foudroyé... Il tombe à la minute nécessaire ! Il tombe sans qu'on puisse incriminer la rose que vous avez respirée toute une soirée devant toute la cour, et que tout le monde peut respirer !

Lorenzo souriait. Léonora Galigaï tremblait convulsivement. Elle avait saisi la fiole minuscule et l'avait cachée dans son sein. Elle haleta :

– Quand me donnerez-vous... l'autre poison... celui qui complète... et qui foudroie ?

– Le positif, madame ? La rose, n'est-ce pas ? Quand vous voudrez ! Je vous en enverrai tout un bouquet.

Léonora se leva et se dirigea vers la porte que Lorenzo lui ouvrit. Au moment de la franchir, elle se retourna, saisit la main du marchand d'herbes et, les yeux dans les yeux, d'une voix sourde :

– Silence, oh ! silence, n'est-ce pas ? Ta part sera telle que si je te la disais, tu serais ébloui... Silence !

Lorenzo haussa les épaules. Et elle s'enfuit, s'évanouit dans les ténèbres. Le nain, alors, cadenassa la porte et un large rire silencieux fendit sa bouche d'une oreille à l'autre.

– Silence ? murmura-t-il. Mais alors, je n'aurais travaillé que pour le Concini ? Mais alors, je ne verrais rien, moi, ou pas grand-chose ! Non, non. Je veux qu'on se batte, qu'on se tue, qu'on se déchire, que des fleuves de sang coulent en torrents rouges éclairés par la torche des incendies magnifiques ! Je veux... je veux... bégaya-t-il avec une rage désespérée, je veux me venger de l'humanité tout entière, moi, avorton d'humanité !

Il s'assit à une table, et se mit à écrire :

Monseigneur, ce soir, Léonora Galigaï empoisonnera le roi de France qui, selon toute probabilité, mourra dans les huit jours. Si vous ne voulez que la couronne passe sur une tête indigne, tenez-vous sur vos gardes ! Veillez dès demain !

Il frappa au plafond avec un long bâton.

Le bruit d'un pas pesant se fit entendre. Puis, une sorte de colosse apparut au haut d'un escalier de bois qui commençait au fond de la boutique. Le géant descendit, s'approcha du nain, et se tint respectueusement immobile. Lorenzo lui remit la lettre qu'il venait de cacheter, et prononça :

– Pour le duc d'Angoulême. S'il te demande de quelle part tu viens, tu lui répondras que tu es envoyé par le nain qui, dans la maison de Meudon, lui a prédit la royauté.

XVII

Le 22 août 1616

Après sa rencontre avec le roi, Concini, Richelieu, Angoulême et Cinq-Mars, Capestang était rentré à l'auberge du *Grand Henri* où Cogolin, tout d'abord, lui avait raconté que le jeune marquis courait après lui pour le pourfendre.

– Je le sais, dit Capestang, puisqu'il m'a rattrapé.

– Ah ! Et monsieur le chevalier n'a pas été pourfendu ? demanda Cogolin. Alors, c'est que M. le marquis est mort.

– Non pas. Il vit. Seulement, je te préviens qu'il est plus enragé que jamais. D'ailleurs, je commence à croire que les gens de Paris ont tous été mordus et qu'ils veulent me mordre. Et puis, figure-toi que j'ai dormi sous un sapin, et que j'ai rêvé sang et massacre. Mauvais signe, Cogolin !

– Mais non, monsieur. C'est signe d'argent. Massacre, c'est prospérité. Sang, c'est argent.

– Je le veux bien. Mais est-ce que ce ne serait pas aussi signe de dîner ?

– Oui, vraiment, fit Cogolin qui désigna à son maître une table toute dressée.

Capestang attaqua aussitôt les diverses victuailles dont s'adornait la nappe éblouissante, notamment un de ces fins pâtés d'alouettes dont maître Lureau était l'inventeur et dont la réputation est venue jusqu'à nous. Lorsque le chevalier eut satisfait cet appétit, que ni les émotions ni l'amour ne parvenaient à émousser, ce fut au tour de Cogolin. Seulement, Cogolin, respectueux de la hiérarchie, mangea debout ce qui restait du pâté (il n'en restait que la croûte) et vida les fonds de bouteille.

– Si monsieur le chevalier voulait me raconter sa journée, dit-il, ce me serait un dessert de roi.

Capestang ne se fit pas prier.

Le chevalier se mit à raconter au valet les multiples incidents de sa journée. Il résulta de ce récit que Cogolin ne put s'empêcher de se lamenter en ces termes :

– Avec tant d'ennemis, que va devenir mon maître ? Sûrement, il sera haché menu comme les alouettes de maître Lureau. Et moi qui suis son valet, le moins qui puisse m'arriver, c'est d'être taillé en fines bardelettes de lard comme celles qui enveloppent lesdits pâtés ; car je ne puis prétendre au même traitement qu'un chevalier de Trémazenc de Capestang ; c'est bien cela, monsieur, vous fournirez l'alouette et moi le lard.

– C'est impossible dit Capestang. Tu es trop maigre pour cela. Tu peux donc te rassurer. Au surplus, si nos deux carcasses doivent s'amalgamer dans le pâté que mes ennemis veulent tirer de nous, à ce que tu prétends, tu dois considérer ce sort comme le plus grand honneur qui puisse t'arriver. Et, en fin de compte, si tu me romps les oreilles avec tes plaintes et que tu m'empêches de digérer en paix, je décroche la discipline...

On se rappelle, en effet, qu'un moine avait précédemment habité cette chambre et y avait oublié sa discipline. Cogolin prit aussitôt une figure des plus fières et s'écria :

– Ah ! monsieur, c'est vrai. Il y a l'honneur. Je n'y pensais pas.

– Tu vois bien.

Cogolin se hâta de desservir la table. Puis il alla trouver le patron de l'auberge.

– Maître Lureau, lui dit-il, mon maître vous pardonne d'avoir osé révéler qu'il vous faisait l'honneur de loger ici. Vous pouvez donc retirer la marmotte dont vous avez enveloppé votre tête pour sauver vos oreilles.

– Ah ! monsieur Cogolin, dit Lureau, vous me rendez bien heureux, et si un verre de vin d'Espagne peut...

– Vous avez donc un bon cœur, interrompit Cogolin. Mon maître n'en sera que plus peiné d'avoir à vous arracher la langue...

– M'arracher la langue ? Oh ! oh ! mais il est donc enragé, votre maître ?

– Et à vous crever les yeux.

– Me crever les yeux ! Savez-vous qu'il y a des juges à Paris ?

– Oui. Et les juges diront que mon maître a bien fait de vous rendre aveugle et muet, vu qu'il est chargé par le roi, vous entendez bien, par le roi en personne, d'une mission secrète, et que tout sera manqué si, par votre faute, les ennemis du roi apprennent que M. le chevalier habite chez vous.

Maître Lureau réfléchit un moment. Puis il se frappa le front.

– J'ai compris ! s'écria-t-il mystérieusement.

– Qu'avez-vous compris, maître Lureau ? fit Cogolin assez étonné.

L'aubergiste se pencha à l'oreille de Cogolin :

– J'ai compris pourquoi M. l'évêque de Luçon est venu rôder par ici...

– Ah ! ah !... Justement, il s'agit d'une mission touchant les intérêts épiscopaux.

– Épiscopaux ? fit l'aubergiste avec un respect d'autant plus sincère qu'il entendait fort mal le sens de cet adjectif cabalistique. Cela ne m'étonne plus, alors ! Et chacun sait du reste que M. de Richelieu est un puissant personnage.

– Bon ! il s'agit donc de dépister tout évêque, chanoine, diacre ou cardinal qui viendrait espionner mon maître. Fût-ce même notre Saint-Père ! Vous comprenez ? Sans quoi...

Cogolin accentua ses dires par des gestes si terribles que l'aubergiste jura que bien fin serait celui qui arriverait à dénicher en son honorable maison le chevalier de Capestang. De cet entretien, il résulta que Capestang, sans s'en douter, fut gardé aussi précieusement qu'un trésor. Lureau et Cogolin, dans les journées qui suivirent, furent deux gardes du corps admirables. Cinq-Mars revint s'assurer que son adversaire n'habitait plus le *Grand Henri* et Cinq-Mars s'en retourna convaincu que Capestang lui échappait. Laffemas vint un soir boire une bouteille avec maître Lureau et en fut pour sa dépense de vin et de diplomatie. Lui aussi demeura convaincu que le chevalier avait changé de logis, ce qui lui semblait naturel. Pendant ces quelques jours, le chevalier prit d'ailleurs lui-même toutes les précautions nécessaires. Il ne tenait nullement à tomber dans quelque guet-apens où il eût laissé bêtement sa peau.

Le 22 août arriva sans qu'aucune tentative eût été dirigée contre l'auberge du *Grand Henri*, à par les deux reconnaissances poussées par Laffemas et Cinq-Mars. Ce jour du 22 août, Capestang l'avait attendu avec une fébrile impatience, remettant toute résolution jusqu'à l'heure où il aurait revu la pauvre démente de Meudon. C'était un bien faible espoir de trouver la trace du duc d'Angoulême et, par conséquent, de revoir sa fille... Mais il n'y a rien d'acharné à l'espoir comme un véritable amoureux.

Capestang attendit donc que la journée fût avancée assez pour qu'il arrivât à l'heure convenue ; s'étant mis en route suivi de Cogolin, qui montait son rouan, il atteignit la mystérieuse maison au moment où le soleil venait de se coucher derrière la cime des arbres. Son cœur se mit à battre lorsqu'il pénétra dans le parc abandonné et se dirigea vers le perron sur lequel il fixait un ardent regard... Et soudain, il frémit jusqu'au fond de son être. Fidèle à sa promesse, Violetta apparaissait sur le perron, toute blanche et comme poudrée d'or par les derniers rayonnements du soleil couchant.

– Oh ! murmura le chevalier, que va-t-il maintenant sortir pour moi de cette bouche qui sourit d'un si mystérieux sourire ? Est-ce le bonheur ? Est-ce l'incertitude, plus affreuse que tous les malheurs ?

Il mit pied à terre et, s'approchant du perron, salua la gracieuse apparition d'un de ses grands gestes de noble envergure où il mettait tantôt une crânerie insolente, tantôt ce respect ému qui plaît tant aux femmes, dont le suprême idéal est d'inspirer à la fois l'émotion et le respect.

La folle ne sembla pas avoir vu Capestang. Ses yeux, d'un bleu intense, regardaient au loin et semblaient avidement interroger l'horizon. Et elle murmurait de confuses paroles que Capestang n'entendait pas. Tout à coup, elle vit le chevalier et, passant d'une pensée à une autre avec la rapidité des cerveaux que rien ne guide plus, elle se mit à sourire.

– Madame, dit Capestang, lorsque j'ai eu l'honneur de vous voir ici même, vous avez bien voulu me donner rendez-vous. Vous m'avez dit : « Le 22 août, au moment où le soleil descend derrière les arbres. » Nous sommes au 22 août, et, tenez, voici que le soleil disparaît, et me voici !

– Le 22 août ! balbutia la folle. Où ai-je entendu ces mots ? Qui les a prononcés ? Charles, mon Charles, est-ce toi qui parlais derrière cette porte ? Qu'ai-je encore entendu ?

Capestang écoutait de tout son être. Violetta se taisait. Elle se penchait dans l'attitude de quelqu'un qui écoute. Il se faisait un grand travail dans sa tête ; son effort pour éveiller la mémoire presque éteinte était visible, et le chevalier en éprouvait une sorte de pitié à voir ses traits si fins se convulser.

– Qu'ai-je entendu encore ? continua la folle. Oui, c'est Charles qui parle. Et, maintenant, voici une autre voix : « Duc d'Angoulême, il est temps d'agir !... »

– Le duc d'Angoulême ! fit sourdement le chevalier.

– Charles répond ! continua la folle. Il leur dit... que leur dit-il ? Le 22 août... oui ! ce sont bien ces mots que j'ai entendus... la maison qui est au bord du fleuve... mon hôtel...

– L'hôtel d'Angoulême ! murmura le chevalier haletant.

– Et puis ?... et puis... oh ! les mots écrits dans le bronze !... les mots qu'il faut toucher du doigt... je ne me souviens pas... oh ! je me souviens... *Je charme... je... charme...*

– *Je charme tout !* La devise de Marie Touchet gravée dans le bronze sur la porte de l'hôtel d'Angoulême ! Ah maintenant, je connais le secret de cette porte ! Maintenant, je sauverai le père, comme j'ai sauvé la fille !

La folle descendit les marches du perron, de ce pas de gracieuse majesté qu'ont les déesses d'Homère et de Pindare. Elle s'approcha du chevalier et lui prit la main.

– Vous me plaisez, dit-elle en souriant. Voulez-vous que je vous lise votre bonne aventure dans la main ? Autrefois, je savais. Et puis je chantais. Voyons votre main. Que vois-je ? Des dangers, et du sang, beaucoup de sang... et des ennemis autour de vous ! Fuyez, enfant, fuyez ! Écoutez la voix prophétique. Prenez garde ! Défiez-vous du fruit que vous mangez, car il est empoisonné... du mendiant qui vous demande l'aumône, car il cache un poignard sous son manteau, défiez-vous de tout, de l'air que vous respirez, de la jeune fille qui vous sourit et jette ses bras autour de votre cou... fuyez, fuyez, sautez sur votre bon cheval, et par les monts, par les plaines, courez, volez, fuyez, jusqu'à ce que vous ayez mis l'immensité entre vous et ceux qui vous guettent !

Elle laissa brusquement tomber la main de Capestang, se mit à rire et, avant que le chevalier eût pu faire un geste, elle avait légèrement remonté le perron. Là, elle se retourna, leva le bras et, d'une voix qui fit frissonner le chevalier, répéta :

– Fuyez ! Demain, il sera trop tard ! Fuyez !

Puis elle disparut. Capestang demeura une minute tout étourdi. Puis sautant sur Fend-l'Air, il reprit au galop la route de Paris. Il faisait nuit noire lorsqu'il arriva au *Grand Henri*. Les chevaux furent installés à l'écurie, puis notre aventurier sortit en toute hâte, escorté de Cogolin, qui s'était armé de deux poignards et d'un pistolet, sans compter la colichemarde qu'il avait ceinte.

Au moment où il arriva devant l'hôtel d'Angoulême, onze heures sonnaient à Saint-Germain-l'Auxerrois. Cogolin se posta en sentinelle perdue au coin du quai. Capestang jeta un coup d'œil sur la façade de l'hôtel. Elle était silencieuse, obscure et triste comme le soir où il était déjà venu là, dans l'espoir de retrouver le duc d'Angoulême. Il s'approcha de la porte ; mais, cette fois, au lieu de soulever le marteau, il se mit à toucher l'une après l'autre les lettres qui composaient la devise gracieuse de la gracieuse Marie Touchet, mère du duc d'Angoulême : *Je charme tout.*

La porte ne s'ouvrit pas ! Capestang laissa retomber sa main découragée.

– Fou ! murmura-t-il, fou que je suis de m'être arrêté aux paroles d'une malheureuse démente ! Oh ! ajouta-t-il en tressaillant, elle n'a pas dit de toucher les *lettres*... elle a dit qu'il fallait toucher les *mots*. Essayons. Folie ou sagesse !

Il appuya fortement le pouce sur l'ensemble du mot : *Je.* Rien ne bougea. Ce fut alors au tour du mot : *charme.* À peine le nocturne visiteur eut-il appuyé qu'il sentit le bronze céder sous sa pression... une sourde exclamation lui échappa. Le bruit léger d'un déclic venait de se faire entendre et il vit que la porte s'ouvrait !... Capestang entra d'un bond.

– Enfin ! gronda-t-il en lui-même.

Et tout à coup une bizarre impression de malaise s'abattit sur lui ; instinctivement il porta la main à sa rapière qu'il dégagea à demi du fourreau... Il lui sembla qu'il venait d'entrer dans une tombe... derrière lui, la porte se refermait sans bruit, d'elle-même, et il eut alors cette sensation que plus que jamais il ne sortirait pas de là. Autour de lui, l'obscurité était profonde, la nuit épaisse l'enveloppait, un silence funèbre pesait sur cette atmosphère glacée qu'il respirait avec effort.

Peu à peu, ses yeux s'étant accoutumés aux ténèbres, il distingua au loin une faible lueur vacillante qui semblait lui dire : « Viens. » Vers cette lueur, il se mit en marche. Bientôt, à mesure qu'il s'approchait de cette clarté et qu'il distinguait mieux ce qui l'entourait, il remarqua qu'il longeait un couloir étroit, aux murailles nues, lézardées, où brillaient par places les cristaux du salpêtre. Il arriva enfin à une sorte de rotonde, et il vit que la clarté qui l'avait guidé était produite par une lampe posée sur une chaise. Près de la chaise commençait un escalier qui s'enfonçait en forme de vis dans les entrailles du sol. Capestang comprit que c'était là qu'il fallait descendre.

– Je vais, pensa-t-il, assister à une répétition de la scène que j'ai déjà vue à l'auberge de la *Pie Voleuse*. On conspire. Le duc d'Angoulême veut être roi. Le duc de Guise veut être roi. Le prince de Condé veut être roi. Que de rois pour un seul royaume ! Et le fils de mon illustre compatriote Henri IV, que deviendrait-il ? Oui, que ferait-on de Sa Majesté Louis, le treizième du nom ? Il serait donc déposé ? Pauvre petit prince ! Je l'aime, moi, parce qu'il me ressemble, parce qu'il est faible, isolé, entouré d'ennemis comme moi ! Et puis il a dit là-bas, sur la route de Meudon, une chose qui m'a été au cœur : « M. le chevalier de Capestang est de mes amis ! » Corbacque !

Le monologue auquel il se livrait eût pu durer longtemps encore, si le chevalier ne se fût aperçu tout à coup qu'il se trouvait dans une cave assez spacieuse où il entendait comme un murmure de paroles. Il jeta un regard autour de lui et vit que la cave était en forme de rectangle ; sur le côté de ce rectangle faisant face à celui par où il venait de descendre, s'ouvrait un deuxième escalier. Sur le côté droit s'ouvrait une porte ; sur le côté gauche, trois portes, dont celle du milieu, seule, était fermée.

C'est de là que partait le murmure de voix entendu par Capestang. C'est vers cette porte qu'il se dirigea, dans l'intention de heurter. Dans le même instant, la voix s'élevait et disait :

– Nul ne connaît le secret de la porte ; ainsi, messieurs, nous pouvons parler sans crainte ; cependant, puisque M. le prince le demande, Cinq-Mars, mon enfant, placez-vous dans la cave, à tout hasard.

– Bien, monseigneur, répondit la voix de Cinq-Mars parfaitement reconnue par Capestang.

Mais l'autre voix aussi, il lui sembla la reconnaître ! Et il avait pâli. Et, sans se rendre compte de ce qu'il faisait, poussé par une sorte d'instinct, il se jeta d'un bond derrière l'une des deux portes entrouvertes. Il était temps : Cinq-Mars apparaissait à ce moment dans la cave et allait se placer en surveillance au haut de l'escalier par où était descendu Capestang. On entendit sa voix qui descendait :

– Je suis à mon poste, monseigneur !

– Bien, mon enfant ! cria la voix que Capestang avait déjà cru reconnaître.

– Cette voix ! Cette voix ! murmura Capestang avec une indéfinissable angoisse. Oh !... mais... c'est lui... c'est la voix de l'homme masqué de la route de Meudon ! L'homme qui parle ici en maître... eh bien, ce ne peut être que le duc d'Angoulême !... Et c'est ce même homme qui veut me tuer, qui m'accuse de rapt et m'appelle misérable ! C'est le père de celle que j'aime ! Celui que je viens sauver !... Oh ! quand je devrais y perdre la vie, il faut que je sache !...

La tête perdue, bouleversé par une de ces émotions comme jamais il n'en avait éprouvé, le chevalier rentra dans la cave rectangulaire. Et là, il s'arrêta, comme frappé de la foudre. La porte de la pièce mystérieuse, où étaient rassemblés les conspirateurs, oui cette porte, après la sortie de Cinq-Mars, était demeuré entrouverte ! Et, par l'entrebâillement, Capestang, de ses yeux hagards, reconnut à son costume l'homme masqué qui l'avait insulté sur la route de Meudon ! Et, du costume remontant au visage, il reconnaissait le duc d'Angoulême, qu'il avait vu à l'auberge de la *Pie Voleuse* ! Hors de lui, le chevalier allait s'avancer, entrer, braver le duc... Soudain, il demeura rivé à sa place, les cheveux hérissés, une sueur d'épouvante au front. De nouveau, le duc d'Angoulême parlait et, cette fois, il disait :

– Messieurs, nous sommes ici les chefs de l'entreprise. La nouvelle est d'une gravité suprême. Il faut que, dès demain matin, nous soyons prêts à tout ! Car cette nuit, messieurs, cette nuit, on empoisonne le roi de France !

« Cette nuit, on empoisonne le roi de France !... »

Ces paroles retentirent comme un coup de tonnerre aux oreilles de Capestang. Un cri terrible lui échappa. À ce cri, un tumulte éclata dans la pièce où se tenait le duc d'Angoulême. La porte de la cave, violemment repoussée, fut inondée par la lumière des lampes qui éclairaient cette pièce. Et huit hommes se ruèrent en hurlant :

– Trahison ! Trahison !...

– Capestang ! vociféra le duc d'Angoulême en reconnaissant le chevalier. Ah ! misérable ! Deux fois traître ! Voleur de filles et voleur de secrets ! Cette fois, tu es mort !...

– Capestang ! rugit par-derrière la voix de Cinq-Mars. Tuez ! tuez ! messieurs.

Ces huit hommes étaient de hauts seigneurs, ducs, princes, la fine fleur de la noblesse de France. En toute autre occasion, ils se fussent crus déshonorés de tomber ensemble sur un seul homme. Mais cet homme avait entendu l'épouvantable secret. Cet homme, d'un mot, pouvait faire tomber leurs têtes ! Cet homme, c'était un espion !

Et, dans cette seconde terrible, cette idée fulgura dans le cerveau du duc d'Angoulême que la visite faite par Léonora Galigaï était un piège !... Un piège, son assurance formelle qu'elle laisserait faire ! Un piège, la lettre de Lorenzo qu'il venait de lui faire parvenir il y avait deux heures !

– C'est un espion de Concini ! hurla-t-il en portant le premier coup.

Déjà les autres s'étaient rués en criant : « À mort ! À mort ! »

Dès le premier instant, dès la seconde où il vit la porte s'ouvrir toute grande, les épées luire comme un faisceau d'éclairs, les conspirateurs se pousser, arriver sur lui comme une bande de démons, faces convulsées, regards fulgurants, dès cet instant, le chevalier avait reconquis tout son sang-froid. Un bon terrible de côté, et sa rapière flamboya commençant le moulinet qui lui faisait un rempart d'acier. Presque aussitôt, il y eut le bruit sec et argentin d'une lame qui se brise, et Capestang vit qu'il n'avait plus à la main qu'un tronçon d'épée !

Un furieux hurlement de joie, de triomphe et de haine roula sous les voûtes de la cave... Capestang vit les pointes d'acier sur sa poitrine. Il éclata de rire. Il se croisa les bras pour mourir dans une suprême bravade de capitan, et murmura :

– Et moi qui étais venu faire fortune à Paris ! Mort... fortune... amour... adieu, la vie !

XVIII

Une soirée au Louvre

Concini avait pris, comme on l'a vu, le chemin du Louvre. Pendant tout le trajet, au fond de son carrosse, Concini avait tenu dans ses mains le flacon que lui avait remis Rinaldo.

– Huit jours, murmurait-il, huit jours encore, et grâce à cette liqueur que Lorenzo a fabriquée pour moi, l'orgueilleuse fille d'Angoulême s'avouera vaincue et baissera la tête.

Il frissonna à cette idée.

– Oh ! continua-t-il, si cela arrive, je te couvrirai d'or. Lorenzo, sublime savant ! Et pourquoi cela n'arriverait-il pas ? Pourquoi Lorenzo n'aurait-il pas retrouvé l'élixir d'amour comme il a retrouvé l'aqua-tofana ? Jamais jusqu'à ce jour, il ne s'est trompé.

Et, ce flacon, il le serrait convulsivement dans ses doigts crispés. Et ce flacon, nos lecteurs le savent, contenait non pas un élixir d'amour et de vie, mais un poison qui, sans la tuer, devait décomposer le sang de celle qu'aimait Concini !

C'était la vengeance de Léonora Galigaï ! Concini versant lui-même à Giselle la liqueur maudite qui devait détruire sa beauté, c'est cela que Léonora avait inventé... et c'est cela qui allait s'exécuter !

Concini donc, arriva au Louvre vers l'heure où Léonora Galigaï, dans la boutique du Pont-au-Change, avait avec Lorenzo ce formidable entretien auquel nous avons assisté. C'était l'heure où le nain lui remettait le poison qui devait tuer Louis XIII.

Concini, escorté de ses gentilshommes qui, selon leur ordinaire, menaient grand bruit comme s'ils se fussent trouvés en pays conquis, monta l'escalier qui conduisait aux appartements de la reine mère, Marie de Médicis. Concini arriva dans la grande galerie que, tous les soirs, traversait le jeune roi. Elle était déserte, silencieuse – sauf la garde et quelques courtisans encore fidèles. Et ce soir-là, Concini, tout à coup, tressaillit, pâlit, fronça les sourcils. Quoi ? Qu'y a-t-il ? Les gardes ne lui rendent pas les honneurs ? Le capitaine Vitry lui tourne le dos et cause tranquillement avec Saint-

Simon, le premier écuyer ?

Concini a senti courir sur sa nuque le frisson des peurs mortelles... Est-ce que le roi se révolte contre lui !... Oh ! mais, cette révolte... c'est sa mort, à lui, Concino ! Il tremble. Le hideux pressentiment s'empare de lui ; c'est l'effondrement ! D'un frénétique effort, il secoue la terreur, et il gronde.

– *Corpo di Cristo* ! C'est la bataille ! Soit ! Léonora, Léonora ! Tu es la sibylle de mes destinées, et ton œil noir a vu clair dans ma vie : je dois mourir... ou devenir le maître absolu !

Concini marcha à Vitry et lui frappa rudement sur l'épaule. Vitry se retourna :

– Monseigneur !

– Eh bien ! mon brave Vitry.

Et, à petites tapes méprisantes, Concini continuait à frapper l'épaule du capitaine. Blanc de fureur, Vitry recula de deux pas. Mais Concini le rejoignit, et, les yeux dans les yeux :

– On ne rend plus les honneurs ?

– C'est l'ordre. Le roi seul, à partir de ce soir...

– Bien, Vitry ! interrompit le maréchal d'Ancre. Qui t'a fait capitaine ? Qui t'a mis ici ? Réponds. Le roi ? Ou moi ? Tu as peur d'honorer ton bienfaiteur, hein ? Crie donc, toi aussi : « Mort à l'affameur ! » Comment appelles-tu cela ? Moi je dis : lâcheté !

Le capitaine devint livide. Un instant, sa main tremblante descendit jusqu'à la garde de son épée. Mais, secouant la tête, il se contenta de répéter :

– C'est l'ordre.

– Et qui a donné l'ordre ? gronda Concini.

– Moi ! répondit une voix rude.

Une tenture s'écarta. La haute taille du maréchal Ornano s'encadra dans le velours. Concini jeta autour de lui un regard sanglant et vit ses gentilshommes prêts à dégainer.

– *Patr' eterno* ! murmura sourdement Ornano. (Par le Père Éternel !) Qu'un de ces petits-maîtres fasse un geste, et j'empoigne le Florentin !

Concini, brusquement, s'apaisa. Des yeux, il contint ses gens. Avec cette soudaineté qui faisait de son masque une merveille de comédie, il prit son air le plus riant.

– Bonsoir, maréchal, dit-il de sa voix chantante et zézayante, bonsoir, mon cher maréchal. Je vous cherchais justement. Vous savez qu'il est question de choisir un gouverneur pour Monsieur ?

– Eh bien ? fit Ornano en fronçant les sourcils.

– Eh bien ! j'ai pensé que nul n'était plus digne d'occuper ce poste de confiance que votre fils Jean-Baptiste. Il est juste que le pacificateur du Dauphiné soit récompensé jusque dans ses enfants. Réfléchissez à cela, mon cher maréchal, et, sous deux jours, dites-moi si vous acceptez ou si vous refusez.

Ornano avait reçu le coup en pleine poitrine. Voir son fils pourvu d'un poste qui en eût fait un des premiers personnages de la cour, cela passait ses espérances. Il demeura donc tout étourdi et, avant qu'il ne fût revenu de sa stupeur, il vit Concini qui, lui faisant de la main un signe gracieux, s'éloignait, suivi, au plutôt environné de son escorte étincelante, bruyante, papillonnante, manteaux agités, éperons sonnants, vision de splendeur et de force. À l'instant où ce groupe rutilant disparaissait, une porte, à l'autre bout de la galerie s'ouvrit ; une voix cria :

– Le roi !

Louis XIII entra, vêtu de noir, le pas nonchalant et timide, l'œil soupçonneux ; il s'appuyait au bras d'Albert de Luynes ; les gardes abaissèrent les pointes de leurs hallebardes, les quelques courtisans perdus dans la galerie se mirent sur un rang et s'inclinèrent. Le roi passa, muet et pâle, dans ce grand silence. Alors seulement, le maréchal d'Ornano reprit ses esprits. Il se tourna vers Vitry et, avec un sourire pareil à un coup de stylet :

– Je crois que M. d'Ancre vous a dit un mot qui vaut son pesant de vendetta...

– Oui, monsieur, répondit Vitry avec une froideur terrible ; il a dit : lâcheté.

– Vous croyez ? Diable ! diable ! mon pauvre Vitry, comment allez-vous vivre avec *ça sur la joue ?*

– C'est bien simple, maréchal : je laverai !

– Et avec quoi ?

– Avec du sang !

Ces quelques demandes et réponses faites d'une voix basse et rapide contenaient toute une tragédie. Au dernier mot de Vitry, Ornano se recula, demeura un instant pensif, puis, secouant sa rude tête de reître :

– Je m'en vais essayer de gagner quelques pistoles au jeu du roi. Ce sera toujours autant de pris sur ma solde arriérée.

Concini, ayant laissé son escorte dans le salon attenant à la galerie, s'élança dans un couloir, monta dans un escalier, et parvint à une antichambre où étaient postés en des attitudes raidies huit magnifiques suisses de la garde de la reine mère. Sans faire attention à ces hommes, Concini ouvrit une petite porte et passa dans une pièce déserte, où il attendit quelques minutes, palpitant, l'œil et l'oreille aux aguets.

Une tenture s'agita d'un mouvement imperceptible. Concini ne s'en aperçut pas. À pas furtifs, il se dirigea vers la porte qui faisait vis-à-vis à cette tenture et frappa un léger coup. La porte s'ouvrit. Une jeune femme apparut. Concini, sans un mot, tira de sa poche une bourse pleine d'or. La femme s'en saisit.

– Tu es toujours à moi ? murmura alors Concini.

– Puisque vous payez, monseigneur.

– Elle est là ? reprit-il d'une voix qui tremblait.

– Oui, monseigneur.

Concini poussa un soupir. À l'autre bout de la pièce, la tenture s'agita.

– Que fait-elle ? Que dit-elle ? Est-ce qu'elle pleure ?

– Elle est trop fière pour cela. Ce qu'elle fait ? Rien. Ce qu'elle dit ? Je l'ignore, car elle ne daigne parler qu'à la reine !

Et la femme jeta un vif regard vers la tenture, qui s'immobilisa. Brusquement, Concini sortit de son pourpoint le minuscule flacon que lui avait remis Rinaldo et le tendit à la servante, qui l'examina curieusement.

– Écoute, dit-il alors d'une voix plus sourde. Il faut qu'elle en prenne trois gouttes tous les soirs pendant huit jours.

– Du poison ! ah ! monseigneur ! fit la femme en élevant la voix.

– Tais-toi, folle ! gronda Concini. Ce n'est pas du poison. C'est... comprends-moi... elle me déteste... et quand elle aura vidé ce flacon... elle m'aimera !

– Un élixir d'amour !

– Tu l'as dit !

La tenture s'agita encore, puis redevint immobile.

– En ce cas, monseigneur, vous pouvez compter sur moi.

– Elle boira ? palpita Concini.

– Je m'en charge.

– Et moi, je me charge alors de ta fortune, entends-tu ! murmura Concini enivré.

La femme fit une révérence. Et Concini, sur la pointe des pieds, regagna la porte par où il était entré, traversa l'antichambre, descendit rapidement, et se dirigea rayonnant, vers la salle où se tenait le jeu du roi. Dès qu'il fut sorti, la tenture se souleva et Marie de Médicis apparut, pâle, agitée, dans l'encadrement du velours. La servante courut à elle, se courba presque jusqu'à l'agenouillement, puis se relevant, lui tendit le flacon.

– Madame, commença-t-elle, il veut que...

– C'est bien, j'ai entendu, interrompit la reine. Regagne ton poste.

La reine avait saisi le flacon, et, tandis que la servante disparaissait, elle-même s'effaça de l'autre côté de la tenture. C'était une vaste salle, une sorte d'atelier encombré de sièges, où s'entassaient des coussins de soie, avec des tables où s'éparpillaient des plans et des épreuves de gravures, et enfin, dans un coin une presse où luisait la plaque de cuivre rouge à laquelle Marie de Médicis travaillait alors.

La reine, lentement, traversa la pièce immense qui était son lieu de travail et de repos. Près de la presse, elle s'arrêta, contempla un instant le flacon qu'elle tenait à la main, et murmura :

– Élixir d'amour !

Un tressaillement l'agita jusqu'au fond de l'être : ses beaux yeux noirs lancèrent des éclairs. Brusquement, elle posa le flacon sur l'encadrement de fer de la presse, saisit un marteau et frappa d'un seul coup furieux. Le cristal se brisa. Le liquide se répandit... Alors, Marie de Médicis porta la main à ses yeux : elle pleurait !

– Quarante ans ! j'ai quarante ans... voilà le mal ! murmura-t-elle ! Oh ! je me défendrai ! Je ne veux pas vieillir. Je ne veux pas être abandonnée. Concino est mien. Il restera mien... Et puisque j'ai donné ma vie à cet homme, il faut que sa vie soit à moi ! Je veux... oh ! ne suis-je donc pas la reine ! Je veux... Giuseppa !

La jeune femme que nous avons entrevue tout à l'heure, apparut, et s'avança.

– Giuseppa, dit Marie de Médicis, en contenant les frémissements de sa voix, cette damoiselle...

– Giselle d'Angoulême, Majesté !

– Oui. Eh bien, il faudra... écoute : il est impossible qu'elle continue à demeurer au Louvre. Le Louvre n'est pas une prison, après tout !

– C'est vrai, madame, dit Giuseppa en tâtant pour ainsi dire les mots l'un après l'autre, le Louvre est un palais. Mais en descendant au fond des caves, plus bas que les caves, on trouve les oubliettes.

Marie de Médicis tressaillit. Une légère rougeur monta à son visage.

– Les oubliettes ! fit-elle d'une voix sourde. Depuis Catherine, nul n'en sait le chemin. Cette jeune fille ne m'a fait aucun mal. Et, cependant, elle me gêne, ajouta-t-elle avec une froideur sinistre. Je ne veux plus la voir ici. Tu attendras donc que tout soit endormi dans ce palais, puis tu la feras sortir, tu me comprends ?

– Oui, madame. Et une fois dehors ?

– Eh bien ! Qu'elle aille où elle voudra ! fit Marie de Médicis qui, de rouge qu'elle était, devint pâle. De cette façon, je serai débarrassée d'elle. Car il est impossible qu'une jeune fille se trouve seule dans les rues vers les onze heures du soir, sans qu'il lui arrive quelque accident... non, cela est tout à fait impossible !

Et la reine Maria jeta un regard à la servante : ce regard était terrible.

– Tout à fait impossible, répéta Giuseppa.

– Va donc, et songe à m'obéir.

Onze heures et demie venaient de sonner. Le roi s'était retiré dans sa chambre. Les courtisans s'en allaient, tandis que les valets éteignaient les flambeaux. Dans la salle de jeu du roi, il n'y avait plus que quelques gentilshommes qui, l'un après l'autre, s'enveloppaient de leurs manteaux pour quitter le Louvre. Ornano venait de s'en aller, furieux d'avoir perdu les pistoles qu'il comptait gagner. Concini, au contraire, comptait ostensiblement son gain.

– Parbleu ! avait grogné Ornano, il triche.

– Prenez, faquins ! disait à ce moment Concini, en distribuant aux valets l'or qu'il avait gagné.

Et lui aussi s'apprêta à se retirer. À ce moment, Léonora Galigaï entra dans la salle et se dirigea droit vers son mari, Concini la vit venir, le front soucieux.

– Concino, murmura Léonora, la reine veut te parler.

Il y avait du désespoir, de l'amertume et une volonté farouche dans sa voix. Concini avait froncé les sourcils.

– Il faut y aller ! reprit rudement Léonora. Il le faut, entends-tu ?

– Eh bien ! j'y vais ! Mais que peut-elle avoir à me dire ? C'est bien, Léonora, dans une heure je vous rejoins à l'hôtel.

Concini fit un mouvement pour se retirer. Léonora le saisit par le bras, d'une étreinte nerveuse et puissante. Alors, il la regarda... et il vit qu'elle était livide.

– Quoi encore ? fit-il.

Elle respira péniblement. Son sein se souleva. Ses lèvres étaient blanches. Ses yeux noirs fulguraient. Laide, difforme, elle avait à cette minute la sombre beauté fatale que donne aux visages les plus insignifiants l'amour déchaîné sous la tourmente de la jalousie.

– Il y a Concino, que j'en ai assez ! Il y a que je souffre à mourir, et que je ne veux pas que mon cœur éclate sous l'effroyable pression de la douleur. Concino, il faut en finir. Je hais cette reine Maria, je la hais vois-tu ! Il n'y a pas une fibre de mon être qui ne soit pétrie de haine.

– Et pourtant, *cara,* tu m'envoies à elle !

– Oui, fit Léonora frissonnante. Il le faut. Ce soir plus que jamais. *Car, ce soir, c'est le commencement de la fin !*

Concini sentit une vague épouvante se glisser jusqu'à son cœur. Il connaissait trop la redoutable compagne de sa vie pour supposer un seul instant que les mystérieuses paroles étaient vides de sens.

– Le commencement de la fin ! répéta-t-il machinalement.

– Concino, reprit-elle en le dévorant jusqu'à l'âme de son regard embrasé, tu m'as dit que dans une heure, tu viendrais me rejoindre à l'hôtel ?

– Je te le jure !

– Eh bien ! tu ne m'y trouveras pas ! Ce soir, je reste au Louvre !

Il frémit. L'instant terrible approchait. Il en eut le pressentiment rapide. Dans la salle tous les flambeaux, sauf un, étaient éteints. Au fond, bien loin d'eux, un valet attendait, tout raide. Ils étaient immobiles dans cette lueur diffuse, plus terrible que l'obscurité : le silence pesait sur eux. Et, dans ce silence, la voix de Léonora, imperceptible, murmura :

– Tout est prêt, Concino ! Angoulême, Guise, Condé sont à Paris, prêts à agir avec leurs acolytes. Le trône sera au plus fort. Laisse-les faire et profite de leurs actes. Le plus fort, ce sera toi ! Concino, prépare ton âme, prépare ton bras, l'heure est proche !

– Mais... lui ! le roi ! balbutia Concini, frappé de vertige.

– Dans deux jours, dans quatre au plus, il n'y aura plus de roi en France ! acheva Léonora Galigaï dans un souffle... Car ce soir, Concino, ce soir, entends-tu, ce soir, tandis que tu seras auprès de la mère du roi, je serai, moi, au chevet de Louis XIII... Va, maintenant !

Et avant que son mari ne fût revenu de la prodigieuse stupeur qui le paralysait, elle s'éloigna lentement, et il la vit enfin disparaître vers l'intérieur du Louvre, pareille à un spectre. Alors, chancelant, il se mit en route. Le valet éteignait le dernier flambeau. La nuit fut opaque.

Concini admettait l'assassinat du roi, mais comme un de ces événements qui ne sortent pas du domaine du rêve. Devant l'imminence de la réalité, il sombra dans l'épouvante. Pourtant, à mesure qu'il se rapprochait des appartements de la reine mère, il s'efforçait de dompter sa terreur. Avec la foudroyante rapidité de l'imagination que talonne la peur, il organisa son acte à lui.

Si la chose s'accomplissait, s'il n'avait qu'à monter les marches du trône, il se laisserait pousser au pouvoir suprême. Si des obstacles surgissaient, il préparerait sa fuite.

Dans les deux cas, il comprit qu'il avait besoin de Marie de Médicis. Plus que jamais, il devait la tenir en son pouvoir : demain, il briserait l'instrument, si demain apportait au monde cet événement encore dans les limbes : Concino Concini roi de France !

Il apprêta donc toute sa séduction, il apprêta son visage, son sourire, sa flatterie et sa tendresse, tout ce qui faisait de lui le dieu de cette femme livrée à une passion de l'âge terrible. En pénétrant dans l'antichambre que nous avons signalée, Concini vit Giuseppa qui l'attendait. Alors, sa pensée fit volte-face. Alors, l'image de Giselle, un instant effacée de son esprit, y reparut triomphante. Il s'avança rapidement vers Giuseppa, lui saisit la main de sa main brûlante et lui murmura à l'oreille :

– Est-ce fait ? As-tu commencé à lui verser l'élixir ?

Giuseppa se dégagea, eut un geste que Concini ne comprit pas et répondit :

– La reine vous attend !

En même temps, elle soulevait la tenture de velours, et Concini vit Marie de Médicis assise dans un fauteuil, qui souriait d'un étrange sourire. Dans le même instant, il reprit tout son sang-froid, s'arma de tendresse dévouée, et s'avança, courbé, souriant, toute son attitude était un sourire.

– Majesté, chère Majesté, me voici à vos ordres, murmura Concini.

– Asseyez-vous, Concino, dit la reine, écartant ainsi du premier coup toute étiquette, et indiquant nettement que c'était la femme, non la reine, qui avait mandé le maréchal d'Ancre. Concini, d'ailleurs, obéit sans discussion.

– Ainsi, chère Maria, vous ne m'en voulez plus ? fit-il d'une voix caressante.

– Comment vous en voudrais-je, Concino ? dit-elle avec une sorte de gravité. Accablée d'ennuis, entourée d'ennemis, je n'ai que vous pour me consoler. Et d'ailleurs, de quoi vous en voudrais-je ?

De la petite scène de l'autre jour ? C'est vrai, j'ai eu un moment de jalousie, mais c'est passé...

– Oh ! chère ! bien chère !

– Et puis, continua Marie de Médicis avec la même gravité, *je ne puis plus maintenant être jalouse de la fille de M. d'Angoulême...*

Concini tressaillit violemment. Il connaissait Marie de Médicis aussi bien qu'il connaissait Léonora Galigaï. À ces étranges paroles de la reine, il comprit, il sentit qu'il allait apprendre quelque chose d'effrayant. Et toute son énergie, il l'employa à recevoir le choc, d'un visage souriant toujours. Marie de Médicis, cependant, d'un geste machinal, jouait avec le gland de soie du coussin sur lequel elle était assise. Les yeux perdus dans le vague, elle continua :

– Votre plan politique, mon cher, était admirable. Détenir cette jeune fille prisonnière et dire au père qui l'adore : « Ou vous cesserez de conspirer, ou vous ne verrez plus votre enfant ! », oui, c'était d'une imagination subtile et de bonne guerre. C'est un malheur que ce plan *ne puisse plus être exécuté*, car le duc d'Angoulême devient dangereux.

– Nous réduirons le duc, je vous le jure, dit Concini d'une voix altérée. Mais pourquoi ce plan que vous dites de bonne guerre ne peut-il plus être exécuté ?

Marie de Médicis, alors, regarda Concini en face et répondit :

– Parce que Giselle d'Angoulême n'est plus en notre pouvoir.

Concini étouffa un rugissement.

– Évadée ! gronda-t-il.

– Oui ! dit Marie de Médicis avec un calme effroyable.

– Nous la reprendrons ! oh ! nous la reprendrons ! balbutia Concini qui, à cet instant, oublia toute prudence. Il le faut, voyez-vous ! Ah, comprenez donc ! Si la fille nous échappe, le père devient... Oh ! mais comment ce malheur est-il arrivé ?

– Remettez-vous, *amico caro*, fit Marie de Médicis avec une douceur aussi effroyable que le calme que nous signalions.

Concini se frappa le front. D'un énergique effort de volonté il dompta la rage qui voulait faire explosion sur ses lèvres.

– Pardonnez-moi, Maria, fit-il, et ne voyez dans mon émotion que ce qui y est réellement. Mon dévouement s'alarme des malheurs qui peuvent résulter de cette évasion. Mais nous reprendrons cette fille de rebelle – rebelle elle-même – et la Bastille, cette fois, saura nous la garder.

– C'est impossible, prononça Marie de Médicis avec une tranquillité sinistre. Nous ne pouvons pas reprendre Giselle d'Angoulême.

– Et pourquoi ? demanda violemment Concini.

Marie de Médicis répondit doucement :

– Parce que Giselle d'Angoulême s'est évadée dans la mort : elle vient de se tuer !

La reine, en prononçant ces mots, se leva. Concini demeura sur son tabouret, écrasé, foudroyé, la gorge serrée par une affreuse angoisse, livide, hagard, sans un mot, sans pensée, effondré dans l'horreur... tout tournait autour de lui, et ce mot résonnait sourdement dans sa tête : « Morte ! Morte ! » Seulement, de ses lèvres entrouvertes s'échappait un râle précipité. Marie de Médicis le contemplait avec une joie sombre et farouche.

– Morte ! bégaya enfin Concini. Morte !

– Morte ! répéta la reine.

Concini ne pleura pas. Peut-être y avait-il en lui plus de rage encore que de douleur. Giselle lui échappait à jamais. Évadée dans la mort ! Il ne posa aucune question. Il souffrait atrocement. Il n'avait qu'une idée : s'en aller, fuir, se réfugier en quelque solitude pour crier, sangloter, hurler sa souffrance. Il voulut se lever... Marie de Médicis le retint d'un geste et cria :

– Giuseppa !

La servante favorite, servante de mystérieuses besognes, entra.

– Giuseppa, dit la reine, raconte à M. le maréchal ce qui est arrivé ce soir à cette fille...

– C'est bien triste, madame, dit tranquillement Giuseppa. Pour obéir aux ordres de Votre Majesté, j'avais proposé à la demoiselle de sortir du Louvre, à condition que ce serait la nuit, et qu'elle ne ferait aucune tentative pour s'éloigner de moi. D'ailleurs, deux gentilshommes du service de la reine devaient nous suivre. La demoiselle accepte avec joie, et me charge de transmettre ses remerciements à Sa Majesté généreuse. Bon. Sur les dix heures, nous quittons le Louvre. Je lui demande de quel côté elle veut se diriger. Elle me répond qu'elle aimerait respirer la fraîcheur du fleuve. Bon. Nous remontons donc la Seine. La demoiselle semblait calme, heureuse de cette promenade. Nous arrivons au-dessus du Pont-au-Change. Tout à coup, la demoiselle me dit : « Je ne puis plus vivre ainsi, je suis trop malheureuse. » Et elle se met à courir sur la berge vers le fleuve. Je pousse un cri. M. de Lux et M. de Brain, qui nous escortaient à distance, accoururent. Trop tard ! La demoiselle s'était jetée dans le fleuve. Pas de bateau. Personne. M. de Brain se précipite à l'eau et s'épuise en vains efforts : le courant avait entraîné la malheureuse jeune fille sous les arches du pont. Là, elle est prise par les tourbillons. Un instant, nous la distinguons dans la nuit. Puis, plus rien, sinon que M. de Brain s'est allé coucher avec une grosse fièvre, le pauvre jeune homme.

– C'est bien, Giuseppa, tu peux te retirer, ma fille, dit la reine.

Giuseppa fit la révérence et disparut. Concini demeurait stupide d'horreur. Pour la première fois de sa vie, peut-être, il éprouvait le vertige de la douleur qui désorganise un cerveau, anéantit les facultés, ravage une intelligence comme un ouragan fait d'un paysage. Marie de Médicis, doucement, posa sa main sur son front, et murmura :

– Tu souffres, dis ?

Une rafale d'épouvante secoua jusque dans ses fondements l'esprit de Concino. Il se vit impuissant à cacher cette douleur qu'il fallait dissimuler à tout prix. Car cette douleur, c'était sa passion pour Giselle, avouée, proclamée. C'était la rupture immédiate avec son amante royale. C'était l'effondrement. Car dans cette minute même... oh ! dans cette tragique minute, Léonora Galigaï versait le poison au fils de la reine !...

– Tu souffres ! répéta Marie.

Et tout s'effondra dans l'âme de Concini. Léonora, le poison, le crime, le régicide, la lutte pour la puissance, trône, sceptre, tout disparut devant cette seule image : les flots de la Seine roulant vers le néant le corps de l'adorée ! Ses yeux se dilatèrent, sa bouche se crispa, sa poitrine se souleva, les sanglots grondèrent, roulèrent dans sa gorge, éclatèrent parmi des cris, des plaintes, des gémissements atroces... L'aveu ! La rupture ! Marie allait le chasser !

Tout était perdu !

Et, brusquement, un étonnement infini descendit sur lui. Marie, doucement, enlaçait son cou de ses deux bras ; Marie, plus doucement, appuyait sa tête sur son sein ; Marie, plus doucement encore, murmurait :

– Pleure, va, pleure, *amico caro...* qui pourrait te consoler, sinon celle qui t'aime ? Pleure sans crainte, dis-moi ta souffrance et ton amour... je te consolerai moi, je te guérirai, je ne suis plus, je ne puis plus être jalouse... PUISQU'ELLE EST MORTE !

Le récit de Giuseppa était rigoureusement exact, sauf quelques détails. Giuseppa avait réellement proposé à l'hôtesse ou plutôt à la prisonnière de la reine une promenade nocturne, que Giselle, étonnée, avait acceptée sur-le-champ, avec le secret espoir d'une évasion. Les deux femmes sortirent du Louvre, Giuseppa babillant à tort et à travers, pour étourdir sa compagne, et Giselle silencieuse, l'esprit alerte, le cœur ferme. Elle se savait surveillée par des hommes qui suivaient à distance : ou du moins Giuseppa le lui avait affirmé. Mais Giselle ne connaissait pas la peur. Elle assura à sa ceinture le petit poignard qu'elle y portait, et résolue à reconquérir sa liberté, se tint prête à tout événement, tandis que, passive en apparence, elle se laissait conduire au gré de la servante qui, respectueusement, lui offrait son bras.

Les rues étaient désertes et noires. De loin en loin, des groupes étranges leur apparaissaient : tire-laine embusqués ou lentes patrouilles du guet. Alors Giuseppa tremblait et invoquait la Vierge et les saints. Giselle tout à coup s'arrêta, regarda autour d'elle et vit que l'instant était propice.

Elles se trouvaient un peu au-dessus du Pont-au-Change, dont les maisons à toits aigus et à croisillons de bois enjambaient la Seine.

– Il faut nous quitter ici ! dit Giselle avec fermeté. Ne résistez pas, c'est inutile. Vous serez chassée, c'est probable. Mais si vous voulez vous présenter demain à cette même place, vous y trouverez quelqu'un qui vous remettra cinq mille livres. Adieu !

D'un mouvement rapide elle se débarrassa de Giuseppa et fit quelques pas en revenant vers le pont. Giuseppa n'avait pas dit un mot, pas jeté un cri. Seulement, un sourire funèbre balafra comme un éclair son visage. Elle ne fit pas un mouvement pour suivre

Giselle. Seulement, elle se pencha pour voir ce qui allait se passer dans ce recoin de ténèbres et de crimes, et elle vit ! Deux, trois, quatre ombres qui surgissaient et barraient la route à la fugitive...

Ce fut rapide comme une vision. Pas de lutte, pas de cris. Ces ombres entourant Giselle, cela forma un groupe sinistre qui s'agita, tourbillonna dévala vers le fleuve, vers l'eau noire qui s'engouffrait sous les arches ouvertes comme des gueules fuligineuses d'où sortaient des plaintes. Puis il y eut un cri, un seul, une clameur de détresse. Et, dans le même instant, le bruit soyeux de l'eau qui s'ouvre et se renferme. Puis, ce fut tout. Giuseppa, à demi courbée, penchée sur cette scène d'horreur ; Giuseppa le front mouillé de sueur, les yeux exorbités, se redressa alors lentement. Les ombres la rejoignirent, et l'une d'elles murmura :

– C'est fait !...

XIX

L'empoisonneuse

Au Louvre, tout était silence et mystère. Léonora Galigaï, retirée dans l'appartement qui lui était réservé près de celui de Marie de Médicis – car souvent son service de première dame d'honneur de la reine l'obligeait à passer la nuit dans le château – Léonora Galigaï, assise dans un fauteuil, écoutait le silence et regardait le mystère. Elle venait d'éteindre la lampe qui brûlait près d'elle sur le marbre d'une petite table et, au fond des ténèbres qui l'enveloppaient de leur suaire, au fond des ténèbres qui roulaient leurs volutes sur sa pensée, elle méditait.

Léonora Galigaï hésitait. Ce roi, cet obstacle, cet ennemi, c'était un adolescent. À peine un peu plus de quinze ans. Il était beau, un peu triste de se sentir si seul, il aspirait la vie, inspirait la pitié, et il fallait le tuer ! Ce mot éclata comme un coup de tonnerre dans l'esprit de Léonora. Dans le même instant, elle fut debout. Presque aussitôt, lente, rigide, le front dur, légère, invisible, impalpable pour ainsi dire, l'empoisonneuse se mit en route vers la chambre du roi, vers le meurtre !

Léonora Galigaï connaissait admirablement le Louvre dans ses tours et détours. Mais sans doute elle avait longuement et depuis longtemps étudié le chemin qu'elle parcourait. Car non seulement elle ne se trompait pas à chacun des nombreux carrefours de corridors qu'elle rencontrait, mais encore elle marchait avec la même sûreté qu'en plein jour.

Louis XIII couchait dans une vaste chambre située au-dessus du cabinet des armes de Charles IX. Dans l'antichambre, dormait le valet préféré du roi. En avant de l'antichambre, il y avait une pièce assez vaste, où se tenaient les gardes. Il était donc impossible d'arriver la nuit jusqu'au roi sans passer d'abord sur le ventre à douze hommes bien armés, puis sans tuer le valet de chambre.

Maintenant, si nous pénétrons dans la chambre royale, voici ce que nous voyons.

Deux hautes fenêtres qui donnent sur la Seine et dont les rideaux de brocart sont hermétiquement clos. Les murs sont recouverts de soie bleue fleurdelisée d'argent. Une table en bois d'ébène au milieu. Sept ou huit immenses fauteuils du temps d'Henri III. Enfin, un lit monumental dont les tentures sont faites de la même étoffe que les rideaux des fenêtres. Près de la tête du lit, une petite table. Et sur cette table, dans une amphore de cristal enchâssée d'or, la boisson rafraîchissante que le jeune roi a coutume de boire quand il se réveille la nuit. À côté, une coupe d'or.

Tout contre la tête du lit, une toute petite porte se dissimule dans la soie des tentures murales... cette porte est condamnée !... Car cette porte, si le jeune roi de quinze ans pouvait l'ouvrir, eh bien ! il trouverait là le chemin qui conduirait à l'appartement de la jeune reine Anne ! Un étroit couloir où nul ne peut entrer !... Le roi a épousé depuis dix mois Anne d'Autriche. Mais ils sont si jeunes tous deux ! Ce n'est encore qu'un mariage politique ; plus tard, quand la reine mère le jugera convenable, alors seulement la petite porte s'ouvrira, la porte qui conduit à l'amour ! En attendant, elle est condamnée, la petite porte d'où viendra l'amour.

Dans le lit immense, vaguement éclairé par les dernières lueurs de la veilleuse suspendue au plafond par une triple chaînette d'or, voici le roi qui dort paisiblement et sourit à on ne sait quel rêve.

Le roi dort... Autour de lui, au loin, dans le Louvre, le silence est profond... Rien, aucun bruit, aucun grincement, rien ne trouble ce silence, rien, pas même cette porte qui s'ouvre tout près du chevet du lit. Et cette porte, c'est la petite porte condamnée, celle où commence le couloir dans lequel nul ne peut pénétrer, nul ne pénètre... c'est la petite porte d'amour dans laquelle soudain, s'encadre une figure de spectre.

Ce n'est pas l'amour qui vient, c'est la mort.

Léonora Galigaï, parvenue à ce point de sa terrible marche à travers le silence et les ténèbres, s'arrête un moment, suffoquée, pantelante, la main crispée sur son sein pour comprimer son cœur. Comment était-elle là ? Par où avait-elle passé ? Comment n'avait-elle pas rencontré âme vivante ? Elle ne savait pas ? Elle vacillait ; elle se soutenait au chambranle de la porte, pâle dans sa robe noire.

Cela avait duré une minute ou deux. Ce temps suffit à l'empoisonneuse pour s'accoutumer au vertige. Elle fit un mouvement, se pencha, et regarda le roi endormi.

Alors, avec des gestes précis, calculés d'avance, mais si ouatés de silence qu'ils devenaient des gestes de fantôme, elle déboucha le flacon qu'elle tenait à la main. Son bras s'allongea. Les yeux rivés sur la figure du roi, elle versa le poison dans la coupe d'or. Puis elle acheva de remplir la coupe avec la boisson contenue dans l'amphore.

Alors elle referma la petite porte... Et dans l'étroit couloir, elle attendit. L'oreille collée à la porte, Léonora attendait... Quoi ? Ce n'était donc pas fini ? Qu'attendait-elle ? Non ! ce n'était pas fini ! Léonora jugeait qu'elle n'était pas au bout de sa besogne ! Léonora ne voulait pas s'en aller avant d'être sûre que c'était fini !

Elle voulait entendre le roi se soulever dans sa couche lorsqu'il s'éveillerait, comme cela lui arrivait plusieurs fois par nuit ! Elle voulait recueillir les bruits, si imperceptibles qu'ils fussent, que Louis ferait en saisissant la coupe d'or ! Elle voulait se retirer seulement quand elle pourrait se dire :

– Maintenant, il a bu ! Maintenant, il est empoisonné ! Maintenant je n'ai plus qu'à aller chez Lorenzo et lui demander la fleur qui tue ceux qui ont bu !

Et elle attendit, figée, raidie, toute sa vie réfugiée dans le sens de l'ouïe. La pendule sonna deux heures... puis la demie... Puis trois heures. Parfois un meuble craquait. À d'autres moments, elle entendait un soupir du roi endormi. Mais ces bruits la laissaient insensible. Sa volonté décuplée en puissance, sa volonté farouche, formidable, écartait tout autre bruit que celui qu'elle attendait... et elle l'entendit enfin !

Elle perçut distinctement, avec une aveuglante clarté, car le sens de l'ouïe se confond avec celui de la vue à certains moments d'hystérie cérébrale, elle entendit... elle *vit...* oui, elle vit par ses oreilles... elle vit le roi se réveiller, se soulever et saisir la coupe de poison ! Un rugissement effroyable gronda au fond de son être. C'était fini. Louis XIII allait boire ! Concini serait roi de France !

À ce moment une rumeur lointaine éclata, non plus une rumeur imaginaire ! Des bruits de voix qui vociféraient, de pas qui couraient, des gens hurlaient : « Arrête ! Arrête ! » Le roi sautait à bas de son lit en criant :

– Holà ! que veut dire ceci !

Léonora Galigaï se redressait, éperdue, rugissante, écumante. La porte officielle, la porte gardée s'ouvrait violemment et la chambre à coucher s'emplissait de monde ! Il sembla à Léonora que la terre se disloquait sous ses pieds et que le ciel croulait sur sa tête !

XX

La fille du duc d'Angoulême

En se sentant couler au fond de l'eau, Giselle éprouva une seconde ce désespoir absolu derrière lequel il n'y a plus rien que la mort. Elle perdit la conscience exacte de la vie et de l'événement ; elle eut seulement la sensation qu'elle descendait dans un abîme. Les tourbillons la saisirent. Un courant s'empara d'elle et la poussa sous la deuxième arche. Un instant, un remous la ramena à la surface. Un autre remous l'attira violemment en bas. Cela dura un temps inappréciable, quelques secondes peut-être.

Elle coula à fond – sous la deuxième arche, disons-nous. Et dans cet instant une poussée des eaux, pour la deuxième fois, la ramena à la surface. Ses yeux s'ouvrirent et se fixèrent vers elle ne savait quoi de noir et de monstrueux qui lui apparaissait énorme et se balançait. Un effort désespéré des bras... et ses mains, tout à coup, se cramponnèrent à cette chose inconnue... Alors, l'instinct vital de son souffle puissant balaya sur son front les épouvantes mortelles. Alors, sa pensée vaillante rayonna, illumina la situation. Alors, elle reconnut que cette chose énorme à laquelle ses mains, fanatisées par l'instinct de la vie, s'accrochaient d'une surhumaine étreinte, c'était une toute petite barque attachée à un anneau, presque à l'issue de ce boyau que formait l'arche. D'un frénétique effort, elle se souleva, se hissa et retomba pantelante au fond de la barque.

Combien de temps y demeura-t-elle ? Peut-être dix minutes ou peut-être deux heures. La fraîcheur la ranima. C'était une vaillante, c'était une guerrière. Elle ne perdit donc pas une minute à se demander par qui elle avait été attaquée. Le guet-apens, d'ailleurs, était hors de doute. On avait voulu la tuer. On avait employé l'eau, non le fer, parce que l'inspiratrice de l'assassinat voulait faire croire à un accident. L'inspiratrice ? Marie de Médicis. Tout cela était formel dans l'esprit de Giselle.

Elle chercha donc comment elle pourrait regagner le bord. Il n'y avait qu'un moyen : la barque. La détacher et la diriger vers l'une ou l'autre des berges, c'était facile. Giselle tira son poignard pour couper la corde d'attache. Et alors, elle frémit : la corde, c'était une chaîne en fer, et il eût fallu un solide marteau pour briser son cadenas. Alors, quoi ? Se jeter à l'eau ? Giselle, excellente écuyère, ne savait pas nager.

Résolument, elle gagna l'arrière de la barque qui, de quelques pouces seulement, sortait de l'arche. Là, elle s'arrêta stupéfaite. Sur l'arrière de la barque pendait d'en haut une échelle de corde ! Qui, du haut du pont, avait jeté cette échelle ? Quelqu'un avait donc assisté au guet-apens ? Mais ce quelqu'un avait donc pu voir qu'elle était entrée dans la barque. Giselle réfléchit à peine à ces questions, et déjà elle avait saisi l'échelle, et elle montait. Souple, agile, soutenue par cette sorte de confiance qui triple les forces, elle monta jusqu'en haut.

L'extrémité de l'échelle aboutissait à celle des maisons qui se trouvait à peu près vers le milieu du pont. Elle était solidement fixée par des crampons au rebord d'une fenêtre. Et arrivée là, Giselle vit que *personne n'avait jeté l'échelle*. Personne ne l'attendait. La fenêtre était fermée. Elle essaya de regarder à travers les vitraux, car la fenêtre était éclairée de l'intérieur. Mais les vitraux de couleur sombre ne permettaient pas au regard de les traverser. Alors, elle frappa.

La fenêtre s'ouvrit avec la violence précipitée de l'étonnement le plus effaré. Évidemment, celui qui habitait ce logis pouvait s'attendre à tout, excepté à ce que quelqu'un vînt frapper à cette fenêtre qui donnait à pic sur le fleuve. La fenêtre ouverte, Giselle se vit en présence d'une sorte de nain qui, grimpé sur un escabeau, dardait sur elle des yeux flamboyants. Ce nain tenait un bon poignard à la main. Une seconde d'incisif examen sur cette jeune fille pâle et belle toute ruisselante d'eau et le nain jeta son poignard. Ses yeux s'adoucirent.

– Entrez, dit-il. Qui que vous soyez, bien que votre manière d'entrer chez moi m'ait d'abord effrayé, vous êtes la bienvenue chez le pauvre Lorenzo.

– Le marchand d'herbes ? demanda Giselle avec un frisson.

– Oui, fit le nain avec un sourire. Je vois à votre figure l'horreur que vous inspire mon nom. Soyez sans crainte, jeune fille.

– Je n'ai pas peur, dit Giselle.

Et elle franchit la fenêtre que Lorenzo referma non sans s'être penché sur le fleuve un long moment. D'un coup d'œil, Giselle inspecta la pièce : un grand fourneau, des tables encombrées de cornues et de bocaux... c'était le laboratoire du marchand d'herbes, marchand d'amour, marchand de mort. Lorenzo interrogea la jeune fille d'un regard.

– Je suis tombée à l'eau, dit-elle. Le courant m'a poussée sous l'arche. J'ai vu une barque. Je m'y suis cramponnée. Puis j'ai vu l'échelle, je suis montée. C'est tout.

– Tombée à l'eau ? *Tombée ?* fit le nain.

– Oui. Peu importe après tout. Mais cette barque, cette échelle ?

Lorenzo sourit.

– Vous portez la loyauté sur votre beau visage. Une fille telle que vous ne trahira pas le pauvre marchand en butte à la calomnie des pervers, à la haine aveugle des ignorants. Un jour ou l'autre, je serai assailli par la populace. Quelque nuit, on voudra mettre à mort le sorcier. Alors, j'ai imaginé d'avoir cette barque sous l'arche du pont. Tous les soirs, je déroule mon échelle. Tous les matins, je la rentre. Ainsi j'ai un moyen de fuir, et je dors tranquille. – Maintenant, buvez ceci. Rassurez-vous, ce n'est pas un poison.

Giselle prit d'une main ferme le gobelet d'argent dans lequel le nain, tout en parlant, avait versé quelques gouttes d'un puissant cordial, et elle but en souriant. Lorenzo l'admirait.

– Vous êtes toute la vaillance, dit-il. Vous avez bu sans trembler. Si j'avais une fille, je voudrais qu'elle vous ressemblât. Là, voici déjà les couleurs qui reviennent à vos joues. Ce cordial fera réaction, n'en doutez pas, et vous sauvera sans doute de quelque fièvre maligne. Maintenant, venez. Je n'ai pas de vêtements féminins à vous offrir. Il faut sécher les vôtres. Entrez là, ajouta-t-il en ouvrant une porte.

Giselle, sans hésitation, suivit le nain. Elle se trouva dans une chambre spacieuse et meublée avec une certaine recherche. Puis Lorenzo s'éloigna, revint avec un grand fagot de bois sec, le jeta tout entier dans la vaste cheminée et y mit le feu.

– Vous êtes chez vous, dit-il avec une sorte de majesté.

Et il sortit. Giselle s'enferma, et, devant la belle flambée, se mit à faire sécher ses vêtements.

– Pauvre infirme ! songeait-elle. Quand on prononçait devant moi le nom de Lorenzo et que je me sentais frissonner de terreur et de mépris, je ne savais pas qu'un jour il me sauverait. Comment le remercier ?

Pendant ce temps, Lorenzo, assis dans son laboratoire, songeait, le menton dans la main. Et voici ce qu'il songeait :

– Dans cette nuit même, à cette heure, ou tout au moins dans les heures qui vont suivre, deux êtres vont recevoir la mort que j'ai distillée. *Le roi, cette nuit, sera empoisonné par Léonora. Et Giselle d'Angoulême, cette nuit, sera empoisonnée par Concini.* C'est moi qui tue le roi. C'est moi qui tue cette jeune fille que je ne connais pas et qui ne m'a rien fait, à moi. Contre ces deux morts, le hasard ironique ou vengeur veut que je sauve une vie humaine. Car cette inconnue, là, c'est moi qui la sauve. Il me semble que j'en éprouve comme un soulagement ! Oh ! mais est-ce que je ne serais pas parvenu à ces moments de haine où je me croyais monté ? Est-ce que je ne hais pas l'univers entier ? La vie de cette inconnue paye la vie de Giselle d'Angoulême. Et puis après ? Allons, la voici qui rentre.

Une demi-heure écoulée, Giselle, à peu près séchée, venait, en effet, d'ouvrir la porte.

– Que désirez-vous, maintenant ? demanda-t-il en se levant. Taisez-vous. Je le vois dans vos yeux de lumière. Vous voulez vous en aller tout de suite !

– Excusez-moi, monsieur. Je suis attendue. Mon absence cause de mortelles inquiétudes à des êtres qui me sont bien chers...

Il commençait à descendre l'escalier de bois, en hochant la tête.

– Quelque jeune dame, se disait-il, qui aura voulu courir à l'heure où l'on se cadenasse, et que des tire-laine auront dévalisée, puis jetée à l'eau... ou peut-être un amant jaloux. Allez, reprit-il en achevant d'ouvrir la porte de la boutique qui donnait sur le pont. Allez et, pour toute grâce, je vous demande de ne plus trembler d'horreur, comme tout à l'heure, quand on vous parlera de Lorenzo le maudit.

Elle tendit sa main... Il la baisa. Elle franchit la porte. Il se tenait courbé devant elle.

– Écoutez, dit-elle. Jamais je n'oublierai ce que je vous dois. Si jamais vous êtes menacé, si vous redoutez quelque catastrophe, si vous êtes fugitif, venez à moi, en quelque temps que ce soit.

– Soit ! fit-il, non sans une sourde ironie. Mais à qui m'adresserai-je pour vous trouver ?

La jeune fille répondit :

– Il suffira que vous alliez frapper cinq coups consécutifs à la porte de l'hôtel situé tout au bas de la rue Dauphine. C'est l'hôtel de mon père. On vous ouvrira et on vous cachera dans une retraite sûre. Je m'appelle Giselle, monsieur, et mon père est le comte d'Auvergne, duc d'Angoulême.

Elle s'enfuit légèrement, disparut dans la nuit. Le nain demeura sur place, foudroyé, hébété de stupeur. Puis il éclata d'un rire strident, sinistre, et gronda :

– Dire que je n'avais qu'à la pousser quand j'ai ouvert la fenêtre !

Puis, pensif d'une formidable rêverie, il referma la porte, la cadenassa, la verrouilla, la barricada, et remonta à son laboratoire. Il s'assit sur un escabeau et se mit à rêver. Lorsqu'il revint au sentiment des choses, il s'aperçut qu'il faisait jour.

Giselle s'était rapidement dirigée vers la rue Dauphine. C'était à peu près le moment où Léonora Galigaï se préparait à marcher vers la chambre du roi. Giselle descendit la rue, son poignard à la main. Elle atteignit sans encombre la porte de l'hôtel, appuya sur le mot qui formait ressort et, le cœur battant, pénétra dans l'intérieur.

Cette date du 22 août, elle la connaissait. Elle savait que le duc d'Angoulême et ses amis devaient être réunis cette nuit-là dans les souterrains de l'hôtel. Elle se jeta donc en courant dans le long couloir au bout duquel brillait la pâle lumière indicatrice. À mesure qu'elle avançait, il lui semblait entendre une sourde rumeur qui montait des entrailles du sol... puis cette rumeur se précisa... elle perçut des voix furieuses, un cliquetis d'épées... on se battait !

– Mon père est découvert ! haleta Giselle. Eh bien ! la place d'une fille telle que moi est à ses côtés dans la bataille !

Elle bondit dans l'escalier qui s'enfonçait vers les caves. Et, tout à coup, elle se trouva en haut des marches, d'où elle dominait la scène de bataille. Bataille ? Non ! Meurtre ! On tuait quelqu'un ! Dix ou douze contre un ! Et ce quelqu'un, son épée brisée, son pourpoint en lambeaux, se croisait les bras dans une suprême attitude de défi et, du regard, semblait contenir encore la meute !

Giselle jeta un cri déchirant, un cri terrible qui fit tressaillir les assaillants et arrêta leurs rapières. Cet homme qui allait mourir ! Giselle, du premier regard, le revoyait tel qu'il se présentait toujours à son imagination ! tel qu'elle l'avait vu sur la route de Meudon ! flamboyant d'audace, emphatique d'attitude, mais superbe, effrayant et rayonnant. Angoulême se retourna, jeta son épée et poussa une délirante clameur :

– Giselle ! Ma fille ! Ma bien-aimée !

En quelques bonds, Giselle fut au bas de l'escalier.

– ELLE ! rugit en lui-même Capestang, enivré, extasié. Mourir avec cette vision dans les yeux !

Giselle, d'un geste impétueux, d'une poussée de tout son être, repoussa les épées. Une goutte de sang rougit sa main, l'une des pointes venait de la piquer. Palpitante, le sein tumultueux, elle s'était placée devant Capestang. Un silence terrible s'abattit sur cette assemblée. Dans ce silence, Giselle prononça :

– Mon père, vous assassinez l'homme qui m'a sauvée des mains de Concini.

Condé, Guise, les autres, tous, d'un même geste, saluèrent de leurs épées et les remirent au fourreau. Cinq-Mars brisa la sienne sur ses genoux. Livide, le duc d'Angoulême bégaya :

– Qui t'a sauvée ? Le chevalier de Capestang ? Sauvée de Concini ? Oh ! mais tu as dit Cinq-Mars ! Oh ! mais Capestang ne t'a donc pas enlevée de Meudon ? Parlez, Cinq-Mars ! Parle, Giselle !

Giselle, d'une voix d'étrange douceur :

– J'ignorais qu'il s'appelât le chevalier de Capestang. Trop généreux pour se faire connaître de moi, dans l'heure où il me sauvait, il était d'ailleurs trop occupé à arrêter de son épée les gens de Concini, au nombre d'une dizaine, et à assurer ainsi ma retraite.

– Une dizaine ! s'écria Guise. Corbleu ! J'eusse voulu être là pour voir. Une dizaine contre un ! Tout autant qu'il en fut envoyé contre mon père au château de Blois ! Et c'étaient des spadassins du Concini ! de terribles lames, dit-on.

– Moi aussi, dit Condé, j'eusse voulu être là pour voir et pour croire.

– Monseigneur, fit Capestang de sa voix d'ironie, vous êtes tout porté pour voir. Comptez-vous, messieurs, il me semble que vous êtes bien près de douze contre un... Madame, ajouta-t-il en s'inclinant devant Giselle, vous venez de prononcer des paroles qui demeureront gravées dans mon cœur. Ici comme sur la route de Meudon, et ailleurs, en quelque occasion que ce soit, ma vie vous appartient, faites-moi l'insigne honneur d'en disposer à votre gré.

– Merci, monsieur le chevalier, murmura Giselle d'une voix contenue. En vous voyant sur la route de Meudon, en vous écoutant ici devant ces nobles seigneurs, fleur de la gentilhommerie, j'ai cru voir, je crois entendre un de ces paladins de jadis dont j'ai lu les hauts faits dans nos vieilles chansons de geste.

Le chevalier, pâle, frémissant d'un orgueil et d'une joie sublimes, écouta ces paroles comme il eût écouté la parole d'un dieu. Les conspirateurs se regardaient avec étonnement. Le duc d'Angoulême, du coin de l'œil, surveillait Cinq-Mars et le voyait en proie à une agitation qu'il attribuait à la jalousie. Angoulême frémit de terreur.

Le mariage de Cinq-Mars et de Giselle, c'était la clef de voûte de toute la construction péniblement échafaudée par son ambition. Cinq-Mars était venu à Paris, envoyé par son père, pour se fiancer à Giselle. Que Cinq-Mars s'en retournât sans que les suprêmes paroles eussent été échangées et c'était peut-être l'écroulement de sa fortune ! D'un regard, le duc jugea sa situation. Il se vit perdu s'il ne prenait pas une de ces résolutions désespérées qui donnent la victoire ou précipitent la défaite, mais qui précisent l'événement. Il renfonça la joie paternelle très profonde, très sincère qu'il éprouvait à revoir sa fille saine et sauve, il remit à plus tard de savoir comment et par qui elle avait été enlevée de Meudon ; et prenant Cinq-Mars par la main :

– Ma fille, dit-il avec une sorte de solennité, ce m'est un violent chagrin de savoir que tu fus sauvée sur la route de Meudon par un aventurier, et non par ton fiancé, comme tu semblais le croire, comme je l'ai cru. Quoi qu'il en soit, j'ai ta parole et j'ai engagé la mienne. Ton fiancé, le voici. Messieurs, chers amis, permettez-moi de vous annoncer dès cet instant, car nous vivons tous dans une position anormale qui brise les conventions ordinaires, de vous annoncer, dis-je, en vous priant d'en prendre acte, le très prochain mariage de ma fille bien-aimée Giselle, ici présente, avec M. Henri de Ruzé d'Effiat, marquis de Cinq-Mars, ici présent.

L'imprévu de cette scène, la pâleur de Giselle, ces étranges fiançailles au fond des souterrains, dans une minute où les témoins palpitaient encore de la lutte, l'attitude provocante de Cinq-Mars qui, au lieu de regarder sa fiancée, tenait ses yeux ardents fixés sur Capestang, tout concourait à donner aux paroles du duc d'Angoulême une signification poignante.

Capestang souriait.

Giselle, en une de ces rêveries qui durent une seconde et embrassent tout le cycle des pensées possibles comme une lueur de foudre embrasse tout un ciel, Giselle comprit la pensée d'épouvante qui frappait son père. Ce père, elle le vit lâche. Prêt à tout sacrifier, même le bonheur de son enfant, à la passion qui dominait sa vie : l'ambition ! Alors sa fierté s'exaspéra. La générosité se haussa jusqu'au sacrifice. Elle eut l'intuition qu'un rêve s'effondrait en elle, sans qu'elle pût préciser quel était ce rêve qui, lentement, doucement, s'échafaudait dans son cœur depuis la rencontre de Meudon.

Elle s'avança de deux pas, tandis que Capestang reculait, lui, d'un mouvement instinctif, comme s'il eût compris et signifié qu'il devait s'effacer, lui, le pauvre petit gentilhomme, lui que le duc d'Angoulême, pour le remercier d'avoir sauvé sa fille, appelait un aventurier ! D'un geste de dignité qui eût paru sublime à quiconque eût pu lire dans l'âme de la jeune fille, d'une voix qui ne tremblait pas – Giselle lentement, tendit sa main à Cinq-Mars – Giselle prononça :

– M. le duc d'Angoulême a engagé sa parole et la mienne. Cette parole, j'ai juré de la respecter. Voici ma main, monsieur !

Cinq-Mars saisit cette main, s'inclina très bas, et la baisa. Puis se redressant, il darda sur Capestang des yeux qui lui disaient clairement :

– Tu as pu me voler Marion, vulgaire aventurière comme toi. Mais tu ne peux me prendre ma fiancée qui t'écrase de sa noblesse, comme je t'écrase, moi, de ma fortune !

Capestang souriait.

Seulement il était livide, et, machinalement, essuyait la sueur glacée qui ruisselait sur son front. Quant au duc d'Angoulême, à peine Giselle eut-elle parlé, il la saisit dans ses bras avec un transport de joie, la serra violemment sur sa poitrine, et lui murmura à l'oreille :

– Tu me sauves ! Ma fille ! Mon vrai sang ! Mon honneur et ma gloire, je te bénis !

Il ne s'apercevait pas que Giselle se raidissait de tout son être pour ne pas éclater en sanglots ! Ainsi furent consommées les fiançailles d'Henri de Cinq-Mars et de Giselle d'Angoulême.

Alors, le duc de Guise, secouant le frisson que cette scène rapide avait provoqué en lui, désigna Capestang du doigt, et prononça :

– Il nous reste à savoir ce que monsieur venait faire ici.

– Et comment il a pu y entrer ! ajouta le prince de Condé.

– Et ce qu'il compte faire des secrets qu'il a surpris ici en écoutant aux portes ! ajouta Cinq-Mars d'une voix sifflante.

Giselle se tourna vers Capestang. Il y avait une intense supplication dans ses beaux yeux désespérés, qui criaient : « J'avais juré ! Je mourrais plutôt que de me parjurer ! Pardonnez-moi ! Il fallait sauver mon père ! »

Capestang détourna la tête. Ils ne s'étaient vus que quelques instants sur la route de Meudon. Dans le scintillement des épées, dans la fièvre ardente de la bataille, ils n'avaient échangé qu'un regard. Mais ils se comprenaient comme s'ils se fussent connus depuis des années, depuis toujours. Leurs gestes, leurs attitudes, leurs regards, tout parlait le langage secret que l'amour seul déchiffre.

Capestang marcha au duc d'Angoulême et s'inclina ; sa voix eut d'étranges vibrations métalliques ; sa lèvre frémissait ; pourtant sa parole était calme, à peine hérissée d'un peu d'ironie.

– Monseigneur, dit-il, j'avais résolu de sauver Votre Altesse. Les aventuriers comme moi ont de ces idées. Donc, ayant surpris en écoutant aux portes de Concini un complot contre votre personne et celle de vos illustres compagnons (*Condé pâlit, Guise serra la poignée de sa rapière, Angoulême frissonna*), sachant donc que cet hôtel serait surveillé et que l'arrestation en masse de tous ses habitants était décidée *(les conspirateurs se regardèrent avec épouvante)*, ayant résolu, dis-je, d'arracher au bourreau la tête de monseigneur le comte d'Auvergne, duc d'Angoulême, qui se trouve être le père de la très noble demoiselle à qui j'ai eu l'immense honneur de prêter le pauvre appui de ma rapière *(Giselle, d'une main, comprima les battements tumultueux de son sein)*, je me suis donc mis en campagne pour retrouver Votre Altesse. À Meudon, dans la maison qui fait face à l'auberge de la *Pie Voleuse*, j'ai trouvé une fée... oui, vraiment, une fée ! qui m'a révélé le secret de la devise inscrite à la porte de cet hôtel. Je suis venu. Je suis entré. Et, au moment où vous êtes tombés sur moi, messieurs, j'allais vous crier : « Alerte ! alerte ! Le Concini vous guette ! Concini est sur vos traces ! Concini arrive ! Alerte, messeigneurs ! Voici que le bourreau dresse son échafaud et aiguise le fil de sa hache ! »

Capestang se redressa et acheva :

– Je vois que j'avais tort ! Pardonnez-moi, monseigneur !

Une rumeur courait parmi les témoins de cette scène fantastique, rumeur d'épouvante. Il était impossible de mettre en doute les paroles de Capestang. Les détails qu'il avait glissés dans sa harangue, la certitude qu'il avait sauvé la fille du duc, l'éclatante sincérité du jeune homme, non, il n'était pas possible de douter. Sûrement, l'hôtel allait être cerné dès le lendemain, sinon le jour même. Sûrement la Bastille ouvrait ses portes, le bourreau aiguisait sa hache !

– Messieurs, dit Condé, dominant le tumulte déchaîné par Capestang, il nous faut dès cet instant aviser à nous mettre en sûreté.

Angoulême avait jeté un profond regard à Capestang. Il lui tendit la main et dit :

– Jeune homme, soyez des nôtres.

– Oui ! oui ! qu'il soit des nôtres ! C'est une rude épée. Il nous sauve tous !

Les exclamations se croisèrent, se heurtèrent autour de Capestang impassible. Le chevalier attendit que le silence se fût rétabli. Alors il s'inclina de nouveau devant le duc d'Angoulême, dont il n'avait pas pris la main.

– Messieurs, dit-il, il y a une impossibilité flagrante à ce que je sois des vôtres. Je dois donc refuser l'honneur que vous me faites, comme je refusais tout à l'heure de me laisser tuer par vous.

– Quelle est cette impossibilité ? demanda Guise.

– C'est que nous sommes ennemis, monseigneur ! Entendons-nous : j'ai prétendu jouer un tour de ma façon à l'illustre Concino Concini que je hais... ou du moins que je croyais avoir des raisons de haïr. Je vous préviens de ce qu'il trame contre vous. C'est bien. Mais là s'arrêtent nos accointances, messieurs. Là, nous devenons ennemis. En effet, vous avez la prétention de détrôner, de tuer peut-être ce pauvre petit roi que personne n'aime, pas même sa mère. Or, figurez-vous que je me suis mis à l'aimer, moi ! Et j'ai décidé qu'il resterait sur le trône !

En disant ces mots : *J'ai décidé qu'il resterait sur le trône !* Capestang s'était campé, fier, emphatique, naïf et sublime, dans sa pose héroïque de capitan. Giselle, immobile et glacée, le contemplait avec une sorte d'admiration passionnée et désespérée. Le tumulte, de nouveau, gronda. Guise, Condé, Angoulême, cependant, se concertaient rapidement. Le duc secouant la tête, fit un pas vers Capestang, et prononça :

– Jeune homme, vous avez entendu ici des secrets terribles. Nous ne vous tuerons pas, car nous reconnaissons la loyauté de vos intentions. Mais vous vous déclarez notre ennemi. Moi-même, dès l'instant que je vous ai vu, j'ai senti en vous un ennemi. Pourtant, vous avez sauvé ma fille. Vous nous sauvez. C'est donc une trêve que j'impose à la haine que je sens en moi. Plus tard, quand vous serez libre, nous nous retrouverons. Pour le moment, nous nous gardons, et, pour cela, nous vous gardons. Monsieur, vous êtes notre prisonnier !

– Monsieur le chevalier de Capestang, vous êtes libre ! dit une voix ferme, emplie d'une inexprimable dignité et d'une étrange autorité.

Tous tressaillirent et se tournèrent vers celle qui venait de parler ainsi. Capestang seul demeura impassible.

– Giselle ! gronda le duc d'Angoulême. Que dis-tu ?

– Je dis, mon père, je dis, messieurs, répondit la guerrière, je dis que nul de vous n'est moins intéressé que moi à la réussite de vos projets, et pourtant nul de vous n'a fait autant que moi. Si vous êtes réunis, si les assemblées de Meudon ont pu se tenir, si vos espérances sont près de devenir une réalité, c'est à moi que vous le devez. Vous surtout, mon père. Or, moi, votre chef réel jusqu'à ce jour, je n'ai encore rien demandé. M. de Guise a sa part, M. de Condé la sienne, M. de Vendôme, et vous, monsieur de Nevers, et vous tous, vous avez demandé votre part. Elle vous est assurée. Messieurs, je demande, je réclame la mienne. Je ne fais pas appel à votre générosité. J'exige simplement l'exécution d'un contrat. Ma part, la voici : la liberté de M. le chevalier de Capestang. Allez, monsieur, vous êtes libre. Aucun de ces gentilshommes ne s'opposera à votre départ !

Elle étendit le bras d'un geste de souveraine majesté et ces hommes de guerre, ces hommes de conspiration, batailleurs, terribles ou fins diplomates, baissèrent la tête, subjugués, et leurs rangs s'ouvrirent comme pour signifier à Capestang qu'il était libre.

Capestang s'inclina profondément devant Giselle sans un mot. Puis, tranquille et fier, il passa entre les conspirateurs, s'avança vers l'escalier ; le pied sur la première marche, il se retourna. Une dernière fois, son regard se croisa avec celui de Giselle. Une seconde, ils demeurèrent ainsi, les yeux dans les yeux, et, tout à coup, il comprit qu'il allait éclater en sanglots... alors, lentement, il monta... il disparut.

– Au moins, rugit Cinq-Mars, blême de rage, nous eussions dû exiger sa parole de ne rien révéler ! Nous sommes perdus.

– Le chevalier de Capestang ne révélera rien ! dit Giselle.

– Et qui en répond ?

– Moi ! répondit-elle. Moi. Sur ma tête. Je réponds de lui !

Et comme, alors, le duc d'Angoulême s'avançait vers sa fille, il la vit pâlir... il n'eut que le temps d'ouvrir ses bras ; elle s'y laissa tomber, évanouie.

XXI

La légende des camions

Lecteur, vous n'ignorez pas qu'on donne le nom de *camions* à une variété de pots larges et profonds où se délaye le badigeon des murs ; c'est justement ce genre de camions qui nous intéresse ici. Et l'on verra que, faute des camions qui vont faire leur apparition dans ce récit, l'histoire de France eût peut-être été bouleversée.

Capestang sortit de l'hôtel d'Angoulême, la tête en feu, la gorge pleine de sanglots et de jurons, avec le besoin de crier, de courir, de s'en prendre à tout l'univers de la catastrophe qui s'abattait sur lui. Cette catastrophe, c'était la ruine de son amour. Malheur à qui lui fût tombé sous la main à ce moment-là !

Dans son désastre, pourtant, il gardait une sorte de sang-froid, s'il avait le cœur douloureusement plein de Giselle, ce qui bourdonnait dans sa tête, c'étaient les terribles paroles que lui avait arrachées ce cri d'épouvante, par quoi sa présence dans les souterrains avait été révélée aux conspirateurs :

– *Ce soir, cette nuit, messieurs, le roi va être empoisonné !*

Avant tout, courir au Louvre, y pénétrer coûte que coûte, se ruer jusqu'à Louis, le réveiller, lui crier : « Sire, ne buvez rien cette nuit ! » Oh ! arriver à temps ! Oh ! peut-être, sans doute même, il était trop tard ! N'importe ! Essayons ! Courons ! Volons au Louvre ! Faisons cet effort suprême ! Tentons d'arracher ce pauvre petit roitelet à la mort hideuse qui le guette !...

Cogolin ! Où est Cogolin ! Où est-il, ce coquin ! Ah ! misérable traître ! Il a été s'enivrer dans quelque taverne ! Les chevaux ! Mon Fend-l'Air qui me porterait au Louvre en deux minutes ! Qu'a-t-il fait de Fend-l'Air !

Capestang courait à droite, courait à gauche, multipliait les jurons, les blasphèmes, les sifflets d'appel. Pas de Cogolin ! Disparu, Cogolin ! Capestang, tout à coup, poussa un dernier appel, et s'élança comme un furieux. Au loin, à Saint-Germain-l'Auxerrois, deux heures tintèrent dans le grand silence de Paris endormi, et les voix graves ou aigres de cent clochers se répondirent, se répétèrent qu'il était deux heures.

Capestang, rué en tempête, traversa le Pont-Neuf qui était alors tout neuf et que, par un étrange entêtement, les Parisiens continuent encore à appeler neuf, alors qu'il est maintenant l'un des plus vieux patriarches de nos ponts. Puis le chevalier tourna à gauche sur le quai de *l'École*. De la même course forcenée, il contourna le vieux château royal, parvint, haletant, sur la place du Louvre, et se présenta à l'entrée d'une porte que gardaient deux sentinelles, lesquelles, à l'aspect de cet homme hors d'haleine et tout bouleversé, commencèrent par croiser leurs piques.

– Messieurs, haleta Capestang, il arrive un malheur épouvantable si je ne parle sur-le-champ à M. de Vitry, capitaine des gardes.

– Officier, une visite ! cria d'une voix impassible l'un des deux soldats.

– Ah ! voilà qui va bien ! fit le chevalier en s'épongeant.

Un falot apparut de l'autre côté du fossé. Une voix cria :

– Avancez !

Capestang, d'un bond, franchit le pont, pénétra sous une voûte.

– Entrez là ! dit la même voix, et l'homme désigna une porte qui s'ouvrait sur le flanc droit de la voûte, tandis qu'au fond, le grand portail massif demeurait solidement fermé.

– Jamais je n'arriverai ! rugit en lui-même Capestang.

Il entra pourtant. Il se vit alors dans un vaste corps de garde. Et, tout de suite, il remarqua au fond une autre porte vitrée qui s'ouvrait, elle, sur la cour intérieure du château. Il y avait là une douzaine de suisses assis sur des escabeaux. L'officier subalterne qui commandait ce poste, sorte de sergent, fort bel homme comme tous ceux qui l'entouraient, demanda avec un fort accent de la Suisse allemande :

– Que voulez-vous ? Que demandez-vous ?

– Parler tout de suite au capitaine des gardes. Il y va de la vie d'une illustre personne que je ne puis nommer. Hâtez-vous ! Mais hâtez-vous donc ! Allez le chercher ! Ou mieux conduisez-moi à lui ! Allons donc, corbacque !

– *Der Teufel !* répondit le sergent pour ne pas être en reste. Comme vous y allez, mon gentilhomme ! Prenez garde aux camions... Et vous dites que c'est grave ?

– Voilà une heure que je vous le crie ! hurla Capestang. Vous serez cassé, pendu, tiré à quatre chevaux si M. Vitry n'est prévenu à temps ! Comme le régicide Ravaillac, entends-tu, comme un régicide !

– *Der Teufel !* répéta le sergent en se grattant l'oreille. Lafleur, allez réveiller le capitaine des gardes de Sa Majesté *(un soldat sortit par la porte vitrée). Vous* me répondez au moins, mon gentilhomme, prenez donc garde aux camions ! vous me répondez que la chose en vaut la peine ?

Capestang haussa les épaules, et se rapprocha de la porte vitrée. Dans la nuit, il aperçut l'ombre du soldat Lafleur qui s'éloignait d'un pas majestueux et paisible vers l'aile droite du château, c'est-à-dire l'aile qui longeait la Seine.

– Trop tard, gronda le chevalier. Il sera trop tard ! Où loge le capitaine ?

– Voyez-vous ces deux fenêtres éclairées sur votre droite ? C'est là. Et derrière l'appartement du capitaine, commencent les appartements de Sa Majesté. Vous voyez, ce ne sera pas long. Mais reculez-vous, mon gentilhomme ! Il est défendu de s'approcher de cette porte ! *(Capestang se mit à reculer machinalement vers le fond du corps de garde.)* Là ! Patience, mon gentilhomme, prenez donc garde aux camions !

– Vous dites que ce ne sera pas long ? haleta Capestang en essuyant la sueur froide qui coulait sur ses joues.

– Dix minutes pour entrer chez le capitaine, un quart d'heure pour le réveiller et lui expliquer qu'il s'agit d'un cas de vie ou de mort, dans une demi-heure au plus tard, le capitaine vous enverra quelqu'un pour vous interroger.

– Une demi-heure ! bondit Capestang.

– *Ja !* Prenez donc garde aux camions, *Der Teufel !*

– Monsieur ! rugit Capestang. Il faut que je coure chez le capitaine. Faites-moi place !

– Holà ! C'est un fou ! ou un enragé ! Vous croyez donc qu'on entre au Louvre comme dans une écurie, et en pleine nuit ! Holà ! gardes !

Capestang avait porté la main à sa rapière. Et alors, il s'était aperçu que sa rapière brisée était restée dans les souterrains de l'hôtel d'Angoulême. Et alors, il avait bondi sur le sergent, il le saisissait à la gorge, le secouait, hurlait :

– Ah ! misérable, tu te moques de moi ! Place ! Place ! ou je t'étrangle !

– Gardes ! *Der Teufel* ! Quelle poigne ! Foncez ! Sus ! Sus ! Piquez ! Oh ! les camions !

En un clin d'œil, Capestang avait été entouré par une douzaine de suisses gigantesques, furieux et dorés sur toutes les coutures. En un clin d'œil, vingt poings se levèrent sur son crâne. En une seconde, un effroyable tumulte se déchaîna, où se croisaient, en langue allemande, les jurons, les exclamations, les insultes...

– *Forwertz ! Forwertz ! Der Teufel ! Schweinpelz ! Forwertz ! Sacrament ! Ah ! Ah ! Mein Gott !*

Soudain, il y eut sur toute la ligne une reculade effarée, une débandade de stupeur, suivie de hurlements de rage que dominait la clameur de Capestang ponctuée par un formidable éclat de rire !

– Tiens, toi ! En bleu ! Et toi ! du vert ! Ah ! Ah ! misérables ! Tiens, toi, un peu de jaune ! Et toi, du rouge ! Ah ! truands ! Ah ! peste ! Ah ! corbacque ! tenez, tenez, buvez, ivrognes !

Quoi ? Que se passait-il parmi les suisses affolés ? Quelle panique ? Quelle terreur ? Les camions ! c'étaient les camions qui entraient en scène ! Il se passait que des peintres étaient en train de badigeonner à neuf l'intérieur de la voûte, et les portes, et que, le soir, ils remisaient leurs camions dans le corps de garde ! Il se passait que Capestang avait trébuché dans ces camions ! Qu'il avait baissé le nez pour voir, et qu'il avait vu des flots de peinture se répandre, et que n'ayant pas d'armes pour se défendre, une idée avait traversé sa tête, et qu'instantanément, il avait mis l'idée à exécution ! Il se passait enfin qu'il s'était baissé avec la rapidité de l'éclair, qu'il avait de chaque main, empoigné un énorme pinceau, et qu'il s'en servait à tour de bras, badigeonnant, peignant en bleu, en vert, en rouge, au hasard, tamponnant ici un nez, là une joue, aveuglant celui-ci, emplissant cette bouche qui béait, aspergeant frénétiquement les costumes, les beaux, les splendides et rutilants costumes des suisses épouvantés qui reculaient, se bousculaient, fuyaient comme une bande de rats surpris par l'inondation.

Car toute la question était là ! Sauver les costumes ! Épargner les baudriers ! Mourir, plutôt que d'admettre une tache au justaucorps ! Les suisses qui eussent regardé froidement un poignard, qui n'eussent pas reculé devant une arquebuse, fuyaient avec de terribles clameurs de rage et d'épouvante. Une tache au baudrier ! Ce n'étaient plus des taches, c'était une inondation polychrome, une débauche de coloriages, un badigeonnage enragé des visages et des costumes, le corps de garde devenait une ménagerie de papegais, et, dans cette débandade frénétique, ils virent s'élancer une ombre lancée comme par une catapulte. C'était le chevalier qui passait en brandissant ses deux vastes pinceaux ! Il passait, il atteignait la porte, il la franchissait, il s'élançait dans la cour intérieure, bondissait vers les fenêtres éclairées, poursuivi par la meute furibonde des suisses fous de rage !

– Sus ! sus ! Arrête ! arrête !

– Piquez ! Tuez ! Arrête ! Sus ! sus !

Aussitôt, dans le Louvre, de toutes parts, une rumeur éclate, s'enfle, grandit, roule comme un tonnerre. Tous les postes sautent sur leurs armes. Les officiers de service vont, viennent, courent, se heurtent, font ranger leurs hommes en bataille.

– Quoi ! – Qu'y a-t-il ! – Quelle catastrophe ?

– Le Louvre est attaqué ! – Aux armes ! Aux armes !

– Tuez ! Tuez ! – Arrête ! arrête !

En bonds effrénés, Capestang avait traversé la cour, s'était engouffré sous une voûte, se ruait dans un escalier qu'il montait par rafales de sa marche tempétueuse... Dans tout le Louvre, le désordre, la clameur au paroxysme. En haut de l'escalier, une porte s'ouvre violemment. Capestang, talonné par les suisses enragés, se rue, ses deux pinceaux aux poings.

– Place ! place ! Je veux voir le capitaine Vitry !

– C'est moi ! hurle un homme effaré, stupide d'étonnement.

– Meudon ! vocifère Capestang.

C'est le mot de passe que lui a donné le roi pour être admis à toute heure chez lui. Vitry hésite pourtant. Tout cela a duré quelques secondes. Vitry n'a pas pris une décision encore qu'il reçoit un coup dans la figure. Vitry est vert ! Pif ! Paf ! Pan ! Un coup ici ! un coup là ! L'enragé passe ! Il est passé ! Le voilà dans l'antichambre du roi ! Une porte ! Là ! Il l'ouvre !... D'une bourrade suprême il écarte deux gardes qui essaient de l'arrêter. De deux derniers coups de pinceau furieux, il badigeonne encore deux visages, et haletant, hagard, déchiré, en lambeaux, terrible et sublime, il bondit jusqu'au chevet de Louis XIII, il saisit l'amphore et la brise, il jette un coup d'œil vertigineux sur la coupe, et la voit pleine ; il la vide à toute volée sur le parquet, et alors, il tombe à la renverse sur les tapis, en souriant, et il s'évanouit... en exhalant ce mot :

– Il allait boire ! Il était temps, corbacque !

XXII

Le roi et l'aventurier

Non ! Louis XIII n'avait pas bu ! Le tumulte déchaîné dans le Louvre avait arrêté sa main qui allait saisir la coupe d'or, la coupe empoisonnée ! À cette étrange rumeur qui montait, grandissait, se déchaînait, le jeune roi avait bondi de son lit et avait sauté sur son épée. La porte de sa chambre s'ouvrit comme sous le choc d'un ouragan. Il leva l'épée, prêt à frapper. Mais dans le même instant, il la baissa : Louis XIII venait de reconnaître Capestang !

Il le vit se ruer jusqu'à la petite table ; il le vit regarder avidement l'amphore et la coupe, il le vit briser l'amphore, jeter sur le parquet le contenu de la coupe. Et Louis XIII devint livide. Louis XIII avait compris !

Dans le même moment, derrière la petite porte déguisée dans les tentures, dans les ténèbres du couloir secret, l'empoisonneuse rugissait de rage et, pantelante, de tout son être, elle écoutait. Le roi était sauvé ! Mais par qui ? Oh ! connaître cet homme, et alors, le guetter, le saisir, lui infliger en supplices corporels la même torture qu'elle éprouvait à l'esprit dans cette minute horrible ! Elle veut savoir à tout prix. Et elle ne s'en va pas ! Elle écoute !

Capestang était tombé sans connaissance, sur le tapis. La chambre s'était remplie de gardes, d'officiers, de valets, portant des flambeaux, et, dans la première seconde, tous ces gens, furieux, exaspérés, affolés, se ruèrent sur le chevalier.

– Arrêtez ! cria le roi. La mort pour qui touche à cet homme !

Tous se pétrifièrent en des attitudes immobilisées ; la rumeur s'éteignit soudainement ; un silence énorme pesa. Louis XIII jeta un regard sombre sur l'amphore brisée, puis sur la coupe, puis sur le chevalier évanoui. Puis, ce regard, il le ramena sur la foule qui avait envahi la chambre. Alors, peu à peu, soit qu'il voulût donner le change, soit que ses nerfs se fussent détendus, soit enfin que ce qu'il voyait fût plus comique encore que ce qu'il avait deviné n'était effroyable ; alors, disons-nous, un sourire entrouvrit ces lèvres qui si rarement souriaient. Une flamme de malice pétilla dans ces yeux toujours inquiets. Et enfin, chose inouïe, pour la première fois, gardes, officiers, courtisans et valets entendirent le rire du roi ! Louis XIII éclatait d'un rire inextinguible !

– Oh ! celui-ci ! avec son nez vert !... Et celui-là, rouge et bleu !... Oh ! en voilà un tout jaune !... Et celui-ci ! sa barbe violette !...

Le roi riait, se pâmait dans son fauteuil, regardait à droite, à gauche, et plus il voyait de ces étranges figures badigeonnées, plus il riait. Et derrière la petite porte, l'empoisonneuse écumait.

Alors, ce fut une autre rumeur qui éclata dans la chambre royale. Un éclat de rire fusa, monta, gronda, un homérique éclat de rire qui fit trembler les vitraux et ce fut ce rire immense qui réveilla Capestang. Il ouvrit les yeux. Il vit ces bouches fendues jusqu'aux oreilles, ces panses agitées par un rire épileptique qui était la flatterie adressée au rire du roi, il vit ces visages barbouillés, ces costumes bigarrés étrangement, il se releva, étonné d'abord, puis il dit :

– Les camions, parbleu ! Prenez garde aux camions !

– Allez, messieurs, disait le roi toujours riant. Allez vous débarbouiller !

Brusquement, le rire homérique s'arrêta : d'un geste, le roi renvoyait tout le monde. En quelques instants, la chambre fut vide. La porte se referma. Louis XIII et le chevalier de Capestang demeurèrent seuls en présence. La figure du roi était redevenue sombre. Il avait jeté sur ses épaules un long manteau par-dessus son costume de nuit et se promenait à pas lents. Immobile et raide, Capestang attendait.

– Chevalier de Capestang, asseyez-vous, là, dans ce fauteuil, dit tout à coup Louis XIII.

– Chevalier de Capestang ! Bon ! murmura l'empoisonneuse.

– Sire, fit l'aventurier, si peu au fait que je sois des usages de la cour, j'ai toujours entendu dire par mon père qui a servi le roi votre père qu'un bon sujet ne s'assied pas en présence de la majesté royale.

– Asseyez-vous, répéta doucement le roi.

Capestang s'inclina et obéit. Il prit place dans le fauteuil que Louis lui désignait. Et il poussa un soupir. Vraiment, il avait besoin d'un peu de repos. Le roi, tout à coup, se baissa et ramassa un énorme pinceau... puis un autre.

– Qu'est-ce cela ? fit-il.

– Mes armes ! sire ! dit Capestang.

Le roi, de nouveau, éclata de rire, s'assit devant le chevalier, jeta dans un coin les deux pinceaux et, se penchant vers l'aventurier :

– Expliquez-moi... Oh ! ce doit être amusant comme un conte de fées !

Capestang commença le récit de l'épique bagarre où les camions de peinture avaient joué un rôle si prépondérant. Il dit sa course affolée, son arrivée dans le corps de garde, sa terrible impatience, et sa résolution de parvenir tout de suite auprès du roi, et ce qui s'en était suivi. Étonné de tant d'audace déployée, de tant d'ingénue fierté dans ce récit tracé à grands traits, le roi, sous le charme, admirait ce fin visage étincelant, ces gestes d'héroïque emphase, il écoutait cet homme qui avait tenu tête à tout le Louvre. Et quand ce fut fini, il écoutait encore. Longtemps, Louis XIII demeura silencieux, pensif. Puis un frisson le secoua, et il aborda la question redoutable :

– Pourquoi cette impatience d'arriver près de moi ?

– Parce qu'il fallait arriver à temps pour briser ce flacon, sire ! Pour crier à Votre Majesté : « Sire, ne buvez rien, cette nuit, ne mangez rien ! »

Il y eut un nouveau silence, terrible cette fois. Sur le front du jeune roi passaient les reflets des pensées d'épouvante et d'horreur, il se pencha vers le chevalier, et, d'une voix sourde, basse, qu'il semblait redouter d'entendre lui-même, après une hésitation, brusquement :

– Je devais donc être empoisonné cette nuit ?

– Oui, sire ! répondit nettement le chevalier.

Les yeux de Louis se dilatèrent. Les ailes du nez se pincèrent. Ses joues prirent la couleur du lis. Il serra son front dans une de ses mains, et murmura :

– Je succomberai ! D'abord on a essayé de me tuer en affolant le cheval que je montais. Cette nuit, on essaie de me tuer par le poison. Demain, on tentera autre chose. Le crime rôde autour de moi. Il y a longtemps que je l'ai deviné. On veut ma mort, chevalier ! Je suis condamné... je succomberai !

Le chevalier eut un regard de pitié pour ainsi dire fraternelle pour l'adolescent qui se penchait ainsi sur l'abîme, sachant que l'abîme, tôt ou tard, l'attirerait, le dévorerait.

– Non, sire, vous ne succomberez pas, dit-il avec fermeté. Défendez-vous ! Attaquez au besoin ! Les empoisonneurs, ceux qui dans les ténèbres méditent le crime, sont toujours lâches. Ils ont peur. Ils tremblent. Sire, ouvrez les yeux, regardez autour de vous, et quand vous aurez reconnu où est le danger, attaquez hardiment. Je vous jure, moi, que ce n'est pas vous qui succomberez !

Le roi se leva, fit quelque pas en songeant, puis revint s'asseoir devant Capestang.

– Comment avez-vous su ? demanda-t-il. Comment avez-vous appris ?

– Un mot que j'ai entendu par hasard, sire. Qui a prononcé ce mot ? je l'ignore. En pleine nuit, il m'a été impossible de rien distinguer de ceux qui parlaient. Mais ce qu'ils disaient était terriblement précis. Il n'y avait pas de doute, pas d'espoir : c'était bien du roi qu'on parlait ! C'était bien le roi qui, cette nuit, devait être empoisonné. Alors, sire, je suis accouru... voilà tout.

– Voilà tout ! répéta Louis XIII en considérant le chevalier avec une naïve admiration.

Capestang, de son côté, regardait le roi avec cette chaude et rayonnante sympathie qui était à l'hommage des courtisans ce que les soleils de messidor sont à une veilleuse de sépulcre. Le roi et l'aventurier se sourirent.

Et, dans cette minute où leurs âmes vibraient à l'unisson, Louis XIII oublia ce qu'on lui avait enseigné de la majesté royale ; et Capestang comprit que ce qu'il entreprenait de sauver, ce qui lui inspirait une affection de grand frère, ce n'était pas *le roi*... c'était l'adolescent si pâle, si triste, si seul contre tant d'ennemis. Une seconde, ils furent égaux.

Le jeune roi était sous le charme de cette aventure, lui qui rêvait d'épisodes chevaleresques, lui qui lisait avec passion les vieux récits épiques des trouvères. Il jeta un coup d'œil malicieux sur les fameux pinceaux dont bien longtemps on devait parler sous les lambris du Louvre. Et, se renversant dans son fauteuil, il se remit à rire aux éclats.

– Corbacque ! songea le chevalier. Il pense aux camions et oublie le poison. Allons, il est brave.

– Ces figures barbouillées, ces baudriers badigeonnés, et jusqu'à Vitry qui n'y comprenait rien ! Oh ! la belle entrée que vous avez dû faire dans mon Louvre ! Cette irruption à coups de pinceau ! Je donnerais cent pistoles pour avoir vu cela !

– Vrai, sire ? Bon, vous en verrez bien d'autres !

Capestang appuya cette fanfaronnade par une attitude matamore. Ses yeux étincelèrent. Il fit le geste de porter la main à sa rapière.

– Sang-Dieu ! qu'ils y viennent ! Je les écrase comme ceci, je les pile comme ces débris de verre !

Il écrasa du talon l'amphore qui avait contenu le poison et cria :

– Capestang à la rescousse !

– Oui, oui, haleta Louis, qui se leva à son tour, tout pâle. À la rescousse !

Un nuage d'amertume, tout à coup, voila le front du roi. Une lassitude soudaine brisa cet enthousiasme. Louis retomba dans son fauteuil en murmurant :

– À quoi bon ? Ils ont tué mon père ; ils me tueront !

De l'autre côté de la petite porte secrète, à ce moment l'empoisonneuse se redressa, se recula, silencieuse, invisible, ombre qui s'incorporait aux ténèbres. Elle en avait assez entendu. Elle en savait assez. Léonora Galigaï, lentement, regagnait son appartement. Elle songeait :

– Capestang ? Qu'est-ce que Capestang ? Voici la deuxième fois que cet homme se met en travers de ma route. Qui est-il ? Concino le hait. Moi, je ne le hais pas, mais je le tuerai.

Dans la chambre royale, Louis était retombé dans son fauteuil ; le doute lui brisait les ailes ; il n'avait pas peur ; seulement, la sombre résignation de ceux qui se savent condamnés venait de s'appesantir sur ce cerveau timide.

– Ils me tueront comme ils ont tué mon père.

– Allons donc, sire ! Avant de vous atteindre, leur bras se

desséchera. Défendez-vous, sire !

– Me défendre ? Oui, certes. Dès demain, j'ordonne une enquête.

– L'enquête, sire ? Faites-la vous-même. Que nul ne sache ! Que vos ennemis ne se doutent pas que vous avez revêtu la cuirasse et que vous vous armez en guerre ! Écoutez, regardez, veillez, fouillez les yeux et l'âme de qui vous approche ! Et quand vous saurez, frappez comme frappe la foudre, sans prévenir ! D'ici là, gardez-vous !

Louis, de nouveau, sentait son cœur battre, et l'ange des batailles le touchait de son aile.

– Pourtant, reprit-il, hésitant encore, si, je devine autour de moi quelque danger terrible.

– Alors, appelez-moi, sire ! Par les plaies, par l'épine, par les clous de la Croix, je jure que, moi vivant et présent, le roi de France est invulnérable !

Le mot était ridicule ou sublime ; il était d'une basse vantardise ou d'une hautaine conscience de force. Il électrisa le roi qui, deux heures avant ou deux heures plus tard, en eût souri. Louis, deux fois sauvé par Capestang, Louis qui venait d'échapper à la mort, Louis qui avait assisté à l'épique aventure de cet homme bousculant tout le Louvre pour arriver jusqu'à lui. Louis leva les yeux sur l'aventurier, il le vit étincelant d'audace, pétillant de malice, superbe de geste et d'attitude. Il frémit, et sa voix toujours si nonchalante vibra comme tout à l'heure quand il avait crié : « À la rescousse ! »

– Eh bien, oui ! J'ai foi en vous ! Oui, vous me sauverez, vous ! Dès cet instant, je veux vous confier les secrets d'État qui font ma tête si lourde et mon cœur si tremblant, je veux vous désigner les ennemis qui, de tous les horizons de la conspiration, rampent vers mon trône.

– Sire, sire, je ne vous demande pas de secrets !

– Taisez-vous, monsieur ! Il faut que vous sachiez. Car, à partir de cette minute, chevalier, vous ne me quittez plus. Je vous nomme... voyons... que pourrais-je bien vous nommer ? À l'homme spécial que vous êtes, il faut un emploi spécial, et un titre spécial. Je veux que l'emploi vous fasse honneur, vous qui allez être mon commensal, le compagnon de mes travaux et de mes plaisirs. M. Concini n'est que maréchal. M. de Luçon n'est que ministre. Luynes n'est que maître de ma volerie. Je veux que votre titre, à vous, fasse pâlir tous ces titres... car vous serez plus que maréchal et ministre... vous serez l'ami du roi !

– Sire ! Sire ! ! Sire ! ! !

Capestang baissa la tête, écrasé par cette fortune. Elle était inouïe, fabuleuse, impossible et pourtant réelle. Éperdu, la tête au ciel, Capestang balbutiait ; sa pensée titubait ; il était ivre de sa fortune comme il l'avait été de sa première bouteille de vieux vin volée dans les caves paternelles et bue d'un trait, en cachette. Voici qu'il était devant le roi ! Non en quémandeur, mais en sauveur ! Lui qu'on pouvait prendre pour un capitan de comédie parce qu'il ne savait museler ni son geste ni sa parole. Ce fut une vertigineuse minute d'enivrement. La Fortune ! La Fortune !... Ah ! oui, c'était la Fortune qui venait de le prendre par la main.

Et Louis XIII continuait :

– Votre titre, je le chercherai, je le trouverai. Je le veux éclatant car l'emploi que je vous destine sera terrible. Dès cet instant, chevalier vous entrez dans la fournaise d'une lutte à mort. Vous allez être une poitrine désignée aux poignards, une cible vivante pour les pistolets et les arquebuses.

– Bataille, donc ! bataille ! rugit Capestang d'une voix qui fit trembler les vitraux.

– Oui ! la bataille ! Par les armes, par les ruses, par l'estocade et l'embuscade, sous le soleil et dans les ténèbres, chaque jour, chaque nuit, à toute heure. Oui, ce sera terrible, car je vous lance sur des ennemis qu'avec mes gentilshommes, mes maréchaux, mes suisses, mes Corses, j'ai peur d'attaquer, moi ! Et, pour commencer par le plus redoutable, écoutez, écoutez, acheva le roi avec une fiévreuse exaltation, écoutez, voici l'ordre !

– J'écoute ! gronda Capestang d'un si formidable accent que le roi électrisé frappa violemment ses mains l'une contre l'autre. Donnez l'ordre, sire !

– L'ordre, chevalier... *mon chevalier !* Oh ! mais le voici, votre titre : CHEVALIER DU ROI ! Je restaure pour vous, pour vous seul, ce titre que Charlemagne et les rois féodaux donnaient aux plus fidèles, aux plus vaillants ! Défenseur de la personne du roi, rempart de la majesté royale, je vous nomme *chevalier du roi !*

– L'ordre, sire, l'ordre ! L'ordre de bataille, mon roi !

– L'ordre, mon chevalier ! Voici le premier, le plus terrible de tous, Chevalier, le duc de Guise est mon ennemi, et je ne le compte pas. Le prince de Condé est mon ennemi, et je le dédaigne. Rohan, Épernon, Montmorency, Bouillon, Cinq-Mars, Vendôme, cent autres puissants seigneurs sont mes ennemis, et je ne les compte pas. Dans mon Louvre même, près de moi, M. d'Ancre est peut-être mon ennemi, on me le dit du moins ; mais je méprise Concini. Je crois, oui, que ma mère elle-même est mon ennemie... et je ne la redoute pas ! Tout cela n'est rien. Chevalier, c'est au plus épais de la mêlée que je vous lance ; c'est tout de suite, du premier coup, sur l'homme qui a pu un moment faire trembler Henri IV, l'homme qui compte ! Car il est de sang royal ! Car il représente la race que ma race a détrônée ! Prenez garde ! Celui-là c'est un fils de roi qui veut être roi ! Il est la tête de cette armée de conspirateurs dont Guise et Condé, Vendôme et Cinq-Mars, Rohan et Montmorency ne sont que de simples lieutenants ! il y a autour de lui dix mille gentilshommes prêts à le porter sur le pavois. Lui à terre, tout s'écroule, et je règne ! *Chevalier du roi,* voici l'ordre, le premier ordre : cet homme, cherchez-le, trouvez-le, et, quand vous l'aurez trouvé, provoquez-le ! Et quand vous le tiendrez au bout de votre épée...

Capestang, livide, les yeux agrandis par une sorte d'horreur, laissa échapper un râle que Louis XIII prit pour une interrogation.

– Eh bien ! acheva le roi d'une voix sourde, quand vous le tiendrez au bout de votre épée... tuez-le !

– Son nom ! râla Capestang, frappé de vertige – et ce nom, déjà, retentissait en lui depuis une minute.

– Charles, bâtard de Valois, comte d'Auvergne, duc d'Angoulême ! répondit Louis XIII.

– Le père de Giselle ! bégaya au fond de sa pensée Capestang, qui étouffa une imprécation de désespoir.

Il y eut comme un fracas dans l'âme du chevalier : le bruit effrayant de toute sa jeune fortune qui se disloquait et tombait en ruines.

Pendant une inappréciable seconde, Capestang essaya de lutter. Que lui demandait-on ? de provoquer et de tuer en combat loyal l'ennemi acharné du roi. Cet homme qu'il s'agissait de tuer l'avait insulté, avait voulu le tuer, lui, Capestang. Ce roi qui lui demandait de marcher au combat lui offrait cette fortune qu'il était venu chercher à Paris, mais plus radieuse mille fois que toutes des fortunes entrevues dans ses rêves les plus exorbitants.

– Rien de plus ! se hurla Capestang. Il n'y a que cela !

Il y avait autre chose ! Il y avait que l'homme à tuer était le père de Giselle ! Il y avait que dans les couches profondes de sa pensée, l'espoir vivait et chantait ! Il y avait que, conscient ou non, il adorait Giselle d'un frénétique amour ! Il y avait que le meurtre d'Angoulême par Capestang, c'était l'abîme ouvert entre Capestang et Giselle ! Il y avait que fortune, gloire, honneurs, fabuleuse richesse, tout au monde, il eût tout donné pour se rapprocher d'elle !

C'est pourquoi, sans savoir ce qu'il faisait, d'un geste impulsif, d'un geste qu'il maudissait, Capestang, raide, livide, furieux, frissonnant de rage, Capestang secoua la tête, farouchement, d'un NON irrévocable.

Louis XIII, avec stupeur, vit ce signe désespéré. Bien qu'il n'eût que quinze ans, bien que les enthousiasmes de l'adolescence grondassent encore au fond de lui-même comme un volcan qui bientôt va s'éteindre, déjà il portait dans l'esprit cet ulcère qui dévora sa vie : le soupçon !

– Vous refusez ? demanda-t-il d'une voix altérée. Prenez garde, chevalier, *mon chevalier !* Voyez ce que je vous offre. Voyez ce que vous rejetez. Vous ne m'avez donc pas compris ? Vous ne savez donc pas ce que c'est d'être le premier après le roi, à la cour de France ? Je me défie de tous ici, même d'Ornano, vieux soldat loyal et brave, mais qui manque d'esprit... même de Luynes qui, lui, en a peut-être trop. Vous chevalier, vous m'êtes apparu comme l'intelligence et la force incarnées dans un dévouement. Vous m'inspirez la confiance sans bornes.

Le roi marcha à l'aventurier, posa doucement sa main sur son bras, et dit :

– Vous m'avez demandé l'ordre. Le voici. Délivrez-moi d'Angoulême. Vous secouez la tête, encore ? Prenez garde ! Les signes sont vains. Il faut ici des paroles. Parlez. Acceptez-vous ? Refusez-vous ?

L'aventurier, d'une voix pareille à une malédiction, répondit :

– Je refuse...

Le roi, comme tout à l'heure, frappa ses mains l'une contre l'autre, mais cette fois dans un mouvement de colère.

– Sire, dit Capestang, demandez-moi de marcher contre M. de Guise, ou M. de Condé, ou tel autre gentilhomme, ou contre tous ensemble. Tenez, sire ! Contre tous, oui, contre tous ! *(Il se redressa, la lèvre frémissante, l'œil étincelant.)* J'attaque. Tout de suite. Comment ferai-je ? J'ignore ! Je ne sais. Mais j'attaque, sire ! Je fonce tête baissée ! L'un après l'autre ou tous ensemble !

– Un seul ! gronda le roi. Délivrez-moi d'Angoulême !

– Sire ! Sire ! cria l'aventurier d'une voix déchirante, celui-là, je ne peux pas ! Malheur, malheur sur moi ! Celui-là m'est inviolable ! Mais les autres, sire ! Aussi forts, aussi puissants, aussi redoutables, je vous jure ! Un mot de Votre Majesté, je fonce !

– Un seul ! répéta le roi d'un sombre accent de menace. Donnez-moi Angoulême !

– On en parlera ! rugit Capestang, qui n'avait peut-être pas entendu, qui s'enfiévrait, s'exaltait, s'emportait à l'évocation de la furieuse lutte. Ma rapière ! Mon bon cheval ! À nous trois, moi, mon destrier, mon épée, oui, à nous trois, nous les provoquons, nous...

L'aventurier compléta son rêve délirant par un geste de délire. Tout droit, le bras tendu, le poing crispé, le visage convulsé, flamboyant, il fut une seconde l'épique statue de la Provocation, l'héroïque figure de la Bataille. À ce moment, le roi, lui aussi, allongea le bras ; du bout du doigt il toucha la statue à la poitrine, et, avec un sourire terrible de dédain, il prononça :

– Capitan !

L'aventurier chancela. Le mot l'atteignait comme un coup de masse à la tempe.

Il eut la foudroyante intuition que tout son courage indomptable, son audace furieuse, et sa glorieuse certitude de vaincre ou de mourir n'aboutissaient qu'à une attitude de matamore, à un geste de fier-à-bras, *puisqu'il refusait de marcher contre le seul homme qu'on lui donnât à combattre !*

Donner des explications ? Avouer son amour ? La fierté se

révolta. Il se redressa davantage. Son regard terrible d'insolence pesa pour ainsi dire sur le roi des pieds à la tête. Il gronda :

– Vous m'appelez Capitan parce que vous me devez deux fois la vie. Comment m'appellerez-vous quand vous me la devrez une troisième ?

Et, sans attendre de réponse, il sortit de la chambre royale, traversa d'un pas nerveux les antichambres remplies de gardes et de gentilshommes qui attendaient avec une anxieuse curiosité la fin de cette étrange audience accordée en pleine nuit à un inconnu, franchit sans être inquiété le guichet du Louvre et, tout furieux, tout joyeux, se maudissant, s'applaudissant, désespéré d'avoir manqué la fortune, radieux de se dire qu'au moins il n'y avait pas de sang entre lui et Giselle, il se dirigea à grandes enjambées vers l'auberge du *Grand Henri.*

XXIII

Cogolin

En arrivant au logis, le premier soin de Capestang fut de courir aux écuries pour voir si son cheval Fend-l'Air avait été ramené par Cogolin. Non seulement il ne vit pas Fend-l'Air, mais il eut beau appeler Cogolin par des cris et des vociférations qui réveillèrent toute la maisonnée, Cogolin ne répondit pas. Le chevalier se jeta tout habillé sur son lit, persuadé qu'il ne pourrait fermer l'œil, et décidé à attendre la rentrée de son digne écuyer, d'abord pour lui tirer les oreilles et ensuite dans l'intention de faire au loin quelque rude chevauchée destinée à calmer ses nerfs.

Mais Capestang avait compté sans sa robuste jeunesse ; il était étendu depuis cinq minutes qu'il sentit alors la réaction de la fatigue corporelle et cérébrale ; et il s'endormit d'un lourd sommeil peuplé de rêves étranges, puis ces visions elles-mêmes s'effacèrent. Il était plus de midi, lorsque le chevalier se réveilla de cette pesante torpeur ; il vit avec étonnement qu'il faisait grand jour dans sa chambre.

– Oh ! fit Capestang. Quelle heure peut-il bien être ?

– L'heure de dîner, monsieur, j'en jure par les dires de mon véridique estomac. Vous n'avez pas idée comme mon estomac connaît les heures ; c'est une horloge que j'ose qualifier impitoyable, surtout les jours où...

– Cogolin ! fit Capestang à demi joyeux, à demi furieux, en reconnaissant son valet.

– Non, monsieur, Laguigne, aujourd'hui. Laguigne ! Nom détestable que je reprends bien malgré moi et qui, cependant, est justifié par...

– Te tairas-tu, misérable drôle ! interrompit Capestang qui s'assit sur le bord de son lit.

– Je me tais.

– Parle ! Où as-tu passé la nuit ? Comment n'ai-je plus trouvé mon cheval au moment où j'en avais le plus grand besoin ? Explique-toi, ou je t'arrache les cheveux !

– C'est impossible, monsieur, dit majestueusement Cogolin.

– Hein ? Et pourquoi, corbacque ?

– Parce que je suis chauve. Regardez.

Cogolin, exécutant lui-même la menace de son maître, saisit à pleines mains la toison qui ornait son crâne et tira dessus : la toison lui resta dans les mains et le crâne apparut luisant, poli, dépourvu du moindre cheveu. Capestang demeura effaré devant ce crâne. Et Cogolin, replaçant sa perruque sur sa tête, dit simplement :

– Le ciel m'est témoin, monsieur, que jamais je ne vous eusse révélé ma lamentable calvitie ; c'est vous qui m'y avez forcé. Maintenant, pour comble, vous allez peut-être me renvoyer ? Vous ne voudrez peut-être pas d'un serviteur sans cheveux ?

– Non, rassure-toi, mon pauvre Cogolin, fit le chevalier, moitié riant, moitié ému par le ton avec lequel son valet avait prononcé ces derniers mots. Mais, dis-moi, que t'est-il arrivé ?

– Tiens ! s'écria Cogolin, une idée !

– Il t'est arrivé une idée cette nuit ?

– Si fait ; c'est-à-dire non. C'est à propos de ma calvitie. Enfin, je m'entends. Quant à ce que vous me faites l'honneur de me demander, voici l'exacte vérité.

– Un instant, mon cher Cogolin, interrompit Capestang de sa voix la plus flatteuse. Ne disais-tu pas tout à l'heure qu'il était... voyons, répète-moi ce que te disait ton estomac et ce que le mien me crie impérieusement.

– Ah ! ah ! Eh bien ! monsieur, je disais qu'il était l'heure de dîner.

– Eh bien ! dînons donc, mon cher Cogolin.

– Laguigne, monsieur ! Mais soit : dînons !

Et Cogolin, sans bouger de sa place, se mit à se tourner les pouces, les deux mains croisées sur son ventre.

– N'est-ce que cela qui te retient ? fit Capestang avec un commencement d'inquiétude. Peu de chose me suffira pour ce matin. Tu demanderas à maître Lureau une simple omelette aux lardillons.

– Une omelette. *Bene !* fit Cogolin d'un ton de maître d'hôtel.

– Il va sans dire, continua Capestang en reprenant courage, que tu joindras à l'omelette un de ces pâtés de mauviettes ou d'ortolans, dont maître Lureau détient le secret.

– D'alouettes, monsieur ! rectifia Cogolin.

– C'est cela. Sans compter, je pense, quelque friture de Seine et, au fait, comme les goujons me donnent toujours un appétit d'enfer, il ne sera pas mauvais que tu joignes à ces hors-d'œuvre quelque plat de résistance, comme pourrait l'être un bon perdreau étouffé dans son jus à la casserole, plus quelque légère tranche de venaison, daim ou chevreuil à ton choix. Je m'en rapporte à ton goût pour les desserts, car tu auras ta part du tout, heureux faquin.

– *Optime !* dit Cogolin. Friture, omelette, pâté, perdreau, venaison. *Optime,* dis-je. L'argent, monsieur ?

– Qu'est-ce à dire, drôle !

– C'est-à-dire que maître Lureau, en me présentant sa note qui monte à six pistoles, quatre livres, huit sous, m'a prévenu qu'il ne donnerait plus un croûton de pain, plus une goutte d'eau avant d'avoir été payé.

– Eh bien, paye, animal ! Tu tiens ma bourse : paye, et finis-en avec ce traître d'hôte à qui, à mon tour, je ferai payer cher son impertinence. Paye, puisque tu tiens la bourse.

– La bourse, monsieur ! La bourse ! s'écria lamentablement Cogolin.

– Oui, la bourse aux neuf muses, avec leurs petits.

– Eh bien, je l'avais, monsieur, mais je ne l'ai plus ! Parties les muses ! Envolés, les petits !

Capestang demeura atterré devant ce fait brutal. Venu à Paris presque sans argent, il avait alors au moins l'espoir devant lui. Maintenant qu'en fait de fortune il n'avait réussi qu'à se créer d'implacables ennemis, la perte de sa pauvre bourse lui apparaissait comme la catastrophe suprême. Où aller ? À qui s'adresser dans ce Paris où il ne connaissait que des gens décidés à le tuer !

– Alors, murmura-t-il avec une grimace, j'étais déjà menacé d'être poignardé, embroché, éventré par une foule d'enragés qu'il est inutile d'essayer de compter, je n'y arriverais pas. Il me manquait d'être menacé de mourir de faim. Voilà la fortune, voilà la chance !

– Laguigne, monsieur, Laguigne, dit énergiquement Cogolin.

Une révolte mit Capestang debout et lui fit arpenter à pas furieux sa chambre devenue trop étroite pour cet accès de rage contre la destinée. Pendant une demi-heure, tous les corbacque, les mort-du-diable, les ventrebleu, les corbleu, rugirent, tempêtèrent, hurlèrent. Capestang menaça la terre et le ciel, jura de pourfendre Cinq-Mars, d'estocader Concini et Rinaldo, de faire une capilotade de Guise, de Condé, de Richelieu et, finalement, d'une voix de tonnerre, appela Cogolin qu'il ne voyait plus. Cogolin s'était fourré sous la table. À l'appel de son maître, il reparut en tremblant.

– Vous avez dîné, monsieur ? demanda-t-il.

– C'est pardieu vrai ! L'injustice du sort m'a coupé l'appétit. Je n'ai plus faim.

– Eh bien ! monsieur, si vous voulez, pour votre dessert, je vous raconterai comment j'ai failli perdre la vie.

– Raconte ! dit Capestang qui se jeta sur son lit et serra d'un cran la boucle de sa ceinture.

– Monsieur le chevalier, dit Cogolin en retirant sa perruque comme on retire son chapeau pour saluer, n'a pas été sans remarquer que la rue Dauphine n'est encore qu'une route encombrée de palissades, d'échafauds, et de matériaux de construction ; c'est à peine si l'on pourrait compter cinq ou six maisons achevées dans cette rue. Or, l'une de ces maisons achevées et habitées se trouve juste en face de l'hôtel où vous pénétrâtes hier. Au-dessus de cette maison en remontant la rue, on ne trouve que belles palissades de sapin. Lorsque vous fûtes entré, donc, me laissant votre cheval à garder, je commençai par contourner l'une de ces palissades, j'entrai dans un terrain en friche, et j'attachai à un madrier les deux bêtes. Là, monsieur, vous eussiez pu trouver votre Fend-l'Air, si vous l'aviez cherché en sortant.

– La bourse, parle-moi de la bourse perdue ! grogna Capestang.

– J'y arrive, monsieur. Je n'y arriverai que trop tôt. Ayant attaché les bêtes, je me rapprochai de la maison dont je viens de vous parler. Je m'étais accroupi dans un renfoncement, derrière un tas de poutres et de moellons, et je commençais à m'assoupir lorsque je fus réveillé par le bruit d'une porte qui s'ouvrait. Je risquai le plus clairvoyant de mes deux yeux vers cette porte qui était celle de la maison située en face de l'hôte d'Angoulême, et j'en vis sortir deux hommes, dont l'un alluma une petite lanterne. Tous deux se mirent à considérer l'hôtel...

Capestang se remit debout et commença à oublier la bourse.

– Je n'étais séparé des deux escogriffes que par l'épaisseur des madriers. Je les voyais et les entendais distinctement. L'homme à la lanterne demanda : « Ainsi, ils sont venus ?... » L'homme sans lanterne répondit : « Ils y sont. Je les ai vus de ma fenêtre. Allez dire à monseigneur que, s'il veut, le coup de filet sera de bon rapport. – Peste ! reprit l'homme à la lanterne, M. de Richelieu... »

– Richelieu ! interrompit sourdement Capestang.

– Oui, monsieur. « M. de Richelieu, donc, choisit son heure. Vous êtes ici en surveillance, maître Laffemas. Surveillez donc. » Là-dessus, l'homme à la petite lanterne s'éloigna. Mais brusquement, il revint sur ses pas et ajouta : « Savez-vous ce que je ferais à votre place ? – Dites. – Eh bien ! mon cher monsieur Laffemas, à votre place, j'essaierais d'entrer là-dedans. Ce serait un coup de maître. » Et, cette fois, l'homme s'éloigna pour ne plus revenir.

– Et que fit Laffemas ? interrogea le chevalier haletant.

– Sans doute, il jugea que le conseil était bon : il entra.

– Dans l'hôtel ?

– Oui, monsieur. Seulement, ce ne fut point par la porte. Le drôle traîna une forte planche jusque sur le quai. Là, il y a le mur qui enclôt les jardins. Il dressa la planche contre le mur et se mit à grimper. Ma foi, monsieur, je grimpai derrière lui et arrivai juste à point pour voir une ombre s'enfoncer dans une petite porte qui ouvre sur le pavillon d'arrière. Je sautai dans le jardin, j'allai à la petite porte, je trouvai un escalier que je montai à tout hasard, mais plus de Laffemas ! Je me mis à errer dans l'obscurité, pestant contre l'idée qui m'était venue. Tout à coup, j'entends des vociférations lointaines, comme venues des entrailles de la terre.

– Je sais ce que c'était. Passe, dit Capestang.

– Le bruit s'apaise soudain. Je m'étais tapi dans une encoignure de corridor. Au bout d'une heure environ, n'entendant plus rien, j'allais sortir de mon trou, lorsque je vois le corridor s'éclairer. Je me rejette dans mon réduit, c'est-à-dire au fond de ce cul-de-sac qu'était ce corridor. Et alors, j'entends des pas qui montent un escalier. Puis apparaît un vieux serviteur tout de noir vêtu, portant un flambeau à trois cires. Puis un homme, un seigneur de haute mine, donnant la main à une demoiselle d'une éclatante beauté, mais triste, pâle comme une morte.

– Giselle ! Giselle ! cria le chevalier en lui-même.

– Tous ces gens, monsieur, passèrent comme des ombres au bout de mon corridor, c'est-à-dire dans un long couloir qui faisait croix avec le mien. Eux passés, je m'avance, je laisse juste passer mon œil droit au détour du mur, et je les vois qui entrent dans une pièce tout au fond. J'allais me retirer assez mécontent de mon expédition, lorsque j'aperçus... quoi ? Notre Laffemas qui, à dix pas de moi, dans le long couloir, sortait d'une encoignure pareille à la mienne et se dirigeait vers la pièce où étaient entrés le seigneur et la demoiselle. Notre homme s'est mis à écouter, l'oreille collée à la porte. Moi, monsieur, je n'entendais rien. J'enrageais. Mais j'étais décidé à suivre jusqu'au bout le Laffemas, pour l'étrangler un peu. Tout à coup, donc, je le vois qui recule vivement. Il descend un escalier. Je descends derrière lui. Il franchit le mur à l'endroit où il avait posé sa planche. Je franchis. Et je le vois posté à l'angle du quai et de la rue Dauphine. J'allais sauter sur lui. À ce moment, j'entendis le bruit sourd d'un carrosse qui se mettait en marche, partant, me sembla-t-il, de la porte de l'hôtel...

– Ah ! fit vivement Capestang. Et où a été ce carrosse ?

– C'est justement ce que j'ai voulu savoir, monsieur. Je me suis dit que la chose vous intéressait sûrement. Il paraît qu'elle intéressait également le Laffemas. Car il s'est mis à courir derrière le carrosse, et moi, derrière lui à distance. La voiture franchit le Pont-Neuf, tourne à droite et entre enfin dans la rue des Barrés, non loin de Saint-Paul. Je vois Laffemas s'arrêter à l'angle de la rue en même temps que j'entends le carrosse s'arrêter aussi. Puis, presque aussitôt, la voiture repart et Laffemas, alors, s'avance dans la rue. Je me rapproche de lui. Et j'arrive sur notre homme au moment où il murmurait : « C'est là. Bon ! – Monsieur, lui dis-je en l'abordant, deux mots. – Holà ! cria-t-il, je vous préviens que je n'ai pas un denier sur moi. – Monsieur, je ne suis pas un tire-laine, et n'en veux pas à votre bourse. – À quoi en avez-vous donc ? – À vous.

Monsieur l'espion, monsieur l'écouteur, monsieur le suiveur, si vous savez une prière, dites-la, car je veux vous rompre les os, je veux... » Monsieur, je n'eus pas le temps d'achever, continua Cogolin. Le Laffemas fit un bond terrible en arrière et se mit à fuir. Je m'élançai. Ou plutôt, je voulus m'élancer. À ce moment, monsieur, il me sembla que le ciel s'écroulait sur ma tête et que la terre s'effondrait sous mes pas : je venais de recevoir sur le crâne un coup de je ne sais quoi qui m'étendit tout raide. Je n'eus que le temps de voir deux sacripants empressés à me fouiller, et je m'évanouis... Quand je revins à moi, il faisait presque jour, et je n'avais plus de bourse !

Capestang n'écoutait plus. Il se promenait avec agitation, se demandant ce que signifiait ce carrosse qui, parti de l'hôtel d'Angoulême, s'était rendu rue des Barrés.

– Alors, acheva Cogolin, je me mis en route vers la rue Dauphine, et, derrière ma palissade, je retrouvai Fend-l'Air et son compagnon, qui n'y comprenaient rien. Et je rentrai au logis, mourant de faim, monsieur. Mais voyant monsieur le chevalier si parfaitement heureux aux bras de Morphée, comme disait mon maître le régent, j'eus la patience d'attendre le réveil de monsieur, dans l'espoir que monsieur donnerait à manger à son fidèle écuyer.

– La rue des Barrés, murmurait Capestang, qu'est-ce qu'il peut y avoir rue des Barrés ?

– La rue des Barrés ? fit Cogolin d'un ton dédaigneux. Une triste rue où on ne voit pour tout potage qu'un maigre cabaret à l'enseigne du *Moine Barré*, plus une rôtisserie étique à l'enseigne de la *Sarcelle d'Or*. Tout dans cette rue est paisible, tout y sent son frocard, et, en effet, elle fut jadis régentée par le couvent des moines barrés. Maisons muettes, fenêtres aveugles... triste rue !

Une chose que Cogolin ignorait, c'est que Charles IX, roi de France, venait souvent dans cette rue, où il avait acheté une fort belle maison bourgeoise pour la douce et bonne Marie Touchet. C'est dans cette maison (où nous eûmes occasion de conduire ceux de nos lecteurs qui ont bien voulu s'intéresser à notre précédent ouvrage *Les Pardaillan* paru dans la collection du *Livre populaire*) qu'était né celui qui s'appelait maintenant comte d'Auvergne, duc d'Angoulême. La maison était dans l'apanage du duc conspirateur.

– Monsieur, reprit Cogolin, si vous voulez, je vous conduirai à l'endroit exact où s'est arrêté Laffemas en disant : « C'est là, bon ! »

Mais je vous ferai remarquer que si vous avez dîné de colère, je n'ai rien mangé, moi, et je meurs de faim. Mort pour mort, je regrette de ne pas avoir été tout à fait assommé par mes deux tire-laine, corbacque !

– C'est bien, dit Capestang. Je sors chercher de l'or. Mais retiens bien ceci, maître Cogolin : si jamais je te surprends encore à te servir du même juron que moi, je t'enlève ta perruque et te force à te montrer à toute l'auberge avec ton crâne d'ivoire.

Là-dessus, Capestang s'élança au-dehors sans écouter Cogolin qui lui disait :

– Qu'à cela ne tienne, monsieur ! Je n'en veux plus de ma perruque ! Je veux que tout le monde sache que le chevalier de Trémazenc de Capestang est servi par un valet sans cheveux !

Et il fit comme il disait. Il arracha sa perruque, la jeta dans un coin et se dirigea vers la salle commune du *Grand Henri* avec cet air d'intrépidité victorieuse qu'il avait vu prendre à son maître.

Capestang, décidé à trouver de l'argent, descendit dans Paris, passa la Seine et parvint jusqu'à la grande halle. Les rues avoisinantes n'étaient guère que des succursales du vaste marché. Ce fut dans la rue de la Ferronnerie que le hasard poussa le chevalier. Brusquement il entra dans une boutique de ferraille et, déchaussant ses éperons, les plaça sur la table. Ces éperons étaient d'argent massif : c'était le dernier des souvenirs qu'il eût emportés de Capestang. Puis il choisit une paire d'éperons d'acier et les chaussa incontinent. Déjà, le marchand, habitué à toutes les pratiques, pesait sans s'étonner, les éperons d'argent.

– Voilà, mon gentilhomme, dit-il ; déduction faite de votre emplette, il vous revient quarante-huit livres tout juste.

– Quarante-huit livres ! La fortune ! songea Capestang.

Mais, à ce moment, ses yeux tombèrent sur une fine et longue rapière, vraie lame de Milan, qu'il essaya en la pliant, et, comme il était sans épée, chose non seulement indigne d'un Trémazenc, mais encore particulièrement dangereuse dans sa situation, il ceignit la rapière.

– Vous me redevez un écu ! dit le marchand.

Capestang regarda l'homme de travers et d'un air tel que le

marchand se hâta d'ajouter :

– Mais ce sera pour l'honneur d'avoir acquis votre pratique, mon gentilhomme !

– À la bonne heure ! grommela le chevalier, qui n'ignorait pas d'ailleurs, qu'au prix où était l'argent massif, le boutiquier gagnait encore trois ou quatre écus dans cette opération.

Il revint alors sur ses pas jusqu'à la place de Grève ; puis, ayant interrogé un passant, il enfila la rue de la Mortellerie et se trouva tout porté à la rue des Barrés. Mais il eut beau fouiller la rue du regard, il ne vit que maisons sévèrement fermées, portails rébarbatifs, fenêtres closes, faces muettes et aveugles de logis impassibles. Capestang s'en retourna comme il était venu.

– Au surplus, se dit-il, quand même ce serait Giselle que ce carrosse aurait amenée, quand même je saurais où la trouver, quand même je serais devant elle, que pourrais-je lui dire ? Allons, allons, ajouta-t-il en riant, je deviens fou. N'en parlons plus. N'y songeons plus. Mais que va dire maître Cogolin quand il saura que je rentre sans argent ? Or çà, est-ce que réellement, je vais me laisser mourir de faim ? Car j'ai faim, corbacque ! J'enrage de faim et de soif.

Réellement, le pauvre chevalier était affamé. Il éprouvait de furieux tiraillements d'estomac, il sentait le vertige s'emparer de sa tête vide. Il arriva à l'auberge du *Grand Henri* en se disant :

– Tant pis ! Je vais commander un dîner de prince. Et si maître Lureau refuse, je mets le feu à l'auberge, j'embroche l'hôte et le fais rôtir à la flamme de sa bicoque !

Il dit, et ouvrit la porte de sa chambre. Et il demeura cloué sur place, muet de stupeur, les yeux arrondis, la bouche béante. En effet, dans cette chambre où il s'attendait à trouver l'infortuné Cogolin à demi mort de faim, c'était un spectacle joyeux, fantasque et même imposant qui s'offrait à lui.

Dans l'embrasure de la fenêtre, une grande cage à claire-voie contenait une quinzaine de jeunes poulets. Au-dessus de la commode, attachés par des ficelles aux solives du plafond, se balançaient majestueusement deux jambons flanqués chacun de deux saucissons. Sur le marbre de ladite commode, trois pâtés superposés l'un sur l'autre, le plus gros servant de cariatide aux deux autres, formaient une tour dorée, croustillante. Cette fortification gastronomique était protégée par deux compagnies de bouteilles poussiéreuses, l'une à droite, l'une à gauche, et chaque compagnie se composait d'une vingtaine de soldats alignés en parade. Enfin, au milieu de la chambre, la table toute dressée était couverte de victuailles de formes et d'apparences diverses. Et Cogolin, à l'apparition de Capestang, prononçait gravement :

– Monsieur le chevalier est servi !

– Ah ! mon brave Laguigne ! s'écria Capestang en se précipitant à table.

– Pardon, monsieur : Lachance ! dit Cogolin.

XXIV

Comment naquit une de nos industries les plus florissantes

Lorsque la faim du chevalier eut succombé sous des attaques réitérées, lorsque Cogolin eut rempli de xérès le verre de son maître, car l'usage était de clore un bon repas par un coup de vin d'Espagne ou des Îles, notre héros, alors, se renversa sur le dossier de son fauteuil et, des yeux, interrogea le génial improvisateur de ce souper. Cogolin, pour toute réponse, toucha du bout de l'index son crâne luisant, dépourvu de perruque.

– C'est-à-dire que tu as eu une bonne idée ? fit Capestang.

– Je veux dire, monsieur, que je me suis rappelé que j'étais chauve et que je me suis également rappelé trois mots.

– Trois mots ? Quels mots ? Et à quel sujet...

– Patience, monsieur. Voici d'abord les trois mots : *Parallaxis, Asclèpios, Catachrèsis*. Remarquez, monsieur que j'ai servi tour à tour un astrologue, un apothicaire et un régent, trois catégories d'animaux à deux pattes plus ou moins en accointance avec les puissances invisibles.

– Eh bien ? fit Capestang en fronçant les sourcils, car il commençait à se demander si maître Cogolin ne se moquait pas de lui.

– Eh bien ! l'astrologue parlait toujours de *Parallaxis*, et avec quel respect, monsieur ! L'apothicaire n'avait à la bouche que le mot *Asclèpios*, et il disait même : *Le divin Asclèpios*. Enfin, le régent ôtait son bonnet, oui monsieur, quand il parlait de *Catachrèsis*, qui est sans doute quelque magicienne. À force de les entendre, j'ai retenu ces trois noms-là, décidé à m'en servir quelque jour pour quelque incantation. Le jour est venu... J'ai fait mon incantation...

– Et tu as réussi ? demanda Capestang qui, malgré sa prétention de ne s'étonner de rien, arrivait mal à dissimuler son effarement.

– Voyez, monsieur ! fit Cogolin qui, d'un geste et d'un regard triomphants, embrassa table, commode, cage à poulets, jambons, pâtés, saucissons, bouteilles...

– C'est pardieu vrai. Mais comment as-tu fait ? Assieds-toi, Cogolin, assieds-toi, je le veux, ajouta le chevalier en se rappelant que le roi l'avait fait asseoir devant lui. Assieds-toi, corbacque !

– Merci, monsieur. Voici donc, dit Cogolin qui, avait fini par s'asseoir devant le verre que le chevalier venait de lui remplir.

Voici en résumé ce que l'écuyer raconta à son maître.

Cogolin, au moment où Capestang s'était éloigné pour se mettre à la recherche d'un peu de ce métal sans lequel il est peut-être possible d'être heureux, mais non de dîner dans une auberge, Cogolin s'était dirigé tout droit vers la salle commune du *Grand Henri*, après avoir jeté sa perruque dans un coin. Son entrée provoqua un éclat de rire général parmi les buveurs et les servantes. Au bruit de ce rire, maître Lureau accourut. Mais il ne partagea pas l'hilarité de ses clients et valets. Au contraire, il considéra Cogolin sans cheveux avec une sympathie qu'il n'avait jamais témoignée à Cogolin chevelu. Maître Lureau, on se le rappelle, était parfaitement chauve.

– Au moins, se dit-il, je ne serai plus seul. À deux, on supporte mieux l'infortune et les quolibets.

Et il chercha à se rapprocher de Cogolin pour lui faire son compliment. Mais Cogolin qui, du coin de l'œil le guettait comme le chat guette la souris, traversa la grande salle d'un air préoccupé et se dirigea vers la porte de sortie, où Lureau le rejoignit au moment où il mettait le pied sur les marches du perron.

– Ah ! monsieur Cogolin, s'écria-t-il en prenant une physionomie de condoléances, qu'est-il arrivé à vos cheveux ?

– Peuh ! fit Cogolin d'un air très détaché. J'ai perdu mes cheveux cette nuit à la suite d'une forte émotion, c'est vrai, mais...

– Comment ! En une seule nuit ? interrompit l'hôte.

– Oui. *C'est comme cela que je les perds toujours, moi.* Une peur, un mauvais rêve et mes cheveux tombent en une heure de temps, mais...

– Voilà qui est étrange. Moi, il m'a fallu des années, dit Lureau en passant sa main sur son crâne poli, et en soupirant. Mais vous venez de dire : « C'est comme cela que je les perds toujours. »

– Sans doute... C'est que vous êtes plus lent que moi en besogne.

Moi, il ne me faut qu'une heure.

– La chose vous est donc déjà arrivée ? fit l'hôte en ouvrant des yeux énormes.

– C'est la cinquième ou sixième fois. *Parallaxis, Asclèpios, Catachrèsis.*

– Plaît-il ?

– Je dis : *Parallaxis, Asclèpios, Catachrèsis.* Ce sont trois mots qu'il faut que je répète toute la journée, afin que mes cheveux repoussent la nuit prochaine. À vous revoir, maître Lureau !

– Eh ! un instant, que diable ! cria Lureau en saisissant Cogolin par le bras.

– C'est que je suis pressé, voyez-vous. *Parallaxis !* Il n'est pas agréable de servir de cible aux mauvais plaisants...

– À qui le dites-vous !

– Ni de faire peur aux femmes... *Asclèpios !*

– Hélas ! la mienne ne peut pas me sentir à cause de cela.

– Ni de risquer de s'enrhumer, *Catachrèsis !* Laissez-moi donc courir où j'ai affaire.

– Et vous dites, reprit Lureau, qu'avec ces trois mots-là vous faites repousser vos cheveux en une nuit ?

– En une heure de temps. *Exactement le temps qu'il a fallu pour les faire tomber.* Mais ne me serrez pas si fort, je vous prie.

– Oh ! monsieur Cogolin, dit Lureau d'une voix tremblante, enseignez-les-moi, dites !

– Volontiers, car j'ai de l'estime pour vous. *Parallaxis, Asclèpios, Catachrèsis !* Mais les mots sans la pommade sont insuffisants.

– Ah ! il y a une pommade ? s'écria maître Lureau en retenant énergiquement Cogolin.

– Un merveilleux onguent, *Asclèpios !* Permettez, maître Lureau, je cours me procurer les ingrédients nécessaires ; j'y mettrai les vingt pistoles que mon maître m'a données aujourd'hui, mais, vous comprenez, la chose en vaut la peine.

– Peste ! je vous crois. Mais quels sont ces ingrédients ? demanda avidement Lureau.

– D'abord, il me faut une bonne pinte de sang tiré de huit poulets jeunes, dodus et bien constitués, blancs autant que possible. Aussi, je cours chez un marchand de volailles que...

– Mais nous avons une basse-cour, que diable ! s'écria Lureau. Et ensuite, que faut-il ?

– *Parallaxis.* Il me faut la cuisse tout entière d'un bon cochon bien en chair, à condition que cette cuisse ait été préparée pour être conservée salée et fumée. Aussi, je cours chez...

– Mais nous avons des jambons, par la Vierge sainte ! Et il me semble qu'un beau jambon peut faire votre affaire. Et ensuite, que faut-il ?

– *Catachrèsis !* Vous allez me mettre en retard, maître Lureau. Ensuite, il me faut de la chair de lièvre en quantité, et je dois prendre la précaution de la hacher menu, de l'entremêler de tranches de chair à saucisse, d'envelopper le tout de bardes de lard, d'y adjoindre du thym, de l'hysope, du laurier, de placer le tout dans une pâte fine préparée d'avance et de faire cuire au four pendant deux heures. Si je ne trouve pas de la chair de lièvre, je me contenterai de chair de bécassines ou d'alouettes. Vous voyez que je n'ai pas de temps à perdre.

– Mais, d'après ce que vous dites là, un ou deux de mes pâtés peuvent très bien s'employer à votre onguent.

– Vous croyez ? fit Cogolin.

– J'en suis sûr. Et ils ont l'avantage d'être tout faits d'avance. Et ensuite, que faut-il ?

– Ah ! maître Lureau, vous m'arrachez tout mon secret. Ensuite, je cours chercher une vingtaine de bouteilles d'un liquide extrait d'une certaine plante qu'on nomme vigne ; mais il faut que le liquide ait vieilli : s'il est jeune, l'onguent est perdu. Il faut, de plus, que la plante d'où il a été extrait ait poussé sur certains coteaux de Bourgogne, ou en des lieux lointains, tels que Syracuse, Malaga ou Xérès. Adieu, laissez-moi courir, *Parallaxis !*

– Monsieur Cogolin, fit l'hôte non sans majesté, il me semble que quelques bouteilles de vin feront l'affaire, et sachez que j'ai de tous ces vins-là dans ma cave, et bien d'autres encore. Et ensuite, que faut-il ?

– Ensuite ? fit Cogolin en réfléchissant. C'est tout. Vous comprenez, je verse les vingt bouteilles de vieux liquide dans une grande bassine que je mets au feu sur le coup de minuit. Quand le vin se met à bouillir, j'égorge mes huit poulets pour obtenir le sang que je mêle au vin. Je laisse mijoter une heure. Bon. Je précipite alors dans la bassine ma cuisse de cochon...

– C'est-à-dire le jambon.

– Appelez-la ainsi, si cela vous convient. Et pour mieux faire, j'y joins une vingtaine de rondelles de la chair d'un autre cochon réduite en cette forme ronde et allongée qu'on nomme...

– Un saucisson ! s'écria Lureau triomphant.

– C'est possible. Je laisse le tout se réduire pendant deux heures. Bon. Je précipite alors dans le mélange ladite chair de lièvre ou de mauviettes avec sa croûte de pâte...

– Le pâté, hein ?

– Peu importe le nom, maître ! J'attends que le tout, par la cuisson, se soit réduit à la valeur d'un fond de bassine. Je passe dans un linge fin, et j'en extrais environ un demi-verre d'une gelée qui constitue mon onguent. Alors, je m'oins la tête. Je dis trois *Pater*. Je prononce trois fois *Parallaxis, Asclèpios. Catachrèsis*... une heure après, mes cheveux sont repoussés. Adieu, maître, je cours aux provisions.

– Monsieur Cogolin ! supplia l'hôte.

– Hé ! monsieur Lureau, je vous vois venir ! Vous voulez me demander la moitié de l'onguent que je vais me préparer ! Mais que n'en faites-vous autant, puisque je vous ai donné la recette !

Ces derniers mots constituaient ce que de nos jours on appellerait un bluff sublime. Ils eussent détruit jusqu'à l'ombre du soupçon si Lureau en avait eu. Mais Lureau n'avait pas plus de soupçon que n'en ont eu, n'en ont et n'en auront jamais les innombrables moutons bêlants qui sont sûrs de recouvrer celui-ci l'appétit, celui-là ses cheveux, cet autre la jeunesse, et cette autre la beauté, en achetant un onguent dûment cacheté d'un *Asclèpios*, d'une *Catachrèsis* et d'une *Parallaxis*.

– Voyons, maître, faites votre onguent vous-même !

– J'y pensais, avoua Lureau ; mais ce sont ces trois diables de mots que je ne pourrai jamais convenablement prononcer.

– Trois talismans, maître ! *Parallaxis*, *Asclèpios*, *Catachrèsis*, voilà, c'est facile ! Adieu !

– Jamais je n'y arriverai, monsieur Cogolin, dit résolument Lureau, je fournis les ingrédients. Il me faut la moitié de votre onguent !

– Impossible. L'onguent est indivisible.

– Indivisible. Ah ! peste ! je n'avais pas songé à cela, moi ! Indivisible ! Quel malheur !

– Tenez, j'ai pitié de vous. Envoyez-moi les ingrédients en double, et je fais deux onguents, un pour vous, un pour moi. En double, entendez-vous ?

– Si j'entends ! s'écria Lureau radieux. Seize poulets au lieu de huit pour les deux pintes de sang, deux jambons au lieu d'un, et le reste à l'avenant. Dans dix minutes, tout cela sera dans votre chambre, avec deux bassines. Et vous pourrez vous mettre à l'œuvre. Mais les noms ?

– Soyez tranquille : je les prononcerai pour vous. Quant aux trois *Pater*, il est indispensable que vous les récitiez vous-même. Vous êtes chrétien, je suppose ?

– Oh ! monsieur Cogolin ! Et bon catholique, je m'en vante.

Tel fut le récit que fit Cogolin à Capestang, qui déclara que son valet était homme de génie.

– Bien, ajouta le chevalier, mais demain, il faudra que tu présentes un onguent à notre hôte.

– Il est tout prêt, monsieur, dit Cogolin, qui exhiba un petit pot de verre rempli d'une sorte de graisse noirâtre.

Là-dessus, Capestang se coucha et rêva de chevelures absaloniennes ; il rêva aussi que le roi lui envoyait mille pistoles ; il rêva aussi que le duc d'Angoulême le suppliait d'accepter la main de sa fille. Pour en finir, nous dirons que, si Capestang rêva, si Cogolin dormit comme un sourd, Lureau ne ferma pas l'œil de la nuit. Au matin, il alla chercher Cogolin. Et il poussa un cri de stupeur émerveillée : la chevelure du drôle lui apparut plus fournie, plus ondoyante encore qu'avant la chute. Après s'être suffisamment extasié devant Cogolin, il l'emmena en hâte dans la chambre la plus reculée de son auberge, s'y enferma à double tour, et se frotta consciencieusement le crâne avec la graisse noirâtre en question. Cependant, il récitait avec ferveur ses trois *Pater,* tandis que Cogolin répétait : *Parallaxis, Asclépios, Catachrèsis.* La moitié du pot y passa. Puis, maître Lureau, dans un accès de joie folle et de générosité bien rare chez lui, glissa cinq ou six pistoles dans la main de Cogolin, qui les empocha incontinent.

Puis, Lureau se couvrit la tête d'un madras et se mit à vaquer à ses occupations d'un air de satisfaction qui étonna Mme Lureau. D'heure en heure, le digne aubergiste courait à sa chambre, retirait le madras, et se regardait avidement au miroir. Hélas ! pas le moindre duvet n'apparaissait encore. Le lendemain rien ! Le surlendemain, toujours rien ! Lureau raconta son aventure à sa femme et se frotta le crâne avec le reste de l'onguent. Mme Lureau examina, flaira, tâta le fameux onguent, et finit par s'écrier :

– Mais c'est de la graisse de bœuf mélangée avec de la suie !

– Taisez-vous, pécore ! Vous n'entendez goutte à la *Catachrèsis,* et feriez mieux d'aller surveiller vos casseroles.

Mme Lureau obéit en haussant les épaules. Cependant l'aubergiste, ne voyant toujours rien venir, au bout de quatre ou cinq jours, se plaignit à Cogolin, qui lui répondit :

– Mon cher monsieur Lureau, que vous ai-je dit ? Que mon onguent faisait repousser les cheveux *en autant de temps qu'il en avait fallu pour les faire tomber.* Et c'est bien naturel !

– C'est juste ! dit Lureau, inébranlable dans sa foi.

– Les miens sont tombés en une heure. Ils ont donc repoussé en une heure. Les vôtres ont mis des années à tomber, ce qui prouve que vous êtes moins vif que moi. Il faudra donc quelques années pour qu'ils repoussent... Patience, donc ! Et d'ailleurs, il est inutile de vous frotter encore ; une seule fois suffit !

– Comment n'ai-je pas songé à cela ! fit l'aubergiste en se frappant le front.

Seulement, à partir de ce jour, le patron du *Grand Henri* passa les trois quarts de son existence à observer son crâne dans un miroir. Il en résulta qu'il laissa brûler ses sauces, que ses pratiques l'abandonnèrent rapidement et que bientôt il fut ruiné.

XXV

Le tripot de la rue des Ursins

Les victuailles amassées par le génie de Cogolin durèrent huit jours, pendant lesquelles le chevalier de Capestang nourrit son corps de plantureux dîners et son esprit de réflexions amères.

– Tout cela parce que j'ai rencontré Giselle ! finissait-il par dire.

Alors, il s'invectivait, il se jurait d'arracher cet impossible amour de son cœur, de ne plus penser à elle, et, quand il s'était fait ce serment, il sautait sur Fend-l'Air et d'un temps de galop courait à Meudon, dans l'espoir de la revoir, ou bien rue Dauphine, ou bien rue des Barrés, où Cogolin lui avait montré la maison devant laquelle s'était arrêté le carrosse. À Meudon, un matin, il s'enhardit à pénétrer dans le mystérieux château enchanté : il était désert. La jolie fée elle-même avait disparu. Une nuit, il pénétra dans l'hôtel d'Angoulême, mais là aussi, c'était la solitude. Quant à la maison de la rue des Barrés, jamais il n'en vit s'entrouvrir la porte ou les fenêtres.

Le chevalier sentait une sorte de folie l'envahir. Il traversait Paris en plein jour, sans prendre la moindre précaution ; il rêvait de se laisser arrêter ou tuer ; mais il paraît que son heure n'était pas venue ! Cette existence dura une douzaine de jours. Un soir, désespéré, abattu, il était assis sur le bord de son lit, un sourire d'amertume crispait ses lèvres qui semblaient faites seulement pour les cris héroïques, de grosses larmes gonflaient ses yeux qui étaient fait pour étinceler dans la bataille, et ses bras retombaient, désespérés, oublieux des grands gestes épiques. Il murmura :

– Autant mourir. Je ne la verrai plus. Et quand même je la reverrais ! Ce serait pour assister au triomphe de Cinq-Mars, son fiancé ? Non, autant mourir. C'est fini !

À ce moment, une voix caverneuse et lugubre, près de lui, reprit en écho :

– C'est fini ! oui, monsieur. Nous avons vidé hier notre dernier flacon. Vous dévorâtes il y a trois jours le dernier restant de la cuisse de cochon – du dernier jambon, comme s'exprime maître Lureau. Et en ce moment, monsieur, voici notre dernière muse. Mourir ! vous l'avez dit. Nous allons mourir de faim et de soif.

Et Cogolin déposa sur la table la dernière des pistoles que lui avait remises l'aubergiste.

– Tais-toi, dit Capestang, tu me fends le cœur, tu me romps la tête. Qu'importe de mourir de ceci ou de cela ? de faim ou d'amour ? Cela revient toujours au même, va, mon pauvre Cogolin.

– Mais, monsieur le chevalier, je ne suis pas amoureux, moi !

– Eh bien, va donc commander notre dernier dîner, puisqu'il te reste une pistole. Au fait, je me sens un furieux appétit, et puis, qui sait ? Eh bien, va donc ! reprit le chevalier avec impatience, en voyant que Cogolin ne bougeait pas.

– Monsieur, dit celui-ci, si nous dépensons aujourd'hui notre dernière pistole, comment vivrons-nous demain ? Si monsieur le chevalier veut bien m'y autoriser, je lui indiquerai une honnête maison fréquentée par tout ce que Paris compte de gentilshommes avides d'argent. On entre pauvre, on sort riche. À moins qu'entré riche on ne sorte ruiné, mais ce dernier cas n'est pas à craindre pour vous qui n'aurez qu'une pistole à risquer.

– Un tripot ! s'écria le chevalier. Pardieu, c'est le ciel qui t'inspire ! Donne la pistole. Où est-il, ton tripot ?

– Dans la Cité, monsieur. Rue des Ursins. Vous ne pourrez vous tromper, car vous verrez à la porte force carrosses et valets, vous verrez des gens s'en aller les poches gonflées, vous en verrez d'autres se diriger vers la Seine qui coule à deux pas, afin de noyer leur chagrin dans...

Capestang était déjà loin, et courait vers la rue des Ursins. Au milieu était une maison de jeu. On jouait alors un peu partout. Entrait qui voulait pourvu qu'on fût de bonne mine et d'accorte apparence. Le chevalier monta au premier, traversa une antichambre pleine de valets chamarrés, l'un d'eux pour la forme, lui demanda son nom qu'il annonça en ouvrant une porte ; le bruit du nom se perdit dans une rumeur qui sortit comme une âpre bouffée de convoitise ; le chevalier passa cette porte, et se trouva un vaste salon, somptueusement meublé, où une cinquantaine de personnes, femmes ou hommes, grands seigneurs ou cadets se pressaient autour d'une singulière machine près de laquelle était assise une dame toute souriante : c'était la maîtresse de céans.

Le chevalier s'approcha de la jolie maîtresse de maison, et fit ce qu'il venait de voir faire à un joueur : il tira d'une urne d'argent une bille d'ivoire et déposa, non sans un serrement de cœur, sa pistole, sa dernière et unique pistole dans un plateau.

Puis il attendit en se promenant à travers le salon. Il regarda sa bille, elle portait le numéro dix-sept.

Il attendit une demi-heure, s'absorbant déjà dans quelque rêverie à la poursuite de Giselle, lorsqu'un mouvement se fit dans le salon ; tout le monde se porta vers le billard : la tenancière lança la boule, qui bondit sur le billard et, au bout de quelques tours et détours, tomba dans l'un des godets.

– Messieurs, dit la tenancière, vous pouvez voir que le numéro dix-sept a gagné.

– Corbacque ! fit le chevalier émerveillé, comment n'ai-je pas songé plus tôt à ce moyen de faire fortune ?

Autour de lui éclatait cette rumeur qui suivait chaque partie, un murmure d'envie, des cris de rage ou de désespoir.

– Le dix-sept ! gémissait un officier des gardes. Je l'ai joué trois fois de suite sans gagner, et je viens de le quitter ! Ah, la peste du dix-sept ! Ah, rufian de dix-sept !

– Monsieur, de grâce, supplia une voix féminine, ne reprenez pas le dix-sept. Laissez-le-moi !

En effet, le joueur qui venait de gagner avait le droit de garder sa ou ses billes pour la partie suivante.

– Volontiers, madame, dit Capestang, qui déposa sa bille sur le plateau.

La femme s'en empara avidement et paya une pistole, tandis que Capestang comptait ses soixante pièces d'or. Les billes furent remises dans l'urne. Le silence se rétablit. Il n'y eut plus que le murmure des conversations. À ce moment, deux joueurs échangeaient quelques mots à voix basse en examinant le chevalier. Puis l'un d'eux sortit précipitamment ; l'autre alla s'asseoir près d'une jeune fille remarquablement jolie qui, de son côté, essayait en vain d'attirer l'attention de Capestang : il plongea de nouveau sa main dans l'urne, et en tirait une nouvelle bille : elle portait le numéro vingt-cinq. La jolie fille qui manœuvrait pour être vue de

Capestang, c'était Marion Delorme !

Une longue demi-heure s'écoula encore. Enfin, la dernière bille de l'urne disparut ; un grand silence ; un reflux de joueurs vers le billard : des yeux flamboyants qui se braquent sur la boule, laquelle, sans souci de tant d'angoisse, va, court, revient, saute ; et enfin, la voix de la tenancière qui proclame :

– Messieurs, vous pouvez voir que le numéro vingt-cinq a gagné !

Cette fois, Capestang pâlit. Cette chance répétée lui faisait peur. Vite remis de sa stupeur, le chevalier empocha les soixante nouvelles pistoles qu'il venait de gagner.

– Ma foi, dit-il en riant, il n'y a aucune raison pour que ma bille ne me favorise pas une troisième fois.

Et il reprit une bille. Cette fois, elle portait le numéro trois.

– Mais, monsieur, vous m'excédez ! fit près de lui une voix qui le fit tressaillir. Laissez-moi, je vous prie. Vos hommages ressemblent trop à une insulte !

Capestang se retourna vivement. Il reconnut Marion Delorme et salua gracieusement. Il reconnut M. de Louvignac et salua d'un tel air d'insolence que le spadassin pâlit de fureur.

– Chevalier, dit Marion Delorme, toute frémissante et plus jolie encore de sa colère, votre main pour me conduire à mon carrosse et me débarrasser de monsieur !

– Ne craignez rien, madame, dit Capestang ; maintenant qu'il a un homme devant lui, monsieur va devenir doux comme un agneau : Pulcinello devant le Capitan.

– Parce que monsieur m'a vue deux ou trois fois à l'hôtel d'Ancre, il se croit obligé de m'aimer, il se croit le droit de me le dire, et n'admet pas que je refuse de l'entendre...

– À l'hôtel d'Ancre, madame ! Et que diable aussi vous risquez-vous dans cet antre d'égorgeurs !

Louvignac, livide, fit un pas vers Capestang. Un grand silence se fit autour d'eux. Quelques gentilshommes, qui avaient entendu les derniers mots de Capestang, et ne concevaient pas qu'un homme fût assez fou pour risquer de telles paroles contre Concini, gagnèrent tout doucement la porte, de peur d'être compromis. Capestang fit une courbette comme en faisaient les mimes de la Comédie-Italienne et dit :

– Allons, Pulcinello, plains-toi au Capitan !

– Monsieur, bredouilla Louvignac, ivre de rage, vous convient-il de venir me répéter ces paroles ailleurs que dans ce salon ?

– Partout où vous voudrez, monsieur, répondit Capestang avec une froideur terrible – excepté dans certaine salle de l'hôtel Concini où l'on se met à huit pour assassiner...

Un murmure d'épouvante parcourut les rangs des joueurs. Mais à ce moment, la tenancière, peut-être pour faire diversion, annonça d'une voix stridente qu'elle allait lancer la boule. Et les joueurs coururent au billard. Louvignac avait eu un sourire sinistre.

– Monsieur, dit-il, je vous attends au Pont-au-Change. Là, je serai tout porté pour jeter votre carcasse aux poissons quand je vous aurai embroché.

– Au Pont-au-Change. Soit. J'y serai dans une demi-heure. Là, je serai tout porté pour vous lessiver dans la Seine, car vous avez encore de mon sang à la face.

Malgré lui, Louvignac porta la main à son front. Capestang éclata de rire. Le spadassin se dirigea vers la porte. À ce moment, la tenancière criait :

– Messieurs, vous pouvez voir que le numéro trois a gagné !

– C'est monsieur qui gagne pour la troisième fois !

Il y eut un déchaînement d'applaudissements, de félicitations et de grincements de rage autour de Capestang.

Le chevalier empocha : cela lui faisait cent quatre-vingts pistoles gagnées avec la dernière des pièces que, le reconnaissant, Lureau avait glissées à Cogolin !

– Ah çà ! murmura-t-il, que me chantait donc Cogolin, que la rue de Ursins touche à la Seine ? Il a voulu dire le Pactole !

Alors il se tourna vers Marion qui, toute tremblante, avait assisté à cette scène.

– Vous n'irez pas, dites ? supplia-t-elle.

– Où cela ? Au Pont-au-Change ? J'irai d'autant mieux, madame, que, si je trouve une boutique de changeur encore ouverte, je serai enchanté de changer toute cette pistolade pour des doublons. Corbacque ! je n'ai jamais vu dans mes poches un pareil flot d'or !

– Oh ! vous allez vous faire tuer ! tuer pour moi !

– Et quand cela serait ? dit Capestang avec cette suprême galanterie qui fait frissonner le cœur des femmes. Il me semble bien, madame, que vous méritez qu'on meure un peu pour vous. Mais ne craignez rien. Je ne serai pas tué.

– Mais vous ne savez donc pas que cet homme c'est Louvignac ? Mais malheureux chevalier, vous ne savez donc pas que tout à l'heure, ici même, Louvignac parlait de vous avec M. de Bazorges ?

– Bon ! Qu'est-ce que Bazorges ?

– Un des *ordinaires* du maréchal d'Ancre. Je les ai entendus. Ils se donnaient rendez-vous au Pont-au-Change. C'est un guet-apens, chevalier !

– S'ils ne sont que deux, ma chère, tout ira bien ; je mettrai les bouchées doubles, voilà tout. Mais je suis honteux de vous laisser m'entretenir de pareilles misères. Parlons un peu de vous. Vous au tripot ! Auriez-vous besoin d'or ? J'ai dix-huit cents livres qui, de ma poche, se trouveront fort honorées de passer dans la vôtre. Pardonnez-moi mon offre, Marion, si elle vous offense, ajouta le chevalier avec un accent de douceur étrange et charmante.

Marion Delorme, d'un geste aussi doux que l'avait été la voix de Capestang, repoussa la main pleine de pistoles qui était tendue.

– Chevalier, dit-elle avec une sorte de mélancolie exquise, et en même temps une hardiesse de paroles stupéfiante, moi qui suis venue faire fortune avec la beauté de mon corps, moi qui suis venue à Paris pour me vendre le plus cher possible, laissez-moi le bon, l'heureux souvenir de m'être donnée une fois pour rien... oh ! pardon : pour le bonheur de me donner. Pourquoi je suis ici ? Parce que j'ai besoin de connaître Paris. Hier, au sermon de Notre-Dame, ce soir au tripot, demain ailleurs, je veux tout voir, tout entendre. Et j'ai déjà vu beaucoup, j'ai entendu... oh ! j'ai entendu... tenez, chevalier, prenez garde... non ; je ne puis parler ici ; venez me voir demain.

– À l'hôtellerie des *Trois Monarques* ? fit le chevalier étonné du tremblement convulsif qui agita Marion.

– Oui. J'y suis encore, en attendant mieux. Je vous dirai ce que j'ai entendu, ajouta-t-elle en frissonnant. Mais vous, de votre côté, vous me direz ce qu'est devenu ce jeune homme qui vous chercha querelle sur les bords de la Bièvre. Il faut absolument que je lui parle.

– Le marquis de Cinq-Mars ! s'exclama Capestang d'une voix rauque, en même temps qu'une sourde douleur le poignait au cœur.

Le marquis de Cinq-Mars ! Le fiancé de Giselle !

– Oui : Cinq-Mars, reprenait Marion Delorme. Si vous ne savez pas où il est, cherchez-le, dites-lui que je l'attends.

Et tout bas, elle ajouta :

– Il me le faut. Lui seul peut me sauver d'un danger qui me menace.

– Lui seul ? fit Capestang en fronçant les sourcils. Et moi ?

– Lui seul, vous dis-je ! Me promettez-vous de me l'envoyer ?

– Marion, murmura Capestang d'une voix assombrie, vous ne pouvez comprendre combien il peut m'être dur de me trouver en présence de cet homme et de lui parler. Mais puisque seul il peut vous sauver d'un danger que j'ignore, je le chercherai, je le trouverai, je lui dirai que vous l'attendez : vous avez ma parole.

Il lui avait offert la main et il la conduisait maintenant vers l'antichambre. Ils commencèrent à descendre l'escalier. Elle continuait à frissonner, et parfois levait sur le chevalier un regard chargé d'un mystérieux effroi.

– Vous viendrez chez moi demain, n'est-ce pas ? reprit-elle. Il le faut. Il faut que vous sachiez... car si une chose m'a étonnée ce soir, chevalier, c'est de vous voir vivant encore ! Je vous dirai, je vous expliquerai. Mais, dès maintenant, dès cet instant, prenez garde... Oh ! prenez garde...

Elle se pencha vers lui et, dans un souffle :

– Prends garde à l'évêque ! au duc de Richelieu !

Et Marion s'élança dans son carrosse où, mystérieuse et légère, elle disparut. À ce moment, un homme qui, penché sur la rampe, les avait regardés descendre, les avait suivis d'un œil avide et sournois, descendit à son tour lentement. Cet homme, c'était Laffemas.

XXVI

Le deuxième duel de Capestang et de Cinq-Mars

Capestang était demeuré tout étourdi : d'abord de la singulière chance exceptionnelle qui, pour la première fois où il mettait les pieds dans un tripot, le faisait riche de tout près de deux mille livres, ensuite de sa rencontre avec Marion Delorme, qui, chose étrange, ne lui avait pas dit un mot de cet amour dont elle l'avait poursuivi ; enfin de cet avertissement qu'elle venait de lui jeter en s'enfuyant : « Qu'est-ce que je puis bien avoir fait à ce monseigneur de Luçon ? » Tout en raisonnant, notre héros s'avançait vers le Pont-au-Change, la main sur la garde de la rapière, l'oreille tendue, l'œil aux aguets, s'attendant à voir tomber sur lui Louvignac et Bazorges, et s'apprêtant à les recevoir de son mieux.

Il arriva au rendez-vous assigné ; ne voyant personne, il fit quelques pas sur le pont, en redoublant de vigilance, car chacune des maisons bâties des deux côtés du pont pouvait être un abri pour des assaillants. Comme il s'arrêtait, il entendit un bruit derrière lui. Il se retourna et vit une ombre qui s'avançait. L'ombre demanda :

– Est-ce vous, monsieur le chevalier de Capestang ?

– Je le calomniais ; il est seul, songea le chevalier. Oui, monsieur de Louvignac, répondit-il, c'est moi : tout à votre service.

– Bon ! fit Louvignac d'une voix qui vibra étrangement. Tenez-vous bien. Je vous charge !

Capestang vit l'éclair d'une épée. Dans la même seconde, il fut en garde, la rapière au poing, et presque en même temps, il fit un bond en arrière en poussant un sourd juron... car ce n'était plus un homme, une épée qu'il avait devant lui ! C'étaient six hommes qui surgissaient. C'étaient six épées qui flamboyaient ! C'étaient les spadassins de Concini, que Bazorges avait été chercher !... Et Capestang reconnut la voix de Rinaldo qui hurlait :

– Ah ! Capitan de malheur ! Cette fois, tu es mort !

– Pas encore ! rugit Capestang.

Et par une manœuvre qui lui était familière depuis longtemps, il saisit sa rapière par la lame et se mit à faire tourbillonner le pommeau en un moulinet vertigineux. À ce jeu, il risquait de se couper la main, mais il triplait sa force. Deux épées tintèrent, brisées comme verre ; un des hommes s'affaissa, atteint au front par la terrible masse d'acier qui tournait, enveloppait Capestang comme d'une cuirasse, des hurlements de rage éclatèrent ; coup sur coup, Rinaldo, Pontraille, Montreval se fendirent à fond, et se relevèrent en jurant comme des possédés.

– *Corpo di Cristo* ! vociférait Rinaldo. Il a une cotte de maille !

– Ventre du pape ! hurla Bazorges, mon épée est cassée !

Capestang, les dents serrées, l'œil exorbité, poursuivait son moulinet furieux, il bondissait d'un bord à l'autre du pont ; il portait un coup de pommeau, puis, d'un recul, se mettait à l'abri. Mais cela ne pouvait durer longtemps. Déjà, il était atteint à l'épaule et sentait son bras s'appesantir ; les poignards étaient sur sa poitrine ; l'un d'eux fendit son pourpoint ; il haletait ; une sueur froide lui inondait le visage ; un brouillard voilait ses yeux...

– Sus ! sus ! rugit Rinaldo. Il est à nous !

– Achève ! Achève ! vociférèrent les bravi.

Un dernier effort, un dernier bond, Capestang épuisé s'adossa à la porte de l'un des logis et, à ce moment, comme il voyait flamboyer les yeux des assassins, comme il sentait sur sa figure leur haleine brûlante, il eut ce rugissement de l'être qui se voit sauvé, ne fût-ce que pour quelques secondes ! La porte s'ouvrait ! Il la poussa d'un effort de tous ses muscles tendus, entra comme une trombe dans le logis et repoussa la porte, tandis que, au-dehors, éclataient les imprécations des six qui, unissant leurs forces, pesaient de tout leur poids pour ouvrir à leur tour.

Une voix près de Capestang, une voix étrange de calme, murmura :

– Montez jusqu'en haut par cet escalier et ouvrez la fenêtre qui donne sur le fleuve...

Sans voir celui qui parlait, sans se demander d'où venait cette voix, Capestang se retourna, vit l'escalier de bois et s'y rua au moment où la porte craquait, et où Rinaldo criait à tue-tête :

– Ouvre, Lorenzo ! Ouvre ! c'est moi ! c'est nous !

Dans le même instant, la porte s'ouvrit, la bande fit irruption.

– Ah ! *per la madonna !* dit le nain. C'est donc le diable qui est entré chez moi ! Par là, *signor* Rinaldo ! Par cet escalier ! Le drôle est monté là après m'avoir à demi assommé. Tue ! tue !

La bande enragée, sanglante, Rinaldo en tête, bondit dans l'escalier. En quelques instants Rinaldo eut atteint la chambre du haut : il aperçut la fenêtre ouverte ; il se pencha et vit une échelle de corde. Ses compagnons, fous de rage, fouillaient la maison.

– Par là ! hurla Rinaldo. Il a fui par là !

Il était brave, Rinaldo. Sans plus d'explication, il mit son poignard entre ses dents et commença à descendre... il arriva au dernier échelon qui trempait dans l'eau, regarda de tous ses yeux, et ne vit rien, écouta de toutes ses oreilles et n'entendit que le clapotement des eaux contre les piles du pont.

– Malédiction ! gronda-t-il.

Et il remonta. À la fenêtre se pressaient quatre têtes convulsées. Les spadassins, en voyant remonter Rinaldo, comprirent que Capestang leur échappait, Louvignac voulait se jeter à l'eau pour essayer de le rejoindre ; car, dans son idée, le fugitif s'était laissé aller au fil de l'eau.

– Non ! dit Rinaldo en reprenant son sang-froid. Tu te noierais, mon pauvre Louvignac, et nous ne sommes déjà pas de trop. Maître Lorenzo, que signifie cette échelle de corde ?

– Pour certaines manipulations ésotériques, j'ai besoin d'eau vive, d'eau courante, entendez-vous ! Je vais en chercher par là. Voilà tout.

Les bandits frissonnèrent. La terreur superstitieuse, en une seconde, glaça leur fureur. Ils se sentaient mal à l'aise dans ce logis du diable. Ils se retirèrent donc en saluant avec respect le nain qui les invita vainement à vider une bouteille ou deux de vieux bourgogne. Quand ils furent partis, Lorenzo, à son tour, se pencha sur le fleuve et, après une longue inspection, murmura :

– Ah çà ! Qui ai-je sauvé ? Bon : Rinaldo me dira son nom.

Il essaya de se remettre à une opération chimique dont il s'occupait au moment où le vacarme infernal que faisaient les combattants l'avait incité à aller voir ce qui se passait. Mais une sorte d'étonnement paralysait son cerveau, d'ordinaire si actif.

– Pourquoi ai-je sauvé cet inconnu ? reprit-il tout pensif. Simple affaire de nerfs, sans doute. Il allait être égorgé. Je n'avais qu'à ouvrir la porte pour empêcher cet égorgement. J'ai ouvert sans savoir ce que je faisais. Oui, oui, ce sont les nerfs. J'ai horreur du sang, moi. Le poison, à la bonne heure ! Cela ne hurle pas, cela tue tout doucement. Cette brute de Rinaldo ne comprend que le poignard.

Il demeura longtemps silencieux. Puis, en manière de conclusion, sans doute, il ajouta :

– Avec Giselle d'Angoulême cela fait deux que je sauve ! Oh ! Quelle fatalité s'est donc abattue sur moi... moi... moi ! le marchand de mort !

Capestang avait facilement abordé à l'extrémité de l'île.

– Belle bête ! dit Capestang en amarrant à un madrier la petite barque qui l'avait sauvé ; mais elle ne vaut pas mon Fend-l'Air.

Parlait-il de la barque ? Nous ne l'avons jamais su, et lui-même, sans doute, ne le savait pas. Il parlait pour parler, pour donner essor à la joie puissante qu'on éprouve à se voir vivant quand on vient d'être frôlé par l'aile de la mort. Il exultait donc, et, sifflant une fanfare, il se dirigea tout naturellement vers la rue Dauphine qui s'ouvrait devant lui.

Son cœur se mit à battre lorsqu'il distingua la sombre masse de l'hôtel d'Angoulême. Il s'arrêta à l'angle de la rue, dans un renfoncement d'où il distinguait faiblement cette porte dont la fée de Meudon lui avait indiqué le secret, et, qu'une nuit, il avait ouverte, palpitant d'espérance. Où était-elle, l'espérance, maintenant ?

– Giselle ! Mirage que je n'atteindrai jamais ! Où êtes-vous, Giselle ?

Et cette pensée, tout à coup, le fit vibrer et tressaillir jusqu'au fond de l'âme, que peut-être elle était là ! Il y était pourtant revenu, dans cet hôtel ! Il y était entré. Il l'avait parcouru de fond en comble. Et il n'avait trouvé que la solitude.

Longtemps, le chevalier de Capestang demeura là, éperdu, immobile et tremblant. Tout à coup, il vit distinctement la porte de l'hôtel s'ouvrir, et un homme en sortir, qui se mit à remonter la rue Dauphine.

– Oh ! songea Capestang, la tête en feu, l'esprit bouleversé, je ne me trompe pas ! Cette tournure, cette démarche... je le reconnaîtrais au milieu d'une armée... c'est lui ! c'est bien lui !

C'était Cinq-Mars ! D'un mouvement impulsif, Capestang se mit en marche, à cinquante pas derrière le jeune marquis.

– Pardieu, gronda-t-il, puisque ce freluquet tenait tant à me tuer lorsqu'il était en nombreuse compagnie, je veux voir s'il est toujours dans les mêmes intentions maintenant qu'il est seul.

Et il pressa le pas. À l'instant où le chevalier s'apprêtait à s'élancer et à interpeller Cinq-Mars, il s'arrêta court : d'entre les palissades de la rue, trois hommes venaient de se glisser ; déjà ils entouraient Cinq-Mars, et Capestang entendit une voix rocailleuse qui ricanait :

– Votre bourse, monseigneur ! Ou à défaut de bourse, nous prenons la vie !

– Au large, truands ! cria Cinq-Mars d'une voix ferme. Ah ! à moi ! au truand ! on me...

La voix s'étouffa. Peut-être le marquis était-il bâillonné. Capestang vit le groupe informe qui s'agitait confusément. Nous avons dit qu'il s'était arrêté. Cet arrêt dura deux secondes : une pensée traversait le cerveau du chevalier... une pensée ! Puis, tout à coup, il se rua, fonça furieusement et se hurla à lui-même :

– Je ferais cela, moi ! Je laisserais tuer un homme sans bouger ! Ah ! misérable cœur ! Je te vomirais de dégoût pour avoir osé concevoir une seconde une aussi affreuse vilenie. Holà ! Holà ! Tenez bon, monsieur ! On vient ! Vous êtes sauvé !

Il ne s'était pas donné la peine de dégainer. D'un bond, il tomba à bras raccourcis sur les trois malandrins, assomma à demi d'un coup de poing le premier qui se présenta à lui, envoya rouler le deuxième jusque sur les palissades, et saisit à la gorge le troisième qui, tout pantelant, n'eut que le temps de crier : « Grâce ! »

– Va-t'en ! gronda le chevalier. Allez-vous-en, ou, par les cornes de votre patron Satanas, je vous éventre avec vos propres poignards pour ne pas salir ma rapière !

Tout étourdis, tout saignants, ahuris d'épouvante, les trois malandrins s'enfuirent en se disant :

– C'est le diable en personne !

Déjà Capestang se penchait sur Cinq-Mars, arrachait le bâillon qui l'étouffait, et l'aidait à se relever. Cinq-Mars respira longuement. Puis d'une voix émue :

– Sans vous, monsieur, j'étais mort. Votre nom, je vous prie, que je le répète à tous ceux qui m'aiment, depuis mon père, jusqu'à ma fiancée, afin qu'ils prient pour vous tant qu'ils vivront !

Capestang tressaillit violemment. Il recula de deux pas. Et d'un accent de sombre amertume :

– Il est inutile que votre fiancée prie pour moi, monsieur de Cinq-Mars. Je ne vous dirai donc pas mon nom. Tant mieux si vous ne me reconnaissez pas. Moi, je vous jure, je n'ai pas eu besoin de votre nom pour vous reconnaître !

– Capestang ! bégaya Cinq-Mars frappé de stupeur.

– Peu importe. Adieu, monsieur. J'espère vous retrouver un jour que vous serez en état de tenir une autre conversation que celle-ci.

– Capestang ! répéta Cinq-Mars sans entendre cette provocation, ému par l'acte de générosité de son ennemi, d'une de ces puissantes émotions qui bouleversent un cœur et déracinent ses haines.

Et, entraîné par un irrésistible mouvement, il allait courir après Capestang qui déjà se retirait, lorsque le chevalier revenant soudain sur ses pas, avec un rire étrange :

– Pardieu ! J'oubliais que je me suis chargé d'une commission. Que j'ai promis de vous chercher, de vous trouver...

– Une commission ! balbutia le jeune marquis interdit de ce rire funèbre et de cet accent furieux plus encore que des paroles. Et de quelle part ?

– De Mlle Marion Delorme !

Un frémissement de rage secoua Cinq-Mars. Il devina ou crut deviner une raillerie, une insulte dans ces mots. Il aimait Marion. Dès le premier instant où il l'avait vue, la passion était entrée en lui. Mais, dès ce premier instant aussi, il avait vu Marion éprise de Capestang et il s'était mis à le haïr. Puis était venu le fameux dîner à l'hôtellerie des *Trois Monarques*, dîner où, selon les apparences, Capestang l'avait indignement joué, puisqu'à la suite même de cette réconciliation était venue ce qu'il appelait la trahison de Marion ! Et maintenant cet homme qui était l'amant de la perfide Marion, cet homme l'insultait, l'accablait, en lui signifiant hautement que sa liaison avec Marion durait toujours.

– Monsieur, dit Cinq-Mars, en grinçant des dents, vous êtes encore sous la protection de service que vous venez de me rendre. Mais prenez garde de me pousser à bout !

– Je ne vous comprends pas, fit le chevalier. En tout cas, vos impertinences pourront peut-être me forcer à vous couper les oreilles, mais elles ne peuvent me faire oublier que j'ai donné ma parole à une femme. Que cela vous plaise ou non, vous saurez donc que j'ai, ce soir même, eu l'honneur de rencontrer Mlle Marion Delorme.

– De la rencontrer ! Vous ne la voyez donc pas tous les jours ?

Cinq-Mars était en effet sincèrement convaincu que Capestang passait son existence aux pieds de Marion, comme Hercule aux pieds d'Omphale.

– Vous me faites pitié, dit Capestang. Et vous m'exaspérez à la fin avec votre Marion. Est-ce que je la connais, moi ! Est-ce que je veux la connaître ! Mais finissons-en, monsieur. Voici en propres termes ce que j'ai accepté de vous faire savoir : elle vous attend à l'hôtellerie des *Trois Monarques*.

– Elle m'attend ! bégaya Cinq-Mars, à qui Capestang apparut à ce moment comme l'ange dut apparaître à Jacob.

Le chevalier haussa les épaules.

– Elle vous attend parce qu'elle est menacée d'un danger dont vous seul pouvez la tirer ; voilà ce que j'ai donné ma parole de vous répéter. Adieu, monsieur.

Cinq-Mars se jeta au-devant du chevalier. Il était rayonnant. Il était ivre de passion.

– Et, menacée d'un danger, ce n'est pas à vous qu'elle s'adresse ? C'est moi qu'elle appelle ! C'est moi qu'elle attend ! Oh ! mais... ce n'était donc pas vrai ? Ce misérable Laffemas a donc menti ! Oh ! mais elle ne vous aime donc pas ! Répétez, par grâce ! Elle m'attend !

Moi seul puis la sauver !

– Eh ! monsieur, voilà une heure que je me tue à vous le dire ! Adieu !

– Chevalier, s'écria Cinq-Mars, nous ne pouvons nous quitter ainsi ! Chevalier, sachant qui j'étais, après ce que j'ai dit et fait contre vous, vous venez de me sauver la vie. Je vous le dis, moi, c'est grand, c'est généreux, c'est sublime ce que vous avez fait là ! Et, non content de me sauver la vie, vous me rendez l'espoir, sans lequel cette vie m'était à charge.

Capestang écoutait ces paroles avec une joie terrible. Chacune d'elles était une pelletée de terre comblant l'abîme qui le séparait de Giselle.

– Je vous le dis, chevalier ! continuait Cinq-Mars délirant, je vous dois donc plus que la vie. Tenez, je vous en prie...

Il allait dire : « Soyons amis ! Voici ma main ! » Oui, il allait tendre sa main !

Dans cet instant, un nuage descendit sur son front assombri. L'image de Giselle se présenta à lui soudain. Et, chose étrange, Cinq-Mars qui n'aimait pas Giselle avait deviné il ne savait quoi de profond entre Giselle et Capestang. Et Cinq-Mars qui n'aimait pas Giselle, qui venait de reconquérir Marion, Cinq-Mars comprenait qu'entre lui et le chevalier la lutte allait se porter plus terrible, sur un autre terrain ! Et son cri d'amitié éperdue lui rentra dans la gorge. Et sa main prête à se tendre retomba.

Il y eut entre les deux hommes un bref silence d'attente et d'angoisse. Et comme si chacun d'eux eût soudain compris qu'ils n'avaient plus rien à se dire, d'un même mouvement ils se découvrirent, se saluèrent et, presque ensemble, ils murmurèrent :

– Adieu !

XXVII

Marion Delorme

C'était la plus belle chambre de l'hôtellerie des *Trois Monarques,* qui était elle-même une des plus riches et des mieux fréquentées de Paris. Il était deux heures de l'après-midi, Marion, assise devant une haute glace, arrangeait elle-même l'opulente chevelure que la prodigue nature lui avait départie. Et tandis que sa main fine s'activait, plantait ici une épingle, redressait là une coque, elle murmurait gravement :

– La beauté sans l'art n'est rien ; je suis belle, c'est vrai ; mais si j'étais laide, avec de la volonté j'arriverais à paraître belle ; sans ma volonté, ma beauté passerait inaperçue.

– De la part de M. le duc de Rohan, dit une soubrette en entrant et en déposant devant elle un magnifique collier de perles.

– Voyons, ma fille, ne me dérange pas en ce moment, dit Marion en écartant de la main le collier et en saisissant une épingle qu'elle garda un instant, réfléchissant profondément. Soudain, elle la piqua, sourit et alors jeta les yeux sur le joyau. La soubrette avait disparu. Marion continua son travail. Lorsqu'elle crut enfin qu'il était parfait, elle se leva et, lentement, se dirigea vers l'une des deux fenêtres qui donnaient sur la rue de Tournon, presque en face de l'hôtel Concini.

– De la part de M. le comte de Montereau, dit la soubrette en rentrant.

Et elle déposa sur une table un écrin. Marion l'ouvrit : il contenait un peigne en or, surmonté d'une double rangée de rubis qui semblaient n'être là que pour donner tout son éclat à une splendide émeraude. Marion sourit. Mais d'un accent d'indomptable décision, elle murmura :

– Je veux autre chose que des présents, moi ! Allons, messieurs, Marion, la belle Marion sera au plus offrant et dernier enchérisseur. Annette, il n'y a plus rien ?

– J'ai vu un laquais monter l'escalier, madame. Je vais voir.

– Capestang viendra-t-il ? songea Marion. Aura-t-il trouvé Cinq-Mars ?

La soubrette, qui était sortie, rentra à ce moment en disant :

– De la part de M. le duc de Richelieu.

Marion, qui, de nouveau, se dirigeait vers la fenêtre, se retourna en tressaillant et en pâlissant. Cette fois, Annette déposait sur la table une simple jardinière en osier contenant des fleurs, une douzaine de roses d'un rouge sanglant. Seulement, il y avait une goutte de rosée sur chaque fleur. Marion s'approcha, toute frémissante, et alors elle s'aperçut que les fleurs étaient artificielles et que chaque goutte de rosée était un diamant, Marion Delorme, longuement, contempla l'opulente corbeille et, répondant sans doute aux pensées qui l'agitaient, elle toucha les roses rouges et les diamants et, toute pâle, murmura :

– Des larmes sur du sang !

Puis, pour la troisième fois, elle marcha vers la fenêtre fermée. Elle souleva le rideau et regarda dans la rue. Sur l'autre bord de rue, en face de la fenêtre, un homme était arrêté. Les passants le considéraient avec curiosité, quelques-uns avec terreur ; des femmes qui passaient, les unes détournaient la tête, d'autres hâtaient le pas en esquissant un signe de croix. Les premiers murmuraient :

– C'est le Nubien de M. le maréchal d'Ancre.

– C'est l'âme damnée du démon, murmuraient les secondes.

Cet homme, en effet, c'était le noir que nous avons entrevu dans le logis de la rue Casset. C'était Belphégor. Sans se soucier des regards curieux ou terrifiés, il était là, immobile, ses yeux blancs levés vers les fenêtres de l'hôtellerie. Parfois, un frisson l'agitait. Parfois un soupir gonflait sa tunique. Il était en extase. Un camion l'eût écrasé sans qu'il eût fait un pas pour se garer : il avait vu remuer le rideau ! Marion Delorme vit le Nubien. Une flamme de raillerie attendrie pétilla dans ses yeux.

– Pauvre garçon, dit-elle tout bas. Toujours à son poste, dans l'espoir qu'il verra s'agiter les rideaux de cette fenêtre. Depuis qu'il m'a vue à l'hôtel de son maître, aujourd'hui comme hier, hier comme les jours précédents, il vient, et il ne bouge plus jusqu'à ce que je lui aie fait l'aumône d'un regard... Oh ! mais je ne puis donc faire un pas sans voir se lever un amour ! Pauvre garçon ! comme il m'aime ! Les autres me donnent des perles et des diamants. Celui-ci, si je veux, s'arrachera le cœur pour me l'offrir tout pantelant dans sa main noire. Voyons, je puis bien lui donner un sourire, un rayon de bonheur !

Elle souleva complètement le rideau et elle laissa tomber sur Belphégor son regard et son sourire à la fois. Le Nubien demeura pétrifié, comme s'il eût vu le ciel s'ouvrir. Ses lèvres devinrent d'une couleur cendrée. Un frémissement de délice l'agita des pieds à la tête... L'enchanteresse vision avait disparu depuis longtemps qu'il était toujours là. Au moment où Marion Delorme laissait retomber le rideau, Annette reparaissant dans la chambre, annonçait :

– M. le marquis de Cinq-Mars !...

Marion Delorme tressaillit. Une étrange pâleur s'étendit sur son visage, puis une expression de fermeté... un regard de défi fut jeté sur la corbeille de roses. Elle s'assit. Cinq-Mars entra, marcha droit à elle, s'inclina comme s'il se fût incliné devant la reine de France, et :

– Madame, dit-il d'une voix tremblante, chassé loin de vous par vos rigueurs, je m'étais juré de ne jamais vous revoir ; et je ne fusse jamais revenu si je n'avais appris cette nuit que vous êtes en péril : me voici, madame.

– Qui vous a appris que j'eusse besoin d'un dévouement aveugle ? demanda Marion d'une voix ferme, sans inutile coquetterie.

– M. le chevalier de Capestang, dit Cinq-Mars avec effort.

– Et vous êtes décidé...

– À vous offrir ma vie, madame.

– C'est bien ! dit Marion avec le même accent de fermeté.

Ces quelques mots s'étaient échangés avec la rapidité de cliquetis de deux épées qui se tâtent au moment d'engager la lutte. Il y eut un instant de silence. Le marquis tremblait. Marion était pensive. Peut-être sondait-elle sa destinée. Sans doute, elle eut cette hésitation suprême qu'eut César avant de franchir le Rubicon. Elle reprit tout à coup :

– Marquis, faites bien attention à ce que je vous demande : m'aimez-vous ?

Cinq-Mars eut un regard étonné. Puis il ramena ce regard sur les présents étalés sur la table, et répondit amèrement :

– Je ne suis pas le seul à vous aimer, madame. Ce peigne, ce magnifique joyau...

– Annette ! interrompit Marion avec une sorte de violence. *(La soubrette parut.)* Est-ce que le laquais de M. de Montereau est toujours là ? *(La soubrette fit signe que oui.)* Il attend ma réponse, n'est-ce pas ? La voici ! *(Elle ferma l'écrin et le tendit à Annette.)* Faites dire à M. le comte de Montereau que Marion Delorme se coiffe sans peigne. Allez, ma fille... *(La soubrette sortit.)* Maintenant, monsieur le marquis, voulez-vous me répondre ? M'aimez-vous ?

– Madame, dit Cinq-Mars, vous savez bien que je vous adore, que mon cœur...

– Des banalités, interrompit encore Marion. Je vois ce qui vous offusque. Annette ! Le laquais de M. de Rohan est là, n'est-ce pas ? Il attend ma réponse ? La voici. *(Elle remit à la soubrette le collier de perles d'une valeur de vingt mille livres au moins.)* Faites dire à M. le duc de Rohan qu'un collier ressemble trop à une chaîne, et que Marion Delorme ne veut point porter de chaîne. *(Puis la soubrette étant sortie :)* Marquis, je vous jure que ma question est sérieuse. M'aimez-vous ? Prenez garde ! De votre réponse dépendra la réponse que je dois faire au dernier des trois laquais que vous avez vu dans mon antichambre.

– Qui a envoyé cette corbeille de fleurs ? demanda Cinq-Mars hors de lui, incapable de se contenir.

– M. l'évêque de Luçon, dit froidement Marion. Vous voyez que je réponds, moi !

– Richelieu ! gronda sourdement Cinq-Mars.

Marion sourit :

– Oui, dit-elle, Richelieu ! Richelieu à qui vous-même avez consenti à me présenter.

– Oui, cruelle Marion, éclata Cinq-Mars. Je sais que vous faites un jeu de ce triste cœur qui ne bat que pour vous. Vous me demandez si je vous aime. À mon tour, je vous demande : quel est ce danger dont seul je puis vous tirer ? Dites-le-moi, Marion ! Et vous verrez alors si je vous aime.

Marion Delorme baissa la tête. Une sourde émotion soulevait son sein. Peut-être luttait-elle contre une dernière hésitation.

– Ce danger, le voici, dit-elle enfin. Il ne me menace pas seule. Il est également suspendu sur la tête de celui que j'aimerai. Mais d'abord, écoutez, marquis. Vous me ferez l'honneur, j'espère, de ne voir en moi ni une sotte, ni une prude. Je suis venue à Paris pour briller, triompher, régner de par le droit de ma beauté comme Anne l'Autrichienne règne en France de par droit de naissance. J'estime à cent mille livres par an l'existence que je veux mener – pour commencer. Ces cent mille livres, me les assurez-vous ?

– J'ai trois cent mille livres de rente, dit Cinq-Mars. J'en aurai le double à la mort de mon père. Voulez-vous que je vous souscrive les cent mille livres annuelles dont vous avez besoin ? ajouta-t-il en toute sincérité. (Et cent mille livres, c'était alors la grosse somme.)

Marion le foudroya d'un regard. Mais elle ne voulut pas faire dévier cet entretien qui par certains côtés touchait à l'infamie, et par d'autres au tragique.

– Votre parole me suffit, dit-elle froidement. Je ne compte pas, bien entendu, qu'il me faut maison montée, chevaux, carrosses, laquais, et que je prétends recevoir dans mes salons ce que Paris compte de grands seigneurs et de grands artistes. Je veux voir Paris à mes pieds.

– Je mettrai Paris à vos pieds, dit Cinq-Mars avec exaltation. J'y mettrais le royaume, si je pouvais !

– Bien, dit Marion avec le geste d'une impératrice recevant l'hommage d'un ambassadeur. Maintenant, je vais vous répéter ma question : m'aimez-vous ? Car tout ce que vous venez de dire prouve seulement que vous me désirez. Il y a dix grands seigneurs dans Paris qui m'eussent fait les mêmes réponses. Mais je ne vois que vous et le chevalier de Capestang (*le marquis frissonna de rage*) à qui je puisse vraiment poser cette question terrible qui luit en ce moment dans ma vie comme luit la hache du bourreau sur la tête d'un condamné. J'écarte Capestang ; il est pauvre, et moi je ne veux pas être pauvre. Je hais l'argent, marquis. Mais puisque tout au monde se monnaye, et que je veux vivre dans l'opulence qui me convient, je suis forcée d'écarter de moi quiconque est sans argent. Reste donc vous. Et avant que vous ne me répondiez, connaissez le danger. Il y a dans Paris un homme qui est une force, une puissance et qui, demain, étonnera le monde. J'ai pensé d'abord à m'attacher à cet homme. Mais il me fait peur. Et je sens que la peur qu'il m'inspire va devenir de la haine. Cet homme, marquis, m'a fait offrir deux cent mille livres annuelles ; il m'a un jour parlé lui-même ; il m'a montré ce que vous regrettiez tout à l'heure de ne pouvoir m'offrir : un royaume à mes pieds ! J'ai refusé, ou du moins, j'ai éludé ma réponse. Alors cet homme s'est penché sur moi. Et voici ce qu'il m'a dit : « Que tu ne m'aimes pas, soit ! Mais tu n'aimeras personne. Dès cet instant, je te surveille. Malheur à toi, si tu aimes, toi qui ne veux pas m'aimer ! Pour toi, la Bastille, c'est-à-dire la tombe des morts, car tu y mourras heure par heure, je t'y verserai la mort goutte à goutte. Pour toi, donc, la tombe où tu entreras vivante ; et pour celui que tu aimeras, le gibet ou la hache ! »

Marion Delorme se leva. Elle était pâle, mais ferme. Cinq-Mars frissonnait de tout son corps. Une sorte de vertige s'emparait de lui. Ses yeux perdus au loin vers les horizons mystérieux de l'avenir entrevoyaient peut-être l'échafaud. Et Marion, avec une gravité terrible, à ce moment, se penchait sur lui, et répétait :

– Maintenant... oh ! maintenant, vous pouvez répondre à ma question ! Car vous savez, je vois dans vos yeux que vous savez que l'archange prêt à étendre sur notre amour ses ailes funèbres, s'appelle Richelieu, évêque de Luçon !

– Voici ma réponse ! dit Cinq-Mars en se levant à son tour.

Il alla à la porte qu'il ouvrit, il fit signe à un homme qui était là dans l'antichambre. C'était un laquais vêtu de noir, sans livrée qu'on pût reconnaître. Il lui fit signe d'approcher. Le laquais vint à l'ordre. Cinq-Mars saisit sur la table la corbeille de fleurs rouges diamantées de rosée.

– Tu es à M. de Luçon ? demanda-t-il d'une voix brève, rauque, menaçante.

– Oui, monsieur, dit froidement le valet.

Marion, les yeux fixés sur le marquis, palpitait. Cinq-Mars plaça la corbeille de fleurs dans les bras du laquais et à son tour ayant fixé son regard sur Marion, il prononça :

– Va dire à M. de Richelieu que moi, Henri de Ruzé d'Effiat, marquis de Cinq-Mars, je le défie de mettre à exécution la menace qu'il a faite contre moi et ma maîtresse, Mlle Marion Delorme ici présente. Et afin qu'il n'en ignore, de mon autorité privée, comme tu peux voir, je lui renvoie le présent qu'il a osé faire parvenir ici.

– Du sang et des larmes ! répéta en elle-même Marion qui fut secouée d'un long frisson.

Cinq-Mars revint à Marion, après avoir fermé la porte. Il s'agenouilla et dit :

– Est-ce ainsi que tu veux être aimée ?

Marion le releva, l'enlaça de ses deux bras, ferma les yeux, colla sa bouche à ses lèvres, et répondit :

– Je t'aime et suis à toi.

Et comme Cinq-Mars enivré, chancelant, éperdu de passion, sentait son cœur grelotter et tout son être se fondre sous l'ardente douceur de cette caresse voluptueuse, brusquement, par une de ces sautes d'âme aussi inexplicables que les sautes des vents d'ouragan, Cinq-Mars se mit à songer à Giselle ! Nettement, l'image de Giselle s'évoqua en lui ! Et alors une angoisse de terreur l'étreignit à la gorge.

Car Giselle, c'était la fiancée à qui il était lié par un solennel et dramatique serment. Car Giselle, c'était la fille du duc d'Angoulême à qui il était à jamais rivé par les chaînes d'une complicité au bout de laquelle se dressait l'échafaud ! Giselle ou Marion ! il fallait choisir ! choisir tout de suite ! Car ce jour même dans une heure, à ce moment même, Cinq-Mars était attendu rue des Barrés pour signer son mariage !

XXVIII

Richelieu

L'hôtel de Richelieu était situé à cent pas de cette maison qui faisait l'encoignure de la rue Dauphine et d'où Cogolin avait vu sortir Laffemas.

Or, ce matin-là, Mgr de Luçon, ayant expédié sa messe, passa dans sa chambre, où son valet lui retira ses ornements pour le vêtir d'un habit de cavalier : on était encore si près des guerres religieuses où les cardinaux poussaient plus de charges à la tête de leurs reîtres qu'ils ne donnaient de bénédictions, que nul, alors, ne s'étonnait de voir un prince de l'Église la salade en tête et l'estramaçon au poing, encore moins de l'admirer en habit de courtisan, l'épée au côté.

– Mon secrétaire ! fit alors l'évêque d'un ton bref.

Le valet de chambre s'éclipsa, pareil à une ombre effarée ; un instant plus tard, Laffemas entra, pareil à une autre ombre, mais plus glissante, plus rampante.

– J'écoute ! dit Richelieu.

À voix basse, Laffemas commença son rapport, que l'évêque écouta sans qu'un pli de son visage indiquât qu'il s'intéressait à ce qu'on lui racontait. Seul, le regard parfois jetait une flamme brûlante qui, tout aussitôt, s'éteignait. Disons seulement que, dans ce rapport, il était question de quatre points stratégiques : la maison du coin de la rue Dauphine, l'hôtel d'Angoulême, la maison de la rue des Barrés, le tripot de la rue des Ursins, et de quatre personnages : le duc d'Angoulême, Giselle, le chevalier de Capestang, Marion Delorme.

Lorsque Laffemas eut fini de parler, l'évêque demeura silencieux, immobile, l'œil ardent, le sourcil froncé. Dans son costume grenat à bouffettes cramoisies, en cette attitude de rêverie perverse, avec des pointes de moustache retroussées et sa royale noire, dans la pénombre de cette chambre, il était tel que Méphisto dut apparaître à Faust.

– Je me résume, monseigneur. Primo, affaires d'État ! il y aura réunion à l'hôtel d'Angoulême. Dans un dîner où se sont réunis les amis de M. le prince de Condé, on a crié : « Barre à bas! » Ce qui prouve que M. le prince, tout en poussant Angoulême, travaille pour lui-même. Dans le même ordre d'idées : Mme la maréchale d'Ancre a paru se rallier secrètement aux prétentions de M. d'Angoulême. Le maréchal d'Ancre est épris de la fille du duc et la fait chercher. Secundo, affaires personnelles : j'ai suivi Mlle Delorme. Elle a des rendez-vous avec le chevalier de Capestang dans un tripot de la rue des Ursins. En ce qui concerne Capestang, il faut rapprocher de la passion qu'éprouve Concini pour Giselle la conversation que j'ai surprise à l'hôtel d'Angoulême entre le duc et sa fille, conversation qui prouve que cette noble demoiselle éprouve pour le sire de Capestang des sentiments que condamne son père. Quant au jeune Cinq-Mars, il paraît avoir renoncé à tout espoir sur Mlle Delorme. Enfin, la fille de M. d'Angoulême habite rue des Barrés. C'est tout.

Alors Richelieu tressaillit. Il se rapprocha de l'espion, lui mit sa main sur l'épaule, et le récompensa :

– C'est bien, mon cher monsieur de Laffemas. Vous ferez un prévôt de police génial.

Laffemas se redressa sur ses ergots, et chercha à grandir sa petite taille comme pour se mettre à hauteur du terrible poste qu'on lui promettait. Sa figure s'enfiella d'orgueil.

– C'est bien, reprit l'évêque. Vous viendrez au rapport demain matin. Vous trouverez sur la cheminée de mon cabinet du rez-de-chaussée un petit sac contenant cent pistoles et une corbeille de fleurs. Le sac est pour vous. Quant à la corbeille, faites-la porter par un de mes laquais à l'hôtellerie des *Trois Monarques.* Vous me direz ce soir la réponse qui aura été faite. Allez.

Laffemas disparut. Richelieu sortit à son tour de ce pas à la fois orgueilleux et félin qui lui était particulier. Dans la cour de l'hôtel, il monta à cheval et, suivi d'un laquais, se dirigea vers la rue de Tournon. Il arriva à l'hôtel Concini. Richelieu fut immédiatement reçu par Concini qui commençait à redouter ce prêtre pâle et sournois, ainsi qu'il appelait l'évêque de Luçon. L'attaque de l'évêque fut foudroyante.

– Monsieur le maréchal, dit-il, en s'asseyant dans le fauteuil que lui désignait Concini, avant d'en parler officiellement au sein du conseil, j'ai tenu à vous entretenir en particulier de la conspiration du bâtard de Charles IX et des mesures d'État qu'elle doit entraîner.

Concini tressaillit. De cette conspiration, jusqu'alors, on avait bien parlé à mots couverts ; tout le monde y pensait bien, depuis le roi jusqu'à Luynes ; mais on évitait de l'envisager, ou du moins on feignait de n'y attacher aucune sérieuse importance. Concini reçut donc comme un coup de masse à la tête la brutale et violente ouverture de l'évêque. Mais il demeura souriant.

– Siffle, vipère ! songea-t-il. Monsieur l'évêque, dit-il tout haut, votre démarche m'est une nouvelle et précieuse preuve de l'amitié que vous voulez bien me témoigner. Cette conspiration, hé, *Cristo santo,* je n'en mange plus, je n'en dors plus...

– En effet, dit Richelieu, en dardant sur le maréchal son regard d'une funeste clarté, vous voici tout maigri, tout pâle. Si je ne savais que le souci des affaires publiques vous ronge... et ce doit être un rude souci !... eh bien, je dirais que vous subissez en ce moment une crise de maladie : une maladie du cœur, par exemple.

De pâle qu'il était, Concini devint livide.

– Le cœur est solide, gronda-t-il. Ne vous inquiétez pas. Quant au duc d'Angoulême...

Concini s'arrêta. Il haletait. Sa pensée, brusquement, à l'appel de ce nom, se reportait sur Giselle. La douleur qui se déchaînait en lui le faisait trembler. Son front se mouilla de sueur. Un soupir souleva sa poitrine.

– Morte ! Morte ! râla-t-il. Que m'importe le reste !

– Décidément, dit Richelieu, il faut que vous preniez garde à votre cœur. Avez-vous consulté Hérouard ?

– Laissons cela, fit brusquement Concini, en se domptant. Quant à la conspiration, c'est un jeu d'enfant, monsieur l'évêque, si nous pouvons mettre la main sur le duc. Mais toute la question est là, et, comme je vous le disais, j'en perds l'appétit et le sommeil. Auriez-vous un bon conseil à me donner ? Ah ! que je vous en serais reconnaissant !

– J'ai mieux à vous offrir que des conseils, dit Richelieu d'une voix qui caressait, mais sous cette caresse on devinait la menace, comme les griffes sous la patte veloutée du tigre.

– Voyons ! dit Concini en se renversant sur le dossier de son fauteuil.

– D'abord, monsieur le maréchal, laissez-moi vous dire qu'il faut agir vite. Sinon, des envieux comme ce Luynes, des langues intempérantes comme cet Ornano pourraient dire que, secrètement, nous poussons le conspirateur, et alors c'est tout simplement notre tête que nous risquerions.

– Il sait ! rugit Concini en lui-même. Il sait que Léonora a parlé au duc ! Je suis perdu !

Concini jeta autour de lui des yeux hagards. Richelieu, d'un geste rapide, s'assura qu'il avait bien sa bonne cotte de mailles sur la poitrine et son bon poignard à la ceinture. Malgré cotte et lame, si Rinaldo était entré à ce moment, l'évêque était un homme mort.

– Folie ! Chimère ! balbutia Concini. Quel intérêt aurais-je... moi... moi qui dois tout au roi... et à la reine...

Il éclata de rire, nerveusement.

– Je n'ai pas dit « vous », reprit Richelieu, paisible comme un juge et terrible comme le bourreau. J'ai dit « nous ». Et, tenez, je dirai même « moi ». Supposons, par exemple, que par fatalité je sois tombé amoureux de la fille de l'homme qu'il faut que j'arrête, qu'il faut que je livre à la hache ou à la corde... mais je dis amoureux fou, vous comprenez, amoureux à en perdre la raison, à en risquer la disgrâce de la puissance souveraine qui de rien que j'étais, a fait de moi le personnage le plus redoutable du royaume... après vous toutefois ! Oui, supposons cela, maréchal. Et supposons qu'on le sache ! Ne comprenez-vous pas, dès lors, que je pourrais être accusé de favoriser les desseins du conspirateur ? Ne comprenez-vous pas que, dès lors, c'est moi que le roi devra faire arrêter ?

Concini se sentait mourir. La tête lui tournait. Un flot de sang empourprait son front et mettait des fibrilles rouges à ses yeux. D'un effort furieux, il réagit. Brusquement, il se redressa.

– Ah ! prêtre maudit ! hurla-t-il dans sa pensée, tandis que, par prodige, ses lèvres souriaient, tu tiens ma fortune et ma vie dans ta main ! Eh bien ! meurs donc !

Il allait dégainer son poignard. Il allait se ruer sur l'évêque.

À ce moment, celui-ci, un peu pâle, mais toujours paisible, lui dit :

– Sans compter qu'on chercherait à m'assassiner. Heureusement, je porte une cotte de mailles qui eût défié jusqu'au couteau de Jacques Clément et de Ravaillac, jusqu'au poignard de votre compatriote Castruccio. Je les fais venir de Tolède. Et vous, monsieur le maréchal ?

Concini souffla comme le taureau qu'on vient de banderiller. Puis, dompté, se domptant lui-même, il reprit sa place en disant :

– *Per la santissima Trinita*, mon cher monsieur de Luçon, tout ce que vous me dites là, je me tue à me le dire. Et c'est pourquoi, bien que je n'aie pas à me reprocher les pensées ou l'amour que vous supposiez... pour vous, pas pour moi... eh bien, j'ai résolu de faire arrêter Angoulême. Mais comment ? Tout est là, sang du Christ !

Et Concini grinça des dents.

– Je puis bien le faire arrêter, puisqu'elle est morte ! sanglota-t-il en lui.

– Maréchal, dit Richelieu, je vous apporte, vous disais-je mieux que des conseils dont vous n'avez que faire. Je vous apporte des renseignements exacts, précis. Vous connaissez le vieil hôtel d'Angoulême. Je sais que le duc y sera cette nuit. Je précise. Il arrivera à dix heures du soir et entrera par la petite porte qui se trouve sur les quais.

– Il est donc à Paris ? fit Concini avec un admirable étonnement.

– Il y est. Je dis donc que, cette nuit, entre dix et onze heures, il suffira de cerner l'hôtel d'Angoulême et de le fouiller.

– Ah ! monsieur l'évêque, vous me rendez la vie, c'est-à-dire le sommeil et l'appétit. Un tel service ne saurait demeurer sans récompense. Parlez, que désirez-vous ?

Richelieu réfléchit une minute pour la forme, puis répondit :

– La jeune reine Anne d'Autriche n'a pas encore d'aumônier...

– Bien, monsieur. Demain, je fais signer votre nomination : vous êtes aumônier de la reine ! Ramasse ! continua Concini en lui-même. Ramasse les bribes de mon opulence et de ma puissance. Ramasse, prêtre orgueilleux, prêtre mendiant, jusqu'à ce que tu ramasses au détour de quelque ruelle un bon coup de pistolet dont ta cotte ne te sauvera pas, toute de Tolède qu'elle soit !

Richelieu avait tressailli de joie. Ce poste d'aumônier de la reine qu'il venait d'obtenir par ruse et menace, il le convoitait ardemment : c'était son entrée dans le ménage royal ! Il chercha comment il pourrait remercier Concini et lui faire oublier qu'il venait de le conduire jusqu'au bord des abîmes de l'épouvante. Et il trouva !

– Maréchal, dit-il, mes renseignements ne s'arrêtent pas là.

– Quel nouveau coup va-t-il me porter ? songea Concini qui, les dents serrées, le visage convulsé, se demandait s'il ne ferait pas mieux d'étrangler de suite ce terrible joueur.

– Monsieur le maréchal, après avoir arrêté le père, il serait peut-être bon... non pas d'arrêter, mais de faire disparaître la fille... elle est l'âme de la conspiration.

Concini leva la tête vers Richelieu. Il souffrait atrocement. Ce prêtre lui parlait depuis une heure de Giselle comme si elle eût été vivante. Et elle était morte ! Morte assassinée par Marie de Médicis ! Jetée à Seine ! Noyée par les bravi de la reine mère !

– Que dites-vous là, monsieur l'évêque ? fit-il d'une voix morne. Celle dont vous parlez n'est plus.

– Vous vous trompez, maréchal, dit Richelieu, convaincu que Concini tentait une feinte. Celle dont je parle, c'est-à-dire Giselle d'Angoulême, est si bien vivante qu'elle a été vue hier et les jours précédents.

Concini se leva. Il chancelait. Il marcha à l'évêque, saisit ses mains qu'il étreignit convulsivement, et bégaya :

– Répétez ! oh ! Richelieu ! si un cœur d'homme bat sous votre cotte de mailles, répétez, par pitié !

– Je dis, reprit l'évêque étonné cette fois, j'affirme que Giselle d'Angoulême est vivante, que vous la trouverez quand vous voudrez, rue des Barrés, dans la maison de Marie Touchet, et qu'il est nécessaire qu'elle disparaisse. Pas d'arrestation, maréchal, cela ferait du scandale : une simple séquestration secrète... oh ! mais vous vous affaiblissez, je crois ? Maréchal !

Richelieu chercha des yeux une sonnette, un signal d'appel quelconque : Concini, foudroyé, venait de tomber à la renverse dans son fauteuil, en jetant un cri qui ressemblait à un gémissement lugubre et qui était la clameur d'une joie surhumaine. À ce moment, une tenture se souleva. Léonora Galigaï entra. Sans dire un mot, elle fit respirer à son mari un flacon qui contenait un puissant révulsif. Concini ouvrit les yeux et vit Léonora. Du premier coup d'œil, il comprit qu'elle avait tout entendu !

– Tu étais là ? fit-il dans un souffle d'épouvante.

– Oui, répondit-elle avec un accent glacial, mortel, formidable.

Il n'y avait de vivant dans son visage de cire que ses magnifiques yeux noirs, où Concini, comme à livre ouvert, lisait la condamnation de Giselle. Elle jeta sur Concini un regard où rayonnait son amour, où flamboyait sa volonté sauvage.

– Laisse-moi faire, murmura-t-elle. Ne t'inquiète de rien. Aie confiance en Léonora. Tu sais de quels sacrifices son amour est capable ! Occupe-toi du père, pour ce soir. Moi, je m'occupe de la fille. Sur Dieu, sur ce cœur qui brûle pour toi, Concino, je jure de respecter la vie de cette fille. Quand je l'aurai amenée ici, dans cet hôtel, nous discuterons ensemble sur son sort. Va, mon Concino. Va reposer ta pauvre tête brûlante. Tu as failli mourir de joie et moi de douleur.

Elle était sublime.

– Monsieur de Luçon, dit-elle en se tournant vers l'évêque, je ne crois pas me tromper en affirmant que vous n'en aviez pas fini et que vous aviez encore un ou plusieurs renseignements à *nous* donner. Vous voyez que M. le maréchal est souffrant. Voulez-vous condescendre jusqu'à vouloir bien me suivre dans mon oratoire ?

Concini ne fit pas un geste pour s'opposer à cet arrangement. Il vivait une de ces minutes où tout disparaît, calculs, ambition, force morale, où la passion s'installe en souveraine sur un cerveau d'homme et défend à tout autre sentiment d'y entrer. Quelques instants plus tard, Richelieu se trouvait dans l'oratoire de Léonora, luxueuse salle meublée avec élégance et richesse.

– Qu'aviez-vous encore à dire, à monsieur le maréchal ? demanda-t-elle, autoritaire et prestigieuse, comme elle l'était avec tous ceux qui l'approchaient.

Le front de Richelieu s'assombrit. À son tour, il frissonna, non d'amour, mais de haine. Il comprit que tout ce qu'il avait dit dans le cabinet de Concini n'était que pour amener ce qu'il allait dire. Sa voix se fit âpre et sifflante :

– Madame, vous êtes un grand politique, et vous comprendrez que souvent le destin d'un État dépend d'un être infime, que souvent la carrière d'illustres personnages est arrêtée, brisée par un de ces hommes trop bas placés pour attirer l'attention.

Léonora tressaillit. Un flot de haine souleva son sein. Car, de ces êtres infimes, elle en connaissait un ! De ces hommes placés si bas, il y en avait un qui avait sinon brisé, du moins arrêté par deux fois sa carrière !

– Capestang ! grinça-t-elle au fond de sa pensée. Oh ! si mon pressentiment pouvait ne pas me tromper ! Oh ! si ce prêtre allait me livrer l'infernal Capestang ? Je lui pardonnerais de ressusciter Giselle !

Richelieu étudiait Léonora de son regard étrangement clair. À ce moment, les yeux brûlants de Léonora se posèrent sur lui. Et il comprit que leurs pensées étaient à l'unisson.

– Madame, dit Richelieu, l'arrestation d'Angoulême sera une faute ; la disparition de Giselle sera un crime ; toutes nos tentatives pour... sauver l'État avorteront misérablement, si celui dont je vous parle n'est pas réduit à l'impuissance. Ce n'est pourtant ni un prince comme Condé, ni un duc comme Guise, ni un favori comme Luynes. Mais c'est un esprit fulgurant. C'est un cœur indomptable. C'est une lame d'épée vivante. Il s'appelle le chevalier de Capestang...

– Capestang ! gronda Léonora. Vous le connaissez donc ! Vous le haïssez donc, vous aussi !

– Oui, je le hais !

Ce furent deux explosions d'âmes bourrées de haine jusqu'à la gueule. Dans cette seconde, ces deux profonds simulateurs dédaignèrent de dissimuler. Ils s'apparurent l'un à l'autre ce qu'ils étaient : deux fauves rués sur le monde, poussés par les mêmes appétits, doués de la même volonté violente. Tout était dit entre eux ! Une minute, ils demeurèrent l'un en face de l'autre, flamboyants, se faisant peur, peut-être, ou peut-être s'admirant.

– Marion est à moi ! songea Richelieu qui, reprenant presque aussitôt son sang-froid, ajouta : Je le hais, madame, parce que ce misérable cadet peut déranger de grands desseins ; il ne m'a fait aucun mal, à moi, mais il en peut faire à l'État par son esprit d'audace et d'intrigue, et surtout par l'influence qu'il peut exercer sur Giselle d'Angoulême.

– Sur Giselle ! murmura Léonora frémissante de ce qu'elle entrevoyait. Quelle influence ?

– Elle l'aime !

– Êtes-vous sûr de cela ? frissonna-t-elle.

– Elle l'aime ! Et il l'aime, ou du moins, il feint de l'aimer, car je crois savoir qu'en réalité le cœur et l'esprit de cet aventurier sont pris ailleurs *(Richelieu eut un soupir de rage.)* Mais vous comprenez quelle proie peut être une Giselle d'Angoulême pour cet affamé venu à Paris pour y chercher fortune. Quant à elle, sa passion est profonde et sincère. Une conversation a été surprise une nuit à l'hôtel d'Angoulême : elle y avouait, elle y proclamait son amour à son père.

– Oh ! murmurait Léonora, je commence à voir clair ! Ce prêtre se trompe : Capestang aime Giselle ! C'est pour elle, c'est pour la conquérir qu'il accomplit des prodiges ! Ils s'aiment ! ajouta-t-elle avec une joie effroyable. Je tiens ma vengeance !

– Il s'agit donc, reprit l'évêque, d'abattre tout d'abord cet obstacle. Madame, il faut supprimer Capestang !

– Je crois que vous avez raison, dit froidement Léonora. Je ferai chercher cet homme, et quand il sera trouvé...

– Il est trouvé, interrompit Richelieu. Dans une pauvre auberge de la rue de Vaugirard, à l'enseigne du *Grand Henri*, on le prendra quand vous voudrez.

Richelieu s'inclinait. Quand il se redressa et que ses yeux se portèrent sur Léonora, il la vit si terrible que, de nouveau, il s'inclina très bas pour cacher sa propre joie.

– Capestang est un homme mort ! Marion est à moi ! Madame, reprit-il à haute voix, j'ose espérer que les avis du pauvre évêque que je suis à l'illustre homme d'État qu'est M. le maréchal d'Ancre seront accueillis en bonne part.

Léonora saisit la main de l'évêque, et, tout bas, d'une voix où grondait sa joie furieuse :

– Richelieu, dit-elle, Concino vous a promis pour demain le titre d'aumônier de la reine. Je cherche depuis un instant ce que je pourrais vous promettre, moi ! Et voici ce que je trouve : Richelieu, avant la fin de l'année, vous serez cardinal !

L'évêque pâlit. Il se courba sur la main de Léonora Galigaï, et d'un baiser éperdu, scella le pacte d'alliance, pacte d'ambition, pacte de crime !

XXIX

Le corbeau et le renard

Ce même jour, vers quatre heures de l'après-midi, c'est-à-dire à peu près vers le moment où, après cette scène dramatique au cours de laquelle il s'était engagé à Marion Delorme, et avait déclaré la guerre à Richelieu, le marquis de Cinq-Mars quittait l'hôtellerie des *Trois Monarques.* Vers ce moment, le chevalier de Capestang sortait, de son côté, de l'auberge du *Grand Henri.* Il marchait d'un pas impétueux, bousculant force passants, répondant d'un juron furieux aux réclamations, mâchonnant des imprécations et tourmentant la poignée de sa rapière. Il était fort pâle, en dépit du mouvement qu'il se donnait. Malgré la promesse qu'il avait faite à Marion Delorme dans la nuit, ce n'était pas aux *Trois Monarques* qu'il se rendait ainsi furieux, ou désespéré.

La veille au soir, Cogolin, ayant remis à son maître sa dernière pistole en lui conseillant d'aller la jouer au tripot de la rue des Ursins, Cogolin demeuré seul et persuadé que le chevalier ne rentrerait pas de la nuit, Cogolin convaincu que toute nouvelle tentative sur maître Lureau échouerait fatalement, Cogolin qui avait faim et qui, par le plus logique des raisonnements, prétendait que puisqu'il avait faim et soif, il devait manger et boire, sortit sans bruit de l'auberge et, une fois sur la route, mouilla son index en le passant sur sa langue, puis ce doigt, il l'éleva en l'air ; ayant ainsi reconnu d'où venait le vent, Cogolin, qui n'avait aucune raison de se diriger à l'est plutôt qu'à l'ouest, au midi plutôt qu'au septentrion, ouvrit ses longues jambes et, tel un héron en quête, se porta du côté que lui indiquait le vent.

Cogolin enfila donc les rues à mesure qu'elles se présentèrent, passa la Seine, alla, revint, tourna à droite, tourna à gauche, et cependant, les narines ouvertes à toutes les émanations, l'œil braqué sur toutes les rôtisseries, il faisait le guet. Neuf heures sonnèrent : les cabarets et tavernes se fermèrent ; il faisait noir ; il faisait faim ; il faisait soif. Cogolin mortifié et sérieusement fâché, commençait à maugréer, lorsque dans le rayon de lumière que projetait une boutique, il vit passer une silhouette majestueuse qui le fit tressaillir.

Cogolin était doué d'une dose extraordinaire de cette mémoire spéciale qu'on appelle la reconnaissance de l'estomac.

– Voilà, dit-il en tressaillant, une paire d'épaules avec lesquelles il me semble que je me suis déjà trouvé à table ; une attitude olympienne que j'ai admirée parmi des ragoûts, des rôtis et des fonds de bouteilles dont le souvenir me fait pleurer de tendresse. Où était-ce ? Corbacque ! – comme le chevalier m'a défendu de jurer ! Mais il n'est pas là – Corbacque, donc, j'y suis ! C'était aux *Trois Monarques*, le jour où M. de Capestang dîna avec M. de Cinq-Mars. Les maîtres fraternisant, les laquais fraternisèrent. Holà, mon cher monsieur... comment donc, déjà ? monsieur Lampion, monsieur Falot... j'y suis : monsieur Lanterne !

L'homme interpellé, qui n'était autre en effet que le laquais du marquis de Cinq-Mars, se retourna d'un certain air de majesté naturelle et montra un visage rubicond, fleuri et vermeil, une vraie face de laquais de maison où l'on fait ses quatre repas par jour sans compter les suppléments. Cogolin courba sa maigre échine, et, lui tint à peu près ce langage :

– Eh bonjour, monsieur de Lanterne. Toujours même santé florissante ! Toujours même air seigneurial ! Ah ! cher monsieur de Lanterne, vous êtes sûrement le prince des laquais...

– Qui êtes-vous donc, monsieur, et comment se fait-il que vous me connaissiez ? demanda Lanterne avec une visible bienveillance.

– Je le tiens ! se dit Cogolin. Eh quoi, serait-il possible que vous ne reconnaissiez pas votre hôte à qui vous fîtes manger de si bonnes choses provenant des fonds de plats de nos maîtres ? Ah ! monsieur de Lanterne, quant à moi, je ne vous ai point oublié et saurait-on d'ailleurs oublier un homme qui connaît les façons du grand monde et exerce l'hospitalité en vrai seigneur ?

– Monsieur Cogolin, je crois ? fit Lanterne avec cette condescendance qui ne va pas sans une pointe de dédain.

– Lui-même, cher monsieur de Lanterne, lui-même, et fier, je l'avoue, d'être reconnu d'un homme tel que vous.

– Mais, fit le laquais de Cinq-Mars d'un ton d'étonnement et de modestie, pourquoi donc m'appelez-vous *de* Lanterne ?

– Eh quoi ! Me serais-je trompé ? Ne serait-ce point là votre nom ?

Lanterne avala sa salive avec effort, et dit :

– Je m'appelle seulement Lanterne...

– Seulement ! s'écria Cogolin avec l'accent de stupéfaction d'un homme qui eût appris que le roi ne s'appelait pas Bourbon. Ma foi, pas plus tard que ce matin, je disais à mon maître : « Il faut que M. le marquis de Cinq-Mars soit de bien haute noblesse, puisque ses laquais eux-mêmes sont titrés ! » Pardonnez-moi, mon cher monsieur, c'est votre air qui m'aura trompé !

– Vous ne m'avez pas offensé, dit simplement Lanterne. Mais laissons cela. J'allais justement souper, monsieur Cogolin. Et puisque vous avez gardé un si bon souvenir de notre première rencontre à l'office des *Trois Monarques,* faites-moi l'amitié de me tenir compagnie à table ce soir encore.

– Je le savais bien ! s'écria Cogolin.

– Plaît-il ? fit Lanterne.

– Rien. C'est un cri du cœur. De temps à autre, il faut que mon cœur crie quelque chose. Je sors de table, mon cher de Lanterne. Mais, pour le plaisir et l'honneur d'être votre commensal, ma foi, je souperai deux fois de suite.

– Moi, dit Lanterne, un soir, j'ai soupé trois fois. Je vous raconterai cela à table, car j'aime les récits de beaux faits d'armes.

– Peste ! Vous m'en faites venir l'eau à la bouche. Mais, sans indiscrétion, où souperons-nous s'il vous plaît ? Est-ce à l'office de M. de Cinq-Mars ?

– Non, dit Lanterne, qui, depuis quelques instants, s'était remis en route. Ce soir, je suis en mission, et c'est même pour cela que je soupe si tard, ce qui est tout à fait contre mes habitudes. Je ne sais si vous êtes comme moi, mais j'aime la régularité des repas.

– Et moi, donc ! Je l'adore, la régularité. Mais la coquine ne peut me sentir. Ce sera donc en quelque taverne que nous souperons ? ajouta Cogolin, déjà inquiet. Mais tous les bouchons sont fermés.

– Oui, dit Lanterne, mais la rôtisserie où nous allons s'ouvrira pour moi. Monsieur Cogolin, nous souperons à la *Sarcelle d'Or,* dans la rue des Barrés.

Cogolin sursauta.

– Oh ! pensa-t-il, est-ce que ceci serait la suite de l'aventure que j'ai eue avec le sieur Laffemas ? – La rue des Barrés, reprit-il. Est-ce loin ? C'est que je ne connais pas Paris comme vous, moi.

– Il est de fait que je connais Paris. Voici près d'un mois déjà que j'y suis. Car vous saurez que, parmi cinquante serviteurs, c'est moi que le vieux marquis a choisi pour venir à Paris avec son fils, mon maître. Mais nous arrivons.

En effet, quelques minutes plus tard, Lanterne frappait à la porte de la *Sarcelle d'Or*, et, selon sa promesse, non seulement cette porte s'ouvrit, mais encore l'hôtesse, qui paraissait l'attendre, lui désigna une table et lui demanda ce qu'il voulait boire.

– Boire et manger, dit Lanterne, car j'ai faim et soif. Et voici monsieur qui est comme moi.

Cogolin ouvrait les yeux et les oreilles. Cependant, tout en se demandant ce qu'il allait apprendre de nouveau en cette soirée, il ne perdait pas de vue qu'il était là surtout pour dîner.

– Que mangerions-nous bien ? demanda Lanterne en s'asseyant en face de Cogolin, qui déjà avait pris position. Que dites-vous d'un de ces poulets froids que je vois alignés là ? Dame Léonarde (« Bon ! se dit Cogolin, le drôle est déjà venu ici »), donnez-nous donc un de vos poulets avec deux bonnes bouteilles de votre vin de Suresnes. Ce nous sera un souper convenable.

– Ah ! monsieur de Lanterne, dit Cogolin (*Lanterne leva vers l'hôtesse ses gros yeux de ruminant, comme pour lui confirmer que c'était bien lui qu'on appelait ainsi*), on voit que vous avez des goûts de grand seigneur. Un poulet froid et deux bouteilles de Suresnes ! Peste !

– Dame Léonarde, fit Lanterne qui enflait d'orgueil, vous joindrez au poulet une ou deux tranches de ce jambon, et au lieu de votre Suresnes qui est quelque peu aigre, vous nous donnerez trois bouteilles des côtes de Mâcon.

– Du jambon et du mâcon ! s'écria Cogolin. Diable ! décidément, il n'y a que les gens de qualité pour savoir manger et boire. Moi, j'eusse, demandé du fromage et de la piquette. Ah ! monsieur de Lanterne, jamais je n'oserai me nourrir de ces choses destinées aux palais raffinés !

– Gens de qualité ! murmura Lanterne. Bah ! fit-il avec

bienveillance, nous sommes ainsi, nous autres. Dame Léonarde, ajouta-t-il en jetant à Cogolin un regard destiné à l'achever de stupeur admirative, vous nous donnerez un peu de ce pâté que je vois sur ce dressoir ; vous y joindrez ce gâteau de riz au lait et, au lieu de votre vin rouge qui est un peu bien grossier, vous nous donnerez quatre bouteilles de vin d'Anjou.

Une heure plus tard, Cogolin en était à insinuer que Lanterne pourrait bien être un duc déguisé ; à ce moment, six bouteilles vides attestaient la magnificence de Lanterne qui, d'ailleurs, était parfaitement ivre, vu que, sur les six bouteilles, son hôte lui en avait fait boire cinq, et proposait à Cogolin de le prendre à son service. Cogolin qui était rassasié au point de pouvoir défier un jeûne de trois jours – car il possédait un estomac qui comme celui de certains carnassiers, se pliait à toutes les circonstances, déclina cette offre et se mit à appeler son hôte : Lanterne tout court.

Lanterne, précipité du haut de sa grandeur éphémère, allait demander à Cogolin les causes de ce manque de respect qui lui mettait les larmes aux yeux, lorsque la porte s'ouvrit, un homme entra, qui, lui aussi, avait l'allure d'un laquais de bonne maison.

– Bonsoir, Bourgogne, bonsoir ! bégaya Lanterne.

L'homme, sans faire attention à Cogolin, qu'il prit sans doute pour quelque serviteur de Cinq-Mars, se pencha sur Lanterne et lui murmura :

– Tu diras à M. le marquis que c'est pour demain, à cinq heures du soir. Voici la clef de la petite porte que monseigneur lui envoie.

Puis, l'homme se retira aussi rapidement qu'il était entré, tandis que Lanterne, tout ivre qu'il était, mettait soigneusement la clef dans la poche de sa jaquette. Si bas qu'eût parlé Bourgogne, Cogolin avait entendu.

– Que va-t-il se passer demain à cinq heures du soir ? Qu'est-ce que cette clef, murmura-t-il, monsieur de Lanterne ?

– Mon ami ? fit Lanterne qui, en s'entendant de nouveau anoblir, essuya ses yeux qui pleuraient du vin et de la vanité tout ensemble.

– Monsieur de Lanterne, voici qu'il se fait tard. Si vous le permettez, je vous escorterai jusqu'à votre logis et vous prêterai l'appui de mon épaule, car il ne convient pas qu'un homme comme vous aille seul par les rues à pareille heure.

– Tu as raison, mon ami, bégaya Lanterne, qui se leva en trébuchant. Au surplus, ma mission est terminée. Viens, Cogolin. Adieu, dame Léonarde.

– Jusqu'à vous revoir, monsieur de Lanterne ! fit l'hôtesse, qui avait suivi d'un œil amusé toute la manœuvre de Cogolin et esquissa une révérence.

Cogolin écarquilla les yeux et admira la commère. Lanterne demeura majestueux et se dirigea vers la porte avec cette rectitude impeccable et raide de l'ivrogne qui sait parfaitement que le plus léger écart lui est momentanément défendu.

– Ainsi, dit Cogolin, lorsqu'ils furent dans la rue, Lanterne s'appuyant sur l'épaule qu'il lui tendait avec respect, ainsi vous étiez ce soir chargé d'une mission importante ? La chose ne m'étonne pas, car vous devez être diplomate. Et c'est pourquoi on vous a confié la mission de répéter à M. le marquis de Cinq-Mars que la chose se fera demain soir, à cinq heures.

– Parfaitement, Bourgogne l'a dit. À cinq heures. Mais j'y pense, mon ami, si on signe le contrat notarié demain soir ?

– Diable ! songea Cogolin, un contrat ?

Lanterne s'arrêta. C'était simplement parce que les mots éprouvaient une certaine difficulté à sortir. Cogolin ouvrait des oreilles à entonner tous les secrets de Paris.

– Parbleu, fit-il, si on signe le contrat notarié, c'est que le mariage aura lieu bientôt, hein ?

– Bientôt ? ricana Lanterne. Ah ! ah ! Voyez donc les maisons qui dansent.

– C'est pour le mariage, dit Cogolin.

– Bientôt ? reprit Lanterne en s'accrochant à son idée, avec l'obstination de l'ivresse. On voit bien que tu n'es guère diplomate, mon ami ! À cinq heures, le contrat. À six la bénédiction du prêtre. Voilà !

– Voilà ! Peste, que voilà qui est diplomate et seigneurial. Et vous assisterez au mariage, monsieur de Lanterne ? Sûrement, le futur époux ne voudra pas se passer de vous en cette circonstance ?

Lanterne s'assit par terre et se cramponna des deux mains à la chaussée fangeuse.

– Parbleu ! fit-il sévèrement. Il ne manquerait plus que cela que M. de Cinq-Mars se marie sans que je sois à l'office (– *Oh ! oh !* *tressaillit Cogolin.*) Je te disais donc que puisque le mariage a lieu demain, il y aura ripaille. Un mariage sans ripaille n'est plus un mariage. Et alors... alors, je t'invite ! Cogolin, je veux que tu viennes. Mais je veux que devant Raimbaud, Bourgogne, et toute cette valetaille d'Angoulême, tu... je... c'est-à-dire...

– Je vous donnerai tous vos titres, soyez tranquille, monsieur de Lanterne.

– Cogolin, embrasse-moi, sanglota Lanterne.

– Demain ! fit Cogolin. Demain ! Devant la fiancée qui doit être joliment attifée et avenante, hein ?

– Je ne sais pas. Je n'ai jamais vu Mlle Giselle.

Cogolin, qui s'était accroupi pour recueillir le secret qu'il arrachait bribe par bribe, se redressa comme si un ressort l'eût poussé. Il baissa la tête, et murmura :

– Pauvre M. de Capestang ! Ma foi, j'eusse autant aimé ne pas savoir ! Et ce n'est pas moi qui lui apprendrai cette triste nouvelle. Il serait capable de m'arracher la langue.

– Cogolin ! mugit Lanterne, ne m'abandonne pas, mon ami !

– Non, non, fit Cogolin qui aida son amphitryon à se relever, soit qu'il crût avoir encore quelque chose à en tirer, soit simplement par reconnaissance pour le bon dîner qu'il venait de faire. Là ! Tenez-vous bien à mon épaule. En route ! Mais dites donc, puisque vous m'invitez à la ripaille, où dois-je venir ?

– Parbleu ! dit Lanterne en éclatant de rire. Si nous entrions tout de suite ? Nous serions tout portés pour demain ?

– Entrons ! Mais où ?

– Là ! dit Lanterne qui, après deux ou trois tentatives, parvint à désigner de son bras étendu l'une des maisons de la rue des Barrés.

– C'est là que s'est arrêté le carrosse qui suivait Laffemas ! Tout est limpide maintenant ! Ah ! pauvre chevalier de Capestang ! Quel sang et massacre tu vas rugir !

– Entrons ! dit résolument Lanterne. J'ai la clef de la petite porte !

– Donnez. Je vais ouvrir ! dit Cogolin sans le moindre scrupule, nous devons le déclarer.

Quelques minutes se passèrent pendant lesquelles Lanterne chercha la clef que lui avait remise le laquais du duc d'Angoulême. Cogolin se mit à l'aider, et l'aida si bien qu'en un instant la clef passa dans sa poche sans que Lanterne s'en fût aperçu.

– Il faut que vous ayez perdu cette clef, reprit alors Cogolin. Au surplus, croyez-moi, mieux vaut rentrer chez vous. Vous n'en serez que plus dispos demain pour la grande ripaille. Allons, venez. Où demeure votre maître ?

– Rue Saint-Antoine... à côté... des Filles de la Croix... bredouilla Lanterne qui se laissa emmener.

Bientôt ils arrivèrent au point indiqué, qui se trouvait à deux minutes de la rue des Barrés. Cogolin heurta à la porte basse, qui s'ouvrit. Lanterne voulut absolument le serrer dans ses bras.

– À demain, mon digne ami, balbutia-t-il en s'essuyant ses gros yeux.

– Oui. À demain, ou à un autre jour.

Comme Lanterne allait de son pas majestueux franchir la porte, Cogolin le retint par le bras.

– Voulez-vous que je vous donne un conseil pour finir dignement cette soirée ?

– Parle, Cogolin, parle, mon seul ami. Tu as acquis le droit de me conseiller.

Lanterne se pencha et mit sa main en conque derrière l'oreille pour mieux entendre.

– Mon brave camarade, dit Cogolin, écoute et retiens bien ceci : à l'avenir, défie-toi des gens qui t'appelleront M. de Lanterne. Partout où il y a un sot qu'on flagorne et un homme d'esprit qui flagorne, sois-en sûr, c'est le flagorné qui paye et le flagorneur qui s'engraisse. Adieu, Lanterne !

XXX

Fiançailles de Capestang et de Giselle

Grâce au précédent chapitre que nous avons presque textuellement copié dans les *Notices et mémoires sur ma vie*, par le sieur Cogolin (Amsterdam, 1628), le lecteur comprend pourquoi le lendemain, vers quatre heures, le chevalier de Capestang se dirigeait vers la rue des Barrés, furieux ou désespéré, disions-nous. En effet, Cogolin, après une longue hésitation, s'était décidé à tout raconter lorsque s'était approchée l'heure indiquée par Bourgogne à Lanterne.

Que voulait Capestang ? Il ne le savait pas. Pourquoi allait-il rue des Barrés ? Il ne se le demandait pas. Entrerait-il par cette petite porte dont il avait la clef ? Il s'affirmait que non. De quel droit serait-il entré ? Et cependant, il allait sans savoir pourquoi ni dans quel but final... Il allait comme va la feuille poussée par un vent d'orage. Capestang arriva rue des Barrés, la tête en feu, le cœur sanglant. Il alla droit à la maison de Marie Touchet. Il y alla sans hésitation, en se couvrant d'injures et en se grondant en lui-même :

– Pourquoi aller jusqu'à cette maison où je ne dois pas entrer ?

Comme il se disait cela, il se vit devant la petite porte. Il introduisit la clef dans la serrure, entra, et repoussa la porte derrière lui, sans la fermer tout à fait. Ce ne fut pas dans sa volonté de ne pas la fermer. Il ne savait pas ce qu'il faisait. Il concevait vaguement que ce qu'il faisait était insensé, mais il le faisait tout de même. Il vit un escalier couvert d'un tapis, et, avec la même décision qu'il avait mise à entrer dans la rue, à entrer dans la maison, il monta. Une porte se trouva devant lui : il ouvrit. Il se trouva alors dans une vaste salle où, comme en un rêve, lui apparut le portrait de Charles IX dans un cadre d'or bruni.

Cette salle, meublée de beaux dressoirs incrustés de cuivre, de bahuts aux bois sculptés, de fauteuils pareils à ceux qu'il avait vus dans la chambre de Louis XIII, Capestang la traversa sans s'arrêter.

– Oh ! rugit-il en lui-même. Je ne trouverai donc personne à qui parler, ici ! Oh ! je veux la voir... lui dire...

Il venait d'entrer dans une deuxième pièce beaucoup plus petite et très sombre, et il vit que, de ce côté-là, il n'y avait pas d'issue. Il s'arrêta, souffla rudement et, dans cette seconde, brusquement, le bandeau lui tomba des yeux ; il comprit qu'il venait de faire acte de folie... qu'on allait sûrement venir, qu'on allait le trouver là et penser peut-être qu'il venait espionner pour le compte du roi ! puisque le duc d'Angoulême conspirait ! puisque déjà, dans les caves de la rue Dauphine, il avait surpris des secrets ! Une sueur froide mouilla son front.

– Qu'ai-je fait ? bégaya-t-il. Lors même que j'aurais le courage d'avouer que la jalousie et le désespoir m'ont poussé, qui me croira ? Pas même elle !

Et à cette idée qu'elle pouvait le soupçonner d'espionnage, *elle* ! il se sentait mourir.

Au même instant, il recula avec un frisson d'épouvante. On venait d'entrer dans la grande salle ! Il entendait les voix de deux ou trois personnes qui causaient entre elles ! Capestang qui, dix fois déjà dans sa vie, avait vu la mort de près sans trembler, Capestang se mit à trembler convulsivement, et murmura :

– Je suis perdu !

Et tout à coup, par une de ces sautes que nous avons observées, il se redressa, flamboyant, avec un de ces grands gestes d'héroïque folie. Le chevalier de Capestang eut un éclat de rire et prononça :

– Bah ! J'en serai quitte pour me tuer voilà tout.

– Vous ne vous tuerez pas ! murmura derrière lui une voix douce et impérieuse à la fois.

Une volte-face effarée – et Capestang se vit en présence d'une femme qui le regardait, souriante, à peine visible dans l'obscurité. Malgré le somptueux costume qu'elle portait, il la reconnut.

– La fée de Meudon ! balbutia le chevalier.

Par où était-elle entrée ? par quelle porte dissimulée ? Hors de lui, la cervelle enfiévrée de rêve, Capestang eût admis l'irréel réalisé sous ses yeux. Doucement, elle lui prit la main, et plus doucement, lui parla :

– Si vous vous tuez, qui protégera ma fille et la sauvera ?

– Votre fille ! palpita le chevalier.

– Giselle ! dit Violetta.

– Giselle ! murmura Capestang ébloui, éperdu. Et vous dites que je dois la protéger ! la sauver ! moi ! Ah ! madame, je vous en supplie, expliquez-moi.

– Silence ! ordonna Violetta. Écoutez...

Elle mit un doigt sur ses lèvres, et du regard désigna la porte qui communiquait avec le salon. Là, en effet, on parlait, Capestang reconnaissait les voix et voici ce qu'il entendait :

– Eh bien ! disait la voix joyeuse du duc d'Angoulême, puisque nous sommes tous là, futurs conjoints, témoins, et parents ou leurs représentants, lisez-nous vos actes, monsieur Prément de Prémentin. Après quoi, ce salon, d'étude qu'il est, deviendra chapelle, et vous céderez la place au digne curé de Saint-Paul, qui est des nôtres et consent à venir officier ici.

– Le mariage ! rugit en lui-même Capestang, désespéré. Le mariage de Giselle et de Cinq-Mars !

Le notaire, déjà, procédait à l'appel des divers personnages réunis dans le salon. Successivement, le duc d'Angoulême en qualité de père de la fiancée, le duc de Guise représentant le père du fiancé, puis les témoins répondirent et affirmèrent leur présence. Le notaire, alors, appela :

– Haute et puissante demoiselle Giselle, fille unique de monseigneur Charles, comte d'Auvergne, duc d'Angoulême.

– Me voici, monsieur ! répondit la voix étrangement vibrante de Giselle.

– Henri de Ruzé, seigneur d'Effiat, comte de Cinq-Mars ?

– Me voici, monsieur ! répondit la voix sourde et tremblante du fiancé.

– Fini ! tout est fini ! bégaya le chevalier chancelant.

À ce moment, Violetta l'écarta d'un geste et entra dans le salon en disant :

– Une telle cérémonie ne peut s'accomplir sans la présence de la comtesse d'Auvergne, duchesse d'Angoulême, mère de la fiancée : me voici, messieurs !

Stupeur, espérance, terreur, ineffable étonnement devant tant de beauté, tous ces sentiments se peignirent une seconde sur ces physionomies. Violetta était entrée d'un pas majestueux et gracieux. Elle était revêtue d'une longue robe de brocart blanc, lamée d'argent ; elle portait avec une incomparable noblesse d'attitude le manteau à grand col, tel qu'il était en usage à la cour de Charles IX ; sur ses cheveux étincelait la couronne ducale étoilée de diamants. Et avec ses yeux hagards, son sourire, son allure à la fois souple et heurtée, elle avait la mystérieuse beauté d'une souveraine de rêves.

– Ô ma mère ! murmura ardemment Giselle, voilà donc ce que tu m'as promis quand j'ai versé dans ton cœur les douleurs secrètes de mon cœur !

– Marion ! chère Marion ! palpita Cinq-Mars emporté par le même espoir, est-ce un secours qui vient à moi ?

– Monsieur, dit rapidement le duc d'Angoulême au notaire, je vous ai mis au fait du malheureux état d'esprit de la duchesse.

Le duc de Guise et les témoins s'inclinaient devant Violetta avec ce respect infini qui est la plus parfaite expression de l'admiration des hommes. Déjà Charles d'Angoulême avait pris la main de Violetta qu'il conduisait à un fauteuil. Un instant, lorsqu'elle se fut assise, il la contempla avec cet orgueil qui est une des fortunes de l'amour, et peut-être une étincelle de cet amour si pur qu'il avait jadis éprouvé pour elle se rallumait alors dans son cœur : mais l'ambition, chez lui, dominait tout autre sentiment : il songea que ce mariage c'était la clef de voûte de son entreprise, que le vieux Cinq-Mars le surveillait de loin, qu'il pouvait lui retirer le secours de son immense fortune et l'appui de la seigneurie provinciale. Se tournant donc vers le notaire.

– Maître, dit-il d'un ton bref, veuillez lire les actes.

– Mon cher seigneur, dit Violetta, ne voulez-vous pas me faire connaître d'abord le fiancé de notre fille ?

Le duc tressaillit. Comment la folle pouvait-elle si clairement se rendre compte qu'il s'agissait d'un mariage ? Il lui sembla alors que sa parole était plus ferme, son regard moins égaré que d'habitude.

– Oui, continuait Violetta de cette voix d'une si pénétrante douceur, je suis folle, n'est-ce pas ? Une folle, c'est une morte. Réveille-t-on les mères couchées dans leurs tombes, pour leur montrer celui qui peut faire le malheur de leur fille ? Ma tombe, à moi, c'est ma démence.

– Mère ! Mère ! supplia Giselle en entourant de ses bras le cou de Violetta.

Le duc d'Angoulême jeta un regard sur les témoins de cette scène imprévue, comme pour les prier d'excuser cet incident, et, prenant Cinq-Mars par la main :

– Madame, dit-il, voici le marquis de Cinq-Mars qui doit faire *le bonheur* de notre enfant...

– Je m'y engage, madame, dit le jeune homme.

Violetta leva sur lui ses yeux d'un bleu profond et le fixa longuement. Il y eut dans le salon une minute de silence poignant. Et on entendit alors la démente qui disait :

– Oh ! comme vous êtes pâle ! Pourquoi ? Votre main ! Je veux voir votre main ! Ah ! c'est que je sais lire dans la main, moi ! (*Elle éclata d'un rire strident et s'empara de la main de Cinq-Mars.*) Ma mère m'a appris ! car qu'était ma mère ? Nobles seigneurs, écoutez : c'était une diseuse de bonne aventure.

– Messieurs, messieurs, bégaya le duc livide de terreur, sa mère était une Montaigues... une duchesse ! Le fils de Charles IX n'eût pas épousé la fille d'une bohémienne !

– Bohémienne ! éclata la voix étrange de Violetta. Tu as dit le mot, mon Charles bien-aimé ! Oh ! qu'ai-je vu dans votre main, monsieur ! ajouta-t-elle en s'adressant à Cinq-Mars. Vous n'aimez pas ma fille ! Vous aimez, oui. Votre cœur, vous l'avez donné tout entier. Votre âme, votre vie, vous les avez données, mais ce n'est pas à ma fille !

– Madame, je vous jure... frissonna Cinq-Mars.

– Du sang ! interrompit la voyante avec un accent de terreur qui fit passer sur la nuque de Cinq-Mars le souffle glacial de la mort entrevue. Oh ! prenez garde, jeune homme ! Je vois... Ah ! je vois distinctement l'échafaud qui se dresse et la tête de Cinq-Mars qui roule sous la hache du bourreau !

Cinq-Mars recula en poussant un cri. Giselle jeta un faible gémissement en se couvrant les yeux des deux mains. Les assistants haletaient. Éperdu, le duc d'Angoulême s'élançait vers Violetta avec un grondement de rage et de terreur :

– Une folle, messieurs, une folle, hélas !

Violetta l'arrêta d'un geste. Elle se redressa, se mit debout. Les plis rigides de son manteau ducal l'enveloppèrent.

– Bohémienne ! reprit-elle. Ma mère l'était ! Pourquoi ne le serais-je pas, moi, dont la naissance fut terrible ? Bohémienne je l'ai été. Charles, ô mon bien-aimé Charles, comme tu m'aimais alors ! Et pourtant, ce fut dans la roulotte hideuse du bohémien que tu me vis pour la première fois. Ma mère s'appelait Saïzuma, et moi je n'étais que la petite chanteuse Violetta. Tu m'aimas, Charles, même quand tu sus que j'étais née au pied de la potence où l'on devait pendre ma mère !

– Oh ! murmura Giselle en essayant d'étreindre Violetta ; pourquoi évoquer ces choses lamentables du passé !

Le duc d'Angoulême essuya son front couvert de sueur froide. Les autres assistants demeuraient silencieux, immobiles, frappés de stupeur.

– La potence ! reprit Violetta en écartant sa fille. Qu'avait fait ma mère ? Je ne sais pas. Je ne me souviens pas. Elle y fut conduite, pourtant ! Et si elle eut vie sauve, si le peuple assemblé sur la place de Grève cria grâce pour elle, c'est qu'au moment où le bourreau abattait sa main sur elle, ma mère poussa les clameurs de la femme qui enfante ! Et moi, j'étais là, mon premier regard de bienvenue au monde fut pour le gibet, un homme me recueillit et m'éleva, un homme plus pitoyable que les autres.

Violetta baissa la tête, et d'une voix sourde, murmura :

– Pauvre Claude ! Il s'appelait Claude, messieurs. C'était le bourreau !

– Horreur ! gronda le duc de Guise.

– Horreur, répéta Cinq-Mars.

Giselle pleurait. Le duc d'Angoulême grinçait des dents. Il voyait ce que cette effroyable révélation, même faite par une folle, pouvait attacher à son nom de prestige sinistre.

– Charles ! continuait Violetta d'une voix de délire, est-ce donc qu'une fatalité de malédiction pèse sur les femmes de ma race ! Charles ! je ne veux pas que notre fille souffre comme ma mère et moi ! Retirez-vous, seigneur ! Déchirez vos actes, monsieur ! Viens, Giselle ! Viens, ma fille ! Tu n'épouseras pas celui qui est promis au bourreau !

– Père, murmura Giselle éperdue, je vais la calmer... et puis, je reviendrai, soyez tranquille !

Le duc d'Angoulême, d'un signe de tête, approuva – et Giselle sortit, entraînée par sa mère. Les témoins, le duc, Cinq-Mars se regardèrent alors, et ils se virent tout pâles et frissonnants comme des hommes qui viennent de sonder à la fois les mystères d'un passé d'horreur et les mystères d'un avenir d'épouvante. Angoulême, d'un énergique effort de volonté, parvint à ressaisir son sang-froid.

– Messieurs, gronda-t-il, me ferez-vous l'injure d'ajouter foi aux paroles d'une démente ?

– Il est évident, dit le notaire Prément de Prémentin, que Mme la duchesse d'Angoulême n'est pas dans son bon sens – ainsi que vous m'en aviez prévenu, monseigneur.

– Ce mariage se fera. Il faut qu'il se fasse. Le marquis de Cinq-Mars et moi, nous avons partie liée. Nous avons échangé de solennelles promesses.

– Quant à moi, monseigneur, dit Cinq-Mars, je ratifie à nouveau la parole du marquis mon père.

Ces derniers mots, bien que sourdement prononcés, produisirent au duc d'Angoulême l'effet d'un rayon de soleil traversant les nuages accumulés sur sa tête. Il respira rudement.

– Messieurs, reprit-il avec force, mes chers amis, voici ce qu'il convient de faire : il me semble que la scène affreuse à laquelle nous venons d'assister doit retarder de quelques heures la cérémonie que, pourtant, je ne veux pas remettre à demain. Ce soir, à minuit, ici même, si vous êtes mes amis, nous nous trouverons de nouveau assemblés. Il me faut ce répit, ajouta-t-il, répondant à un geste empressé des témoins. À minuit, j'apporterai la preuve que la mère de la chère et infortunée Violetta s'appelait Léonore, fille de l'illustre lignée des Montaigues.

Quelques minutes plus tard, il ne restait plus dans le salon que le duc d'Angoulême et le comte de Cinq-Mars.

– Mon cher enfant, reprit alors le duc entièrement rassuré par l'attitude de Cinq-Mars, avez-vous détruit les papiers que je vous avais désignés ?

– Oui, monseigneur, j'ai pénétré la nuit dernière en votre hôtel de la rue Dauphine et le feu a consumé jusqu'au dernier des papiers contenus dans le coffre dont vous m'aviez remis la clef. J'ai seulement respecté la cassette de fer, selon vos indications.

– Cette cassette contient l'histoire de ma vie et tous les parchemins qui vous prouveront...

– Monseigneur, je ne doute pas !

– Merci, Henri ! Tu seras mon fils ! Tu seras le premier à la cour du roi Charles X, comme je l'ai promis à ton père.

Cinq-Mars pâlit. Mais le duc, violemment ému lui-même, ne remarqua pas cette pâleur. Ou s'il la remarqua, il l'attribua à la joie.

– Monseigneur, reprit Cinq-Mars, permettez-moi de vous accompagner jusqu'à la rue Dauphine.

– Non, mon enfant, fit vivement le duc, j'ai besoin d'être seul... Allez... Et soyez ici à minuit.

– À minuit, monseigneur ! dit Cinq-Mars, qui s'inclina, puis sortit de la maison. À minuit ! songea-t-il quand il fut dehors. Qui sait ce qui peut arriver d'ici minuit !

– Seul, murmura de son côté le duc d'Angoulême. Oui, j'ai besoin d'être seul pour fouiller la cassette de fer ! Car, dit-il en frissonnant des pieds à la tête, qui sait ce que penseraient, diraient et feraient Guise, Condé, Cinq-Mars, tous ceux qui me reconnaissent pour le roi de demain, s'ils savaient ! oh ! s'ils savaient que Violetta a dit l'effroyable vérité ! Que le duc d'Angoulême, futur roi de France, a épousé une malheureuse née au pied du gibet ! Que celle qui doit être reine de France a été élevée par le bourreau!

Il avait courbé le dos, comme sous le poids d'une catastrophe morale.

– Ô fautes de ma jeunesse, reprit-il avec une sombre amertume, comme vous pesez durement sur ma destinée ! Amour, passion aveugle, où es-tu ? Oui, je l'ai aimée, adorée, je serais mort, alors, si Violetta n'avait pu être mienne... et maintenant ! je...

Il eut un geste brusque, secoua rudement la tête, s'approcha d'un flambeau, tira de son pourpoint une lettre qui y était cachée et la lut, ou plutôt il dévora des yeux pour la centième fois la dernière phrase de cette lettre. Voici cette phrase :

Vous concevrez d'après ce qui précède, que je ne puisse laisser aboutir la conspiration si vous ne tenez vos formelles promesses. Pardonnez-moi, mon cher duc, mais qui me dit que le roi Charles X n'oubliera pas les serments du comte d'Auvergne ? Donc, ou la situation future de mon fils à votre cour est assurée par un bon mariage en règle dont je recevrai certificat sous huit jours, ou... Vous êtes trop habile politique pour ne pas achever vous-même ma pensée.

Je suis, mon cher duc et futur sire,

Votre respectueusement affectionné,

Marquis de Cinq-Mars.

– Il est temps ! Il est grand temps ! murmura le duc avec un soupir atroce. Que ce soir à minuit, il se produise encore un incident... et ma fortune s'effondre !

Il brûla la lettre jusqu'à la dernière parcelle de papier, et, à son tour s'élança au-dehors, il se dirigea rapidement vers l'hôtel de la rue Dauphine.

Capestang avait assisté à toute cette scène comme on assiste à un heureux songe, avec la crainte de se réveiller. Il est vrai que la cérémonie interrompue par Violetta devait être reprise à minuit... Mais avec sa prompte et ardente imagination, le chevalier dotait déjà la fée de Meudon d'une puissance fantastique. Ce qu'elle venait d'empêcher, elle l'empêcherait encore ! Capestang, toutefois se mit à disputer avec lui-même s'il s'en irait, confiant en l'intervention suprême de la fée, ou s'il resterait là, lorsque, comme tout à l'heure, une voix près de lui, murmura :

– Venez !

Et cette fois encore, c'était Violetta. Elle le saisit par la main, le fit passer par une petite porte dissimulée derrière une tenture et l'entraîna rapidement à travers deux ou trois pièces plongées dans l'obscurité. « Ah ! pensait Capestang, la fée a eu peur que je ne sois vu, et elle prend soin de me conduire elle-même jusqu'au-dehors... »

À ce moment, Violetta ouvrit une porte, Capestang se vit sur le seuil d'une pièce éclatante de lumière. Et là, il s'arrêta, pâle comme s'il allait mourir, le cœur étreint d'une puissante angoisse, les lèvres frémissantes, les yeux éperdus. Elle était là ! Elle ! Giselle !

Le chevalier, un instant, contempla Giselle qui, debout, dans une attitude de calme dignité, semblait l'attendre. Elle s'appuyait d'une main au dossier d'une chaise. Son regard, d'une lumineuse franchise, se fixa sur Capestang. Alors, il entra, s'avança, s'inclina devant elle, si bas qu'il parut s'agenouiller, et dit :

– Je me suis introduit chez vous comme un larron ; j'ai épié ; j'ai écouté aux portes ; j'ai entendu ce qui s'est dit. Madame, le malheureux gentilhomme qui est devant vous mérite d'être chassé par vos laquais.

– Je savais que vous étiez là, répondit Giselle avec une simplicité qui formait la merveilleuse antithèse de l'exaltation de Capestang. Et dès que ma mère m'eut informée de votre visite, je l'ai priée d'aller vous chercher.

– Pour me dire sans doute – murmura le chevalier avec une sorte de furieuse amertume, de désespoir déchaîné – pour me dire que la noble fille du duc d'Angoulême, petite-fille de roi, bientôt peut-être princesse royale, ne peut plus, ne doit plus rencontrer sur son chemin le pauvre hère que je suis ! (*Sa voix, d'abord sourde, éclatait maintenant en fanfare.*) Qu'il ne sied pas que la fiancée du marquis de Cinq-Mars, puisse être exposée à se heurter à un aventurier venu on ne sait trop d'où (*il palpitait, il se raidissait, la main à la garde de sa rapière*), à une sorte de reître, à une façon de routier se couchant sous le ciel, la tête sur une pierre, roulé dans son manteau usé. (*Il se frappa la poitrine, puis le front d'un geste d'héroïque emphase.*) Que j'ai tort de porter dans ma poitrine un cœur de roi, puisque je ne suis qu'un gueux, et dans la tête des pensées de conquérant, puisque je n'ai qu'une misérable rapière pour les soutenir. (*Il se hérissa, ses yeux fulgurèrent.*) Qu'il m'est seulement permis de disparaître, de me faire oublier, de me perdre dans la foule anonyme ! Est-ce là ce que vous vouliez me signifier ? Ah ! madame, remerciez-moi, puisque je vous épargne la peine de le dire ! Et que, vous le voyez, je disparais avant que vous m'en ayez donné l'ordre !

Il se redressa davantage, plus étincelant, plus désespéré, plus furieux, et fit un pas de retraite. À ce moment, avec cette même étrange simplicité ferme et fière, Giselle répondit :

– Chevalier, j'ai prié ma mère de vous faire venir pour vous dire devant elle que je vous aime.

Capestang demeura comme écrasé. Une sorte de gémissement faible s'échappa de ses lèvres. Il chancelait, ses oreilles bourdonnaient. Ses yeux s'étaient fermés. Une prodigieuse sensation d'orgueil sublime descendit de sa tête à son cœur, tandis qu'un frisson le parcourait tout entier. Il allait tomber à genoux. Sa main, d'un geste vague et timide, allait chercher la main de la jeune fille. Giselle l'arrêta d'un mouvement d'indicible dignité :

– Chevalier, dit-elle, ces paroles que, librement, de toute ma conscience, de toute mon âme, de toute ma fierté, je viens de prononcer, ces paroles, jamais plus je ne les répéterai. Plus jamais, ni vous, ni d'autres, plus jamais nul n'entendra Giselle d'Angoulême parler comme je viens de parler. À un autre, je mentirais. Et à vous, je ne pourrais les répéter sans crime puisque dans quelques heures, je vais m'appeler la marquise de Cinq-Mars.

Pantelant, hors de lui, la pensée exorbitée, Capestang secoua la tête et des paroles frénétiques se pressèrent sur ses lèvres ; mais pour la deuxième fois, Giselle l'arrêta :

– Pas un mot. Si je vous ai fait venir, chevalier, si je vous ai dit tout haut ce que je n'avais encore confié qu'à Dieu dans mes prières, c'est que j'ai cru deviner en vous une âme égale à la mienne ; c'est que je vous ai supposé assez grand pour admettre le sacrifice que j'ai admis, moi ; c'est que je vous ai vu, je vous vois un esprit assez hautain pour dédaigner les plaintes. Je dois épouser M. de Cinq-Mars, ou du moins je dois unir mon nom au sien (*Capestang tressaillit, son cœur se dilata.*) Mon père, les princes, mille gentilshommes ont engagé leurs têtes dans l'entreprise que vous connaissez. Que je retire ma parole, que je fasse au duc d'Angoulême cet affront de démentir la sienne, je suis peut-être la meurtrière de mon père.

Une rapide émotion altéra sa voix ; un instant cette âme de guerrière faiblit ; quelque chose comme un sanglot fit palpiter son sein sculptural. Capestang la contemplait avec une admiration passionnée.

Ils étaient debout, l'un tout près de l'autre, frémissants, unis par leurs regards enlacés, plus étroitement que par une étreinte d'amour. Leurs mains n'avaient qu'un geste à faire pour s'étreindre, et pourtant, immobiles, tout raidis, comme si chacun d'eux se fût pétrifié, ils étaient séparés par leur volonté mieux que par des distances qu'on ne franchit pas. Très bas, sans la quitter des yeux, il murmura :

– Donnez-moi vos ordres. Vous êtes la Dame de mes pensées et de ma vie. Je suis vôtre. Disposez de moi. Quoi que vous ordonnez, fût-ce de m'en aller mourir loin de vous sans jamais vous revoir, je serais digne de vous.

– Vivez ! répondit-elle faiblement, mais sans qu'une hésitation l'eût arrêtée. Vivez et ne vous éloignez pas de Paris.

– Vous m'ordonnez de vivre ! haleta Capestang. De vivre dans Paris ! Oh ! Prenez garde, ma Dame ! prenez garde de jeter dans mon cœur le germe d'un espoir insensé.

– J'ai voulu simplement vous dire ceci : j'ai le pressentiment que des catastrophes se préparent. Je vois la destinée de mon père s'assombrir. Alors, chevalier, alors, si ma vie est brisée, je serai bien heureuse de savoir qu'il est quelque part un cœur pour pleurer avec moi, alors, chevalier, alors, si la mort devient mon seul refuge, avec quel bonheur je vous appellerai pour vous dire : « Puisque la vie nous a séparés, unissons-nous dans la mort ! »

Capestang étouffa un cri de joie puissante. Il se pencha vers l'étrange et admirable fille qui d'une voix simple et ferme évoquait ce sombre avenir, il se campa fièrement comme si sa joie l'eût soulevé de terre, comme si son espérance eût touché au ciel, et dans une sorte de grondement terrible :

– Et maintenant, dit-il, je jure sur Dieu et mon âme que je saurai vous conquérir. Quoi qu'il advienne, Giselle vous êtes mienne et je suis vôtre. Que s'accumulent les catastrophes ! Je suis là, moi ! Et je veille sur vous ! Malheur à qui vous touche, vous êtes à moi. Adieu. J'emporte comme un talisman qui me fera invulnérable les paroles que vous avez daigné laisser tomber dans mon cœur. Mais vous, sachez ceci ! dès cette minute sacrée, j'entreprends votre conquête ! Et quand je croirai avoir assez fait, quand mes actes m'auront fait l'égal d'un roi, je viendrai à vous, je déposerai à vos pieds ma gloire, je couvrirai votre père de ma puissance et moi je vous dirai : « C'est dans la vie qu'il faut nous unir ! »

En même temps, d'un geste terrible et doux, il saisit Giselle, l'enlaça, la serra sur sa poitrine, et sur ses lèvres, comme une prise de possession, déposa un baiser. Quelques instants plus tard, il était dehors.

XXXI

Léonora et Concino

Dans l'après-midi de ce jour où Capestang devait courir à la maison de la rue des Barrés, et justement vers l'heure où il se mettait en route, Léonora Galigaï sortit de son appartement et passa dans une sorte de vaste antichambre dont les trois fenêtres donnaient sur la rue de Tournon.

– Belphégor ! appela-t-elle doucement.

Le Nubien ne répondit pas. Il était là, pourtant. L'une des trois fenêtres était ouverte. Au fond de la profonde embrasure, Léonora vit Belphégor penché à cette fenêtre – celle de gauche. Elle s'approcha sans bruit de la fenêtre du milieu, fit jouer le châssis, et elle aussi se pencha. Rien n'échappait à l'œil vigilant de Léonora. Intendants, valets, femmes de chambres et jusqu'au dernier des marmitons, tout le domestique du seigneurial logis était soumis à un espionnage incessant. Il fallait cela pour assurer la sécurité de Concini.

Léonora étudiait donc la rue d'un coup d'œil rapide. Mais elle ne vit rien que quelques rares passants qui doublaient le pas et détournaient la tête en arrivant à hauteur de l'hôtel. Un instant, il sembla à la marquise d'Ancre qu'elle entendait de sourdes malédictions.

– Patience ! gronda-t-elle. Les murs de l'hôtel que mon Concino habitera bientôt seront assez épais pour arrêter l'écho des clameurs de menace ; et autour de cet hôtel, il y aura assez de gardes pour que Concino puisse dormir tranquille... car cet hôtel s'appellera le Louvre.

Puis sa pensée revint à Belphégor. Le Nubien immobile, en extase, regardait quelque chose. Mais quoi ? Il parut à Léonora que ses yeux étaient fixés sur une fenêtre de l'hôtellerie des *Trois Monarques*. Elle sortit donc de son embrasure, s'approcha de Belphégor et le toucha à l'épaule. Le Nubien ne bougea pas. Plus rudement, elle le frappa alors. L'homme noir fut secoué d'un tressaillement terrible et se retourna violemment, les yeux hagards, comme s'il eût été trop brusquement arraché à un rêve trop profond.

– Pauvre Belphégor, dit Léonora avec un sourire aigu, on dirait que tu es amoureux...

Le Nubien pâlit comme pâlissent les noirs, c'est-à-dire que ses lèvres se décolorèrent, et que son visage d'un beau ton d'ébène brillante prit une couleur trouble et terne. Léonora l'étudia une seconde.

– Sincère ! murmura-t-elle. Il regardait quelque fille d'auberge. *Ceci n'est pas dangereux, il me semble...*

Un mathématicien, dans un calcul compliqué peut omettre un petit signe de rien. Un criminel, sur le lieu du forfait, peut oublier un objet insignifiant. Un esprit vaste, subtil, de large envergure, peut dédaigner une indication sans importance. *Ceci n'est pas dangereux.* Peut-être ! Le petit signe omis, c'est le principe de l'erreur qui fait qu'un calcul s'écroule. L'objet oublié, c'est peut-être l'aveu qui conduit à l'échafaud. L'indication dédaignée, c'est peut-être la catastrophe qui vient. Léonora reprit :

– Belphégor, il faut mettre en état les *chambres du bas*.

Le Nubien était redevenu impassible. Il s'inclina en signe d'obéissance.

– Toutes les chambres, entends-tu ? reprit encore Léonora, mais cette fois d'une voix plus basse, et en regardant autour d'elle avec défiance. Toutes ! Même la dernière ! Celle du fond !

– Le cachot *à la planchette de fer !*

– Oui, dit froidement Léonora : la planchette de fer ! Allons, va, et hâte-toi.

Et sans doute ce qu'évoquait cette étrange et mystérieuse appellation devait être quelque chose d'effroyable, car Belphégor frissonna... L'implacable exécuteur des vengeances secrètes de Concini couvrit ses yeux de sa main comme pour échapper à quelque tragique vision d'horreur.

Il poussa un rauque soupir, s'élança hors de l'antichambre, gagna un escalier dérobé et descendit au rez-de-chaussée. Dans la salle où il se trouvait alors, salle lointaine, obscure, voûtée en forme de crypte, il ouvrit une porte de fer. Un escalier commençait là, et, en forme de vis, s'enfonçait dans les entrailles du sol. Belphégor se mit à descendre cet escalier.

Léonora était rentrée dans sa chambre à coucher où elle s'occupa à écrire des lettres qu'elle faisait partir l'une après l'autre par des courriers. Le soir vint. Puis la nuit s'épaissit sur Paris. Neuf heures sonnèrent. À ce moment un certain mouvement se fit dans l'hôtel qui, depuis deux heures déjà, était devenu silencieux. Alors Léonora se leva, et par le passage secret qui faisait communiquer son appartement avec celui du maréchal d'Ancre, gagna le cabinet de Concini.

Le maréchal donnait ses instructions à ses spadassins, troupe renouvelée des *Quarante-cinq* d'Henri III (l'un d'eux, Chalabre, était même le fils d'un des fameux *bravi* royaux) et assez connue déjà des Parisiens qui l'appelaient les « *Ordinaires* de Concini », troupe redoutable, à qui on attribuait, à tort ou à raison – plutôt à raison – la disparition de nombre de gentilshommes. À l'entrée de Léonora, et sur un signe de leur maître, ils se retirèrent.

– Vous vous apprêtez ? demanda Léonora.

– Je suis prêt, répondit Concini.

– Par où commencez-vous ? Par la rue Dauphine ou la rue des Barrés ?

– Je ne comprends pas, fit sourdement Concini.

– C'est pourtant très clair. Je vous demande si vous commencez par l'arrestation du père ou celle de la fille. Prends garde, Concino. Je devais me charger de la fille. Tu as exigé de faire toi-même cette besogne. J'ai cédé. Seulement, à mon tour, j'exige...

– Quoi ? gronda Concini. Qu'exiges-tu, voyons ?

– Que tu commences par la rue Dauphine, par le duc d'Angoulême. Le reste sera de médiocre importance. Tandis que si tu commençais par Giselle, eh bien ! je te crois assez fou, mon pauvre Concini, pour oublier le duc. Et alors, que de malheurs !

– N'est-ce que cela ? fit Concini, tout joyeux de voir Léonora d'aussi bonne composition. *Per Dio*, tu as raison, *cara mia*. Je vais d'abord rue Dauphine.

– C'est essentiel, Concino. Peut-être y va-t-il de ta tête et de la mienne : il faut que, dans une heure, Angoulême soit à la Bastille. *Le reste m'importe peu*, répéta-t-elle d'une voix indifférente qui acheva de convaincre Concini. Tu m'as fait épier, surveiller toute la journée.

Ai-je eu un geste, une parole qui puisse te faire supposer que je veuille manquer à ma parole ? Je te dis que je ne m'inquiète pas de cette fille. Seulement, tu as juré de la ramener ici, rappelle-toi !

– Oui, oui ! dit Concini qui dissimula un sourire sardonique. C'est juré. Je la ramène ici. Elle sera sous ta surveillance, ce sera sa Bastille, à elle. Adieu, *carissima*. Dans une heure, tout sera fini.

En prononçant ces mots, Concini frémissait. Léonora Galigaï pâlit sous le fard qui couvrait son visage. Une flamme d'amour et de jalousie effrayante jaillit de ses yeux noirs. Elle eut un vague mouvement des bras vers Concino. Mais déjà celui-ci franchissait la porte.

– Comme il est heureux ! râla Léonora dans un soupir d'affreuse angoisse. Comme il tremble à la seule pensée de la revoir ! Attends, *Concinetto mio*, attends, tu vas voir de quoi est capable une femme qui aime comme j'aime !

Elle s'élança, et, par le même chemin, regagna son appartement. Là, elle attendit cinq minutes, palpitante, l'oreille aux aguets. Enfin, un homme entra.

– Eh bien ? demanda vivement la maréchale.

– Monseigneur a descendu la rue de Tournon et est entré dans la rue Neuve-des-Fossés. Il est escorté de Rinaldo et de ses autres suivants ordinaires.

Léonora frémit de joie.

– Bon ! songea-t-elle. Il va bien à l'hôtel d'Angoulême ! Je suis sauvée !

Elle renvoya l'espion d'un geste impérieux et passa dans son antichambre. Là attendaient deux gentilshommes, dont l'un s'appelait le vicomte de Lux et l'autre le chevalier de Brain. Ils étaient armés jusqu'aux dents : épée, poignard, pistolet. Ils saluèrent respectueusement la maréchale d'Ancre et attendirent silencieusement.

– C'est la reine Marie qui vous envoie ? demanda Léonora.

– Oui, madame, répondit de Brain.

– Quels ordres vous a-t-elle donnés ?

– Un seul, fit de Lux : celui de vous obéir ce soir comme à elle-même.

– La reine vous a-t-elle dit de quoi il s'agit ?

– Sa Majesté nous a indiqué seulement que nous devons arrêter et conduire en lieu sûr une jeune fille accusée de conspirer, et, pour le restant, de nous en référer à vos ordres.

– Messieurs, dit Léonora, en regardant fixement les deux *bravi*, cette jeune fille, vous la connaissez : elle s'appelle Giselle, c'est la fille du duc d'Angoulême.

Les deux hommes s'inclinèrent sans répondre.

– C'est, reprit la maréchale, cette jeune fille qui, un soir dernier, est sortie du Louvre sous votre escorte et à qui, près du Pont-au-Change, est arrivé l'accident que vous savez.

Les deux hommes s'inclinèrent de nouveau, mais gardèrent le silence.

– L'accident, continua la Galigaï en pesant sur chaque mot, n'a pas eu de suites, heureusement pour elle et malheureusement pour vous. Les gens que le service de l'État vous oblige à tuer se portent bien, paraît-il ! ajouta-t-elle soudain avec un grondement qui fit pâlir les deux assassins. J'ai pu apaiser la reine. Mais tâchez de prendre ce soir votre revanche, ou je ne réponds plus de rien.

– On la prendra ! gronda de Lux. Eh ! madame, si nous avions su que cette fille savait nager...

– Bien, bien, interrompit la Galigaï. Vous savez où vous devez aller ?

– Rue des Barrés, madame. Sa Majesté nous a donné ce détail.

– Vous avez des hommes avec vous ?

– Douze gaillards de sac et de corde qui brûleront Paris si nous voulons et qui, en ce moment même, nous attendent sur le port à l'avoine, à dix pas de la rue des Barrés.

– C'est trop, c'est beaucoup trop, fit vivement Léonora. Messieurs, il ne s'agit ce soir ni de brûler, ni de réveiller les bourgeois endormis. Vous devez procéder en douceur. L'acte que vous accomplissez est de ceux qui ne doivent laisser aucune trace. Laissez donc vos hommes dans la rue, ne les appelez que s'il y a résistance.

– Nous obéirons, madame, fit de Brain. Mais la conspiratrice arrêtée sans esclandre, en quelle prison d'État devrons-nous la conduire ?

– Ici ! répondit Léonora Galigaï d'un si sombre accent que les deux assassins en frissonnèrent.

Mais ce genre d'émotions ne les arrêtait jamais bien longtemps, sans doute ; car, reprenant leurs physionomies insoucieuses et rudes, ils s'inclinèrent très bas devant la maréchale, puis s'éloignèrent.

Le duc d'Angoulême avait rapidement atteint l'hôtel de la rue Dauphine ; il était monté au premier étage, avait parcouru sans lumière une enfilade de pièces, et, parvenu enfin à une sorte de cabinet, avait allumé un flambeau. Alors, il ouvrit un coffre, d'où il tira une cassette de fer qu'il posa sur une table devant laquelle il s'assit. Ayant ouvert la cassette, il se mit à en examiner l'un après l'autre les papiers qu'elle contenait. Le duc avait devant lui une fenêtre – celle-là même où Capestang, la nuit précédente, avait aperçu une lumière. Il avait à sa droite une cheminée pleine de cendres noires – les cendres des papiers politiques brûlés par Cinq-Mars. Il avait enfin derrière lui la porte par laquelle il venait d'entrer, et qu'il avait simplement poussée.

Il s'absorba dans son travail qui dura longtemps, deux ou trois heures, ou peut-être plus. Il mettait à sa gauche, sur la table, les parchemins qu'il voulait garder. Il roulait dans sa main ceux qu'il voulait détruire, puis les jetait dans la cheminée et les enflammait à l'aide du flambeau. Et dans le grand silence du vieil hôtel désert, rendu plus lourd par le silence énorme de Paris endormi, le duc absorbé, n'entendait que le léger froissement des papiers qu'il remuait, le crépitement étrange, fantastique du parchemin qui achève de brûler. Sa besogne terminée, il s'était accoudé à la table, la tête dans la main, et, s'enfonçait dans une rêverie qui aboutissait à la splendide vision de la royauté.

– C'est fini, songeait-il. Dans deux heures, le mariage de ma fille et de Cinq-Mars sera un fait accompli. Dès lors, les amis du vieux marquis deviennent mes amis. Tout est prêt. Guise et Condé me soutiennent. Il y a dans Paris trois mille hommes qui n'attendent que mon signal. La complicité de Léonora Galigaï m'assure la victoire. Dans deux jours, tout sera fini. Je serai roi de France ! Roi !

ajouta-t-il en frémissant, roi de France ! Le plus beau royaume de la chrétienté ! à moi ! oh ! je sens que je ferai de grandes choses. Allons, il est temps de retourner rue des Barrés.

Il plaça dans un portefeuille les parchemins qu'il avait mis de côté et glissa le portefeuille sous son pourpoint. Puis il se leva en soufflant le flambeau. Dans ce même instant, le duc se sentit frissonner de terreur.

Il avait soufflé sur le flambeau, la cire était éteinte, et pourtant le cabinet demeurait éclairé ! Le duc d'Angoulême se retourna d'un mouvement violent, et alors il demeura livide, un cri d'épouvante s'étrangla dans sa gorge. Dans le cabinet, à quatre pas de lui, il y avait un homme, immobile, l'épée à la main. Derrière cet homme, il y en avait sept ou huit autres également armés ; l'un d'eux portait un flambeau.

– Concini ! hurla le duc.

En même temps, il saisit la table à pleines mains, la souleva de ses forces décuplées, la jeta entre lui et Concini pour s'en faire un rempart et tira son épée.

– Monsieur le duc, dit froidement Concini, au nom du roi, je vous arrête.

– Vous m'arrêtez ! Vous ! vous ! Vous qui...

– Qu'on le saisisse ! vociféra Concini pour couvrir la voix du duc.

Les spadassins se ruèrent. Au premier coup que porta Angoulême, son épée se brisa. Quelques secondes de lutte, des soupirs rauques, des jurons, puis le silence.

Angoulême, bâillonné, garrotté, fut soulevé par dix bras, emporté, jeté dans un carrosse qui stationnait à la porte de l'hôtel. Là, il s'évanouit. Lorsqu'il se réveilla, il se vit dans une chambre aux murs épais et nus. Une étroite fenêtre garnie de barreaux y laissait entrer un peu d'air. Le duc s'élança à cette fenêtre et colla aux barreaux son visage convulsé. Et alors ses cheveux se hérissèrent, son cœur, un instant, cessa de battre, et de sa gorge s'exhala une clameur de désespoir terrible qui se perdit dans la nuit :

– La Bastille ! La Bastille !

En sortant de la Bastille, Concini et sa troupe s'élancèrent à pied vers la rue du Petit-Musc, qui aboutissait à la rue des Barrés. Deux hommes furent chargés de conduire tous les chevaux en bride jusqu'à une petite place située entre la rue des Barrés et la Seine, et qu'on appelait la place aux Vaux. Un troisième conduisit jusqu'à la porte de la maison de Marie Touchet le carrosse même qui avait servi à l'arrestation du père de Giselle.

Concini, à pas rapides, gagna donc la rue des Barrés et s'arrêta devant la maison. Il frémissait. La passion sauvage qui se déchaînait en lui le faisait trembler comme par un temps de froid, et pourtant la nuit d'été était chaude, constellée, paisible.

– Où la conduirons-nous ? lui demanda Rinaldo. À l'hôtel d'Ancre ?

– À ma maison de Reuilly, gronda Concini en respirant avec effort. Écoute, Rinaldo. Il faudra que je rentre à l'hôtel. Car je prévois pour demain des événements qui... et enfin, il faut que ce soit moi qui annonce au roi la prise du duc. Tu te chargeras donc avec Montreval de la conduire à Reuilly. L'endroit est sûr. La marquise elle-même ignore que je possède cette maison. Tu me la garderas, mon bon Rinaldo.

Rinaldo fit la grimace et grommela :

– Vous oubliez, monseigneur, que nous devons faire encore une arrestation : celle du damné Capestang. Par le diadème en or que vous avez offert à la madone de Piedigrotta, et que vous auriez mieux fait de me donner à moi, je vous jure, monseigneur, que si je ne suis pas là pour mettre la main au collet du sacripant, je quitte votre service, je me donne à Guise, à Condé, ou même, au pis-aller, au petit Bourbon du Louvre !

– Rassure-toi, Rinaldo. Dès demain, tu seras relevé de ta faction, et je te promets que d'ici là, rien ne sera tenté contre le chevalier de Capestang. Mais approchons-nous de cette porte. Il s'agit de l'ouvrir en douceur, sans la trop faire crier.

– Nous avons les outils dans le carrosse. Eh ! monseigneur il ne faut que savoir s'y prendre. Les portes, voyez-vous, ne demandent pas mieux que de se laisser ouvrir... surtout, ajouta-t-il soudain, surtout...

– Quoi ? Qu'y a-t-il ? fit vivement Concini en rejoignant Rinaldo qui s'était approché de la petite porte.

– Surtout quand elles sont déjà entrebâillées ! acheva Rinaldo. Voyez, monseigneur !

– Ouverte ! rugit Concini en pâlissant.

En même temps, il se rua à l'intérieur, suivi de Rinaldo et de ses acolytes. Il se heurta aux premières marches d'un escalier : en quelques bonds, il escalada. En haut, une porte : il l'ouvrit violemment. Une salle où brûlaient des flambeaux. Il en saisit un. De pièce en pièce, en bas, en haut, jusqu'aux combles, jusqu'aux caves, écumant, l'œil en feu, la gorge pleine de sanglots et de jurons, il courut... personne ! Solitude et silence ! La maison, du bas en haut, était déserte ! Concini jeta à toute volée contre un mur le candélabre de bronze qu'il tenait, et rugit :

– Malédiction !

– L'oiseau s'est envolé ! ricana Rinaldo en mettant le pied sur la cire qui communiquait le feu à une tenture.

Sans répondre, Concini s'élança au-dehors ; toujours suivi de Rinaldo, il courut jusqu'à la place aux Vaux, sauta sur son cheval et lui enfonça ses éperons dans le ventre.

– Louvignac ! cria Rinaldo en partant à son tour au galop de charge, ramenez nos hommes à l'hôtel. Il n'y a plus rien à faire ici.

Moins d'un quart d'heure plus tard, Concini et Rinaldo mettaient pied à terre devant l'hôtel d'Ancre. Comme ils franchissaient la petite porte à gauche de laquelle se trouvait le poste des gardes, deux hommes descendant le perron traversaient la cour d'honneur. Ils passaient dans le rayon de lumière qui fusait de la fenêtre du poste. À la vue de Concini, ils firent un mouvement. Mais il était trop tard. Concini les avait vus et reconnus sans doute, car sa figure convulsée par la rage s'apaisa avec cette instantanéité que lui eût enviée le fameux Mondor, un rire silencieux crispa ses lèvres et, arrêtant d'un geste les deux hommes :

– Monsieur de Brain ! Monsieur de Lux ! fit-il de sa voix la plus soyeuse. Et que me vaut l'honneur, à pareille heure, d'une visite des deux plus fidèles gentilshommes de Sa Majesté la reine mère ?

– Monseigneur, dit de Lux, Sa Majesté a bien voulu nous charger d'un message urgent que nous venons de porter à Mme la maréchale.

– Cela se trouve à merveille, reprit Concini, plus caressant que jamais. J'ai moi-même une importante dépêche à faire parvenir à la reine. J'espère que vous voudrez bien la porter au Louvre ?

– Nous sommes à vos ordres, monseigneur, dit de Brain qui jeta à son compagnon un regard qui en disait long sur son inquiétude.

– Bien, messieurs. Le temps d'écrire trois lignes, et je suis à vous. Veuillez m'attendre là.

En même temps, il ouvrait la porte du poste et, des yeux, de ses yeux soudain devenus terribles, il donna un ordre à l'officier qui commandait. De Lux et de Brain eurent le même regard vers la petite porte de la rue. Mais là, ils virent Rinaldo qui, les bras croisés, attendait dans une attitude nonchalante. Ils entrèrent donc dans le poste. Et aussitôt, comme par hasard, cinq ou six hommes se placèrent de manière à ce qu'ils ne pussent faire un pas ni vers la porte ni vers la fenêtre.

Dehors, Concini marcha droit à Rinaldo.

– Toi, gronda-t-il, reste ici. Tue tout ce qui essaiera de passer !

Puis il s'élança dans l'hôtel, et gagna le passage qui, jusqu'alors, n'avait guère été utilisé que par Léonora. Il était livide. Une mousse blanchissait le coin de ses lèvres. L'afflux du sang à la tête striait de rouge ses yeux hagards. D'un coup de pied, il enfonça la porte devant laquelle il arrivait, et il se rua dans la chambre de sa femme à l'instant où elle-même y entrait par la porte opposée. Concini tira son poignard, marcha à Léonora, et, de sa main libre, étreignant son bras gauche :

– Pas de mensonge ! râla-t-il. Pas de faux-fuyant. Il me la faut. D'accord avec Maria (*il voulait dire la reine mère*), tu l'as fait enlever. Lux et Brain viennent de tout m'avouer. (*Léonora tressaillit et haussa les épaules.*) Ainsi, réponds, où l'as-tu mise ? Je te dis que je la veux ! Réponds, réponds, par le Christ, ou je frappe !

Il leva son poignard.

– Comme tu te fais mal ! murmura Léonora d'une voix de profonde douceur.

– Réponds ! rugit Concini, délirant. Tu ne vois donc pas que je vais te tuer ! Tu ne vois donc pas que c'est tout ce que je peux faire d'attendre une seconde avant de t'égorger !

Léonora souffrait affreusement dans son cœur de son amour insulté à ce point que pour la première fois, son mari avouait, proclamait, hurlait sa passion pour une autre. Elle souffrait aussi dans son corps, car la main de fer de Concini crispée à son bras lui labourait les chairs. Mais elle n'y prenait pas garde. Elle baissa la tête, deux larmes de désespoir jaillirent de ses yeux, et elle murmura :

– *O mio amore !*

Concini grinça des dents, et, d'une voix blanche :

– Tu le veux, Léonora ! C'est toi qui le veux ! Eh bien...

Un geste de Léonora arrêta le bras qui allait s'abattre.

– Et moi, dit-elle, j'ai ceci à te dire : tue-moi, Concino ! mais j'emporte mon secret, entends-tu ! Moi morte, tu pourras démolir Paris pierre par pierre : tu ne la trouveras pas ! Moi morte, elle mourra. Maintenant, tue-moi si tu veux ! J'avais prévu cela. J'avais prévu la trahison de ces deux imbéciles. Je prévois tout, moi ! Même que je dois périr de la main que j'adore ! Allons, Concino, qu'attends-tu pour frapper Léonora et tuer du même coup ta Giselle !

Concini jeta son poignard ; il se mordit le poing, et, avec un gémissement lugubre, s'abattit à genoux ; les sanglots déchirèrent sa gorge ; immobile, toute droite dans les plis rigides de ses vêtements noirs, Léonora le contemplait avec la souveraine pitié à la fois méprisante et presque maternelle de son âme supérieure. Concino ramassa le poignard qu'il venait de jeter.

– Léonora, bégaya-t-il, c'est moi qui vais mourir, c'est moi que je vais frapper si tu ne me jures de respecter la vie de cette jeune fille.

– Calme-toi, dit-elle froidement. Si j'avais voulu la tuer, elle serait morte déjà. Je veux qu'elle vive, et je t'en donnerai la preuve dès qu'elle ne sera plus dangereuse pour l'issue des événements qui se préparent.

– Oui, tu as raison ! Mais quelle preuve me donneras-tu ?

– Je te conduirai à elle ! fit simplement Léonora.

Il se releva d'un bond, la saisit dans ses bras, la couvrit de caresses ; il était ivre de sa rage, de son désespoir et de son bonheur ; il lui jurait qu'il l'aimait, qu'il n'aimait qu'elle ; et elle le laissait tout pantelant, exhaler sa passion ; elle lui souriait ; elle acceptait tout, promesses de fidélité, caresses – et enfin, après un dernier baiser furieux, il sortit précipitamment.

– Ô mon amour, générateur de haines sauvages ! gronda alors Léonora défaillante. Quelle vengeance ! Quelle implacable vengeance il va me falloir !

Cependant Concini était redescendu dans la cour. Il retrouva Rinaldo où il l'avait laissé. Il lui parla rapidement à voix basse, Rinaldo souriait en homme à qui on propose une partie de plaisir ; il souriait et il y avait au coin de ses yeux un petit pétillement rouge.

– Si je crie *Santa Maria*, tu entends ? acheva Concini.

– *Santa Maria*, soit ! ricana le *bravo*. Jamais *Santa Maria* n'aura été à pareille fête.

Concini ouvrit le poste, et fit signe à de Lux et de Brain de le suivre. Tous quatre sortirent de l'hôtel. Les deux agents de Marie de Médicis, voyant qu'ils n'étaient escortés que de deux hommes, se rassurèrent. Concini marchait à côté de Lux ; Rinaldo à côté de Brain.

– Messieurs, dit Concini, toute réflexion faite, j'aime mieux me rendre moi-même auprès de Sa Majesté ; la chose est d'importance ; et il faut que je vois la reine, malgré l'heure tardive.

Lux et Brain sourirent : ils savaient mieux que personne que Concini entrait chez la reine ou sortait de chez elle à des heures plus tardives encore : que de fois ils avaient secrètement monté la faction au passage que prenait Concini pour se rendre chez Marie de Médicis, et qu'ils appelaient le *Pont d'amour !* Ils étaient donc parfaitement rassurés. On arriva au Pont-Neuf. Concini s'arrêta tout à coup.

– Est-ce que vous avez vu quelque chose, monseigneur ? fit de Lux en portant la main à son épée.

L'endroit, en effet, était mal famé. Les tire-laine y pullulaient. Le guet, d'ailleurs, ne s'y hasardait jamais. À cette question, Concini répondit :

– Oui, messieurs, je viens de voir une chose : c'est que vous êtes des imposteurs.

De Lux et de Brain pâlirent.

– Monseigneur, gronda le premier, prenez garde, vous insultez deux gentilshommes de la reine !

– Fussiez-vous gentilshommes du pape, je vous dirais encore que vous avez menti, et je le prouve !

– Voyons la preuve ! ricana de Brain.

Concini paraissait fort calme. Quant à Rinaldo, il sifflotait. Deux contre deux. Lux et Brain n'avaient rien à redouter. D'ailleurs, ils se sentaient protégés par leur titre de gentilshommes de la reine, et puis ils avaient cette bravoure des gens qui se sont habitués à gagner richesse et titres en risquant leur peau tous les jours.

– Voici la preuve, reprit Concini. La maréchale que j'ai interrogée m'a assuré que vous ne lui aviez transmis aucun message de la reine. Donc, vous avez menti. Maintenant, j'ajoute : Messieurs, vous êtes des lâches.

Concini se croisa les bras. Rinaldo se rapprocha de son pas nonchalant, Lux et Brain se regardèrent et éclatèrent d'un rire strident. L'œil au aguets, la main à la poignée de la rapière, prêts à tomber en garde, il s'étonnaient seulement de l'attitude trop paisible de Concini.

– Que dit donc monseigneur Concino Concini ? ricana de Lux.

– Hé ! As-tu donc les oreilles bouchées ? Il dit que nous sommes de lâches.

De nouveau retentit le rire aigre, strident, méprisant des deux *bravi* qui comprenant que cette aventure ne pouvait se terminer que par un coup d'épée, étaient décidés à aller jusqu'au bout, c'est-à-dire à tuer Concini et Rinaldo. En effet, il n'y avait pas d'autre issue à un duel de ce genre : vainqueurs ou vaincus, si Concini sortait de là vivant, ils iraient pourrir dans quelque cul-de-basse-fosse.

– Oh ! oh ! reprit de Lux, c'est que le *signor* Concini s'y connaît en lâcheté, peste !

– Et en courage, donc ! continua de Brain. Témoin son bâton de maréchal qu'il a ramassé sous les courtines d'un lit, alors que d'autres sont assez fous pour aller le chercher sur un champ de bataille. Peste !

Concini ne bougeait pas, ne tressaillait pas. Rinaldo s'était mis à siffloter ; puis il bâilla.

– Dis donc, Lux, te souviens-tu la fameuse dispute de Bellegarde avec le *signor* Concino Concini ?

– Si je m'en souviens, par tous les diables ! J'en ris encore ! Tout Paris en rit et en rira longtemps !

– Je vois encore Bellegarde courant Paris, cherchant partout le *signor* Concini pour lui tirer les oreilles avant de lui passer son épée au travers du corps.

– Et Bellegarde ne trouva pas *monsignor* Concini ! En vain le chercha-t-il huit jours durant !

– Parbleu ! monseigneur était caché dans les caves de l'hôtel de Rambouillet !

Lux et Brain se tenaient les côtes. Concini ne bougeait pas. Il souriait. Mais ses lèvres tremblaient légèrement. Lorsque le rire des deux hommes se fut enfin apaisé, il reprit tranquillement, comme s'il n'eût rien entendu :

– Messieurs, je dis que vous êtes des menteurs, et je l'ai prouvé. Je dis que vous êtes des lâches, et je le prouve : ce soir, nuitamment, vous avez pénétré dans une maison paisible et enlevé par violence une jeune fille sans défense. Je précise : cela s'est passé rue des Barrés. La jeune fille s'appelle Giselle. Vous voyez que je sais tout, messieurs !

Lux et Brain gardèrent le silence. Concini reprit – et cette fois, sa voix était sourde, tremblante :

– Messieurs, j'ai une proposition à vous faire. Avant tout, laissez-moi vous dire que vous êtes libres de la rejeter ou de l'accepter. Si vous la rejetez, je vous jure d'oublier notre rencontre de ce soir et tout ce qui vient d'être dit. Si vous l'acceptez, je vous prends à mon service avec une paie double de celle que la reine vous donne ou ne vous donne pas ; car ses coffres sont vides et les miens regorgent.

– Voyons la proposition, monseigneur... dit de Brain.

– Une prière plutôt : je vous demande simplement de m'indiquer en quel lieu de Paris vous avez conduit la jeune fille que vous avez arrêtée.

– En d'autres termes, monseigneur, fit de Lux, vous nous proposez une trahison.

– Oui ! fit Concini, les dents serrées, la gorge angoissée, mais une trahison qui vous enrichit.

Lux et Brain se regardèrent. Ils parurent hésiter une seconde, qui fut pour Concini longue comme une heure. Enfin, et non sans un soupir de regret, Lux prononça :

– Moi je refuse. Et toi, Brain ?

– Moi aussi ! fit de Brain en s'inclinant.

– Vous refusez ! râla Concini, dont le dernier espoir s'effondrait. Réfléchissez, messieurs ! Tenez, ne vous décidez pas à la légère. Consultez-vous. J'attendrai. Songez à ce que je vous offre.

– Inutile de réfléchir : nous refusons !

Concini ploya les épaules comme un athlète qui vient de recevoir un coup trop rude. Il se courba, baissa la tête, accablé en apparence. En réalité, il se ramassait. Il se mordait les lèvres jusqu'au sang pour arrêter au passage l'explosion de sa fureur. Sous ses paupières, il y avait cette étrange lueur de folie qui précède le meurtre comme l'éclair précède le tonnerre.

– Messieurs, râla-t-il, vous ne savez pas le mal que vous me faites. Ah ! *povero* ! Ah ! je suis perdu ! Ah ! *Santa Maria !*

En même temps il se détendit, bondit avec un rugissement de fauve ; le bras eut un double mouvement, de Lux tomba comme une masse, sans une plainte, la gorge ouverte. Dans la même seconde et au cri de *Santa Maria*, Rinaldo se rua sur de Brain, qui essaya de tirer son épée : trop tard ! le poignard, d'un coup en dessous, l'avait atteint au ventre. De Brain s'affaissa.

– À moi ! bégaya-t-il. Oh ! lâche ! assass...

Il n'eut pas le temps d'achever : Rinaldo d'un deuxième coup de poignard dans la poitrine, le tua net. Le *bravo* se releva alors avec une sorte de grognement, les narines ouvertes, les lèvres retroussées comme s'il eût aspiré l'odeur du sang, et il eut un rire silencieux en regardant Concini.

Concini à genoux sur la poitrine de Lux, frappait à coups redoublés, au hasard ; la folie furieuse du sang se déchaînait en lui ; il délirait ; son bras se levait et retombait ; à chaque coup, un gémissement fusait de ses lèvres livides ; il frappait, il était plein de sang, la tête lui tournait ; le visage du cadavre n'était plus qu'une plaie rouge... et ce cadavre, enfin, il le saisit par les cheveux et le traîna jusqu'au fleuve où, d'un coup de pied, il le fit rouler. Quant à Rinaldo, il avait imité son maître en traînant le cadavre de Brain... et quelques secondes plus tard, les deux corps voguaient de conserve, s'en allaient au fil de l'eau, plongeaient, reparaissaient un instant, puis enfin ils s'enfoncèrent.

Rentrés à l'hôtel d'Ancre, Concini et Rinaldo commencèrent par changer de vêtements. Sans doute Concini vivait une de ces heures de fièvre furieuse où le repos est impossible, où l'esprit, après l'action, conserve cette même houle tumultueuse que conserve l'océan après la tempête.

– Rassemble nos hommes ! gronda-t-il. Ah ! peste, comme disaient ces deux braves, je me sens en goût. Et, pendant que je suis en train d'en découdre, il me faut encore une peau !

– Ah ! ah ! fit Rinaldo, les yeux écarquillés. Bataille, donc ! Mais contre qui ?

– Tu oublies, Rinaldo ! ricana Concini. Ta haine ne vaut pas la mienne ! Ah ! ah ! tu oublies !

– Capestang ! grinça Rinaldo, dont l'œil s'éclaira d'une lueur funeste.

– Oui ! Tu vois que, cette fois, il nous faut tous nos hommes. Va donc les rassembler, et envoie quelqu'un jusqu'à cette auberge de la rue de Vaugirard pour éclairer un peu le terrain.

Rinaldo s'élança vers cette sorte de vaste dortoir que les *ordinaires* de Concini occupaient en commun, et qui était situé au deuxième étage de l'hôtel. À ce moment, il était plus de minuit. Mais, à peine rentrés de l'expédition de la rue des Barrés, les spadassins n'étaient pas couchés encore.

– Bataille, messieurs ! dit Rinaldo en entrant. Équipez-vous, armez-vous solidement. Il s'agit d'un sanglier qui découdra plus d'un de nous. À vos armes, donc, et en chasse ! Montreval, puisque te voilà tout prêt, pars devant jusqu'à l'auberge du *Grand Henri*, rue de Vaugirard, et reviens nous dire si le sanglier est à sa bauge !

– Bon ! fit Montreval. Le signalement du sanglier ?

– Il s'appelle Capestang ! rugit Rinaldo d'un accent de féroce triomphe.

À ce nom, un tumulte éclata. Les spadassins poussèrent un « hurrah » terrible, et, furieusement, se harnachèrent en guerre, amorçant les pistolets, se couvrant la poitrine de leurs buffles, accrochant leurs poignards et ceignant leurs rapières. En quelques minutes, ils furent prêts ; frémissants, pâles de haine, ils avaient des faces de tigres prêts à bondir. Rinaldo, un instant, les contempla avec une joie d'orgueil et de triomphe. Ils se trouvèrent dans la cour de l'hôtel sans que nul pût s'apercevoir qu'il se passait quelque chose d'extraordinaire. Là, placés, en ordre de bataille, immobiles, silencieux, ils attendirent l'arrivée de Concini.

Montreval était parti en éclaireur. Un quart d'heure s'écoula. Concini parut alors. Il était armé comme les autres. Il fit un signe, et la troupe sortit de l'hôtel. À pas rapides et furtifs, ils remontèrent la rue de Tournon. Rinaldo était en tête, les yeux flamboyants, le mufle tendu vers le carnage, la poitrine pleine de grondements. Au coin de la rue de Vaugirard, il se heurta à un homme qui venait en sens inverse. C'était Montreval qui accourait.

– Eh bien ! gronda Concini.

– Eh bien, fit Montreval avec un juron de rage, la bauge est vide ! le sanglier n'est plus là !

Rinaldo poussa une imprécation furieuse. Concini grinça des dents. Rinaldo voulait s'élancer pour s'assurer par lui-même. Mais Montreval l'arrêta :

– Inutile, dit-il. Non seulement Capestang n'est plus dans l'auberge, mais l'auberge est déserte. Son patron l'a abandonnée aujourd'hui. J'ai trouvé les portes fermées ; j'ai sauté par-dessus le mur de la cour ! j'ai tout visité, il n'y a plus âme qui vive de la cour aux greniers.

– La malédiction est sur nous ! gronda Rinaldo.

– Cet homme me tuera ! murmura Concini.

Et effarés, ils rentrèrent à l'hôtel d'Ancre muet et sombre comme un réceptacle d'inavouables douleurs et de formidables secrets.

XXXII

Barre à bas !

C'était vrai ! l'auberge du *Grand Henri* n'était plus ! Décrochée l'enseigne qui montrait aux passants la silhouette du Béarnais couronné de laurier et vidant sa pinte avec une grimace de jubilation ! Déserte, la grande salle commune, disparus les brocs d'étain luisant, les faïences à fleurs, les étincelantes casseroles de cuivre de la cuisine, tables de chêne aux pieds tors, escabeaux ! Quel cataclysme avait changé en un désert morne ce lieu qui, la veille, le jour même, était animé par les éclats de voix des routiers, le choc des gobelets, les rires des servantes ?

Il n'y avait pas eu cataclysme : il y avait eu coup d'État, coup de tête de maître Lureau. Le digne aubergiste, plus chauve que jamais, en butte aux quolibets de sa femme et aux railleries de ses clients, à qui Mme Lureau s'était empressée de raconter l'histoire de la fameuse pommade, l'aubergiste, devenu sombre en voyant, selon sa propre expression, sa clientèle fondre comme beurre à la poêle, l'aubergiste qui, de plus en plus, négligeait sa cuisine pour courir aux miroirs et voir si, par hasard, un cheveu, un seul, ne viendrait pas proclamer l'infaillibilité de l'invention, Cogolin, maître Lureau, donc, aigri, hargneux, inconsolable, avait eu tout à coup une idée de génie.

Ayant pris son auberge en grippe, il résolut de se défaire de son auberge – et d'entreprendre un autre commerce. Lequel ? C'est ce qu'on verra par la suite. Toujours est-il que Lureau était allé trouver, à l'insu de sa femme, un de ses confrères qui, cinq cents pas plus loin, tenait une auberge à l'enseigne de la *Bonne Encontre*. Il était arrivé à ce confrère le contraire de ce qui arrivait à Lureau. La *Bonne Encontre* avait naturellement hérité des clients qui avaient fui le *Grand Henri*. D'où nécessité pour le patron de la *Bonne Encontre* de s'agrandir et de perfectionner ses moyens d'action dans le temps même où le patron du *Grand Henri* songeait à ce qui s'appelle une liquidation générale.

Il résulta de cette double situation qu'il y eut entre les deux patrons qui, jusque-là, s'étaient mutuellement souhaité la peste et la fièvre, un entretien fort long et fort amical ; à la suite de quoi, maître

Garo, patron de la *Bonne Encontre*, s'en vint rendre visite à son confrère, et sans avoir l'air de rien estima, pesa, compta. Après quoi, Garo, avec un soupir, aligna sur la table un certain nombre de piles d'écus et pistoles que Lureau, avec un sourire, fit tomber dans un petit sac de peau.

Ce jour-là donc, Lureau, en rentrant à l'auberge du *Grand Henri* commença par faire apporter une échelle et décrocha l'enseigne, non sans verser une larme.

Mme Lureau demeura stupéfaite d'abord. Puis, mettant ses deux poings sur ses hanches, elle envoya à son époux une de ces bordées d'invective devant lesquelles Lureau, en mari bien dressé, avait coutume de fuir. Mais, cette fois, il ne s'enfuit pas et, laissant crier sa femme, il ordonna aux rares clients de la salle commune d'avoir à déguerpir à l'instant. Puis il rassembla les valets, garçons et filles, leur paya leurs salaires et les pria d'aller, tout de ce pas, chercher fortune ailleurs. Les invectives de Mme Lureau avaient atteint au tragique des imprécations mais voyant que l'aubergiste, pour la première fois de sa vie conjugale, ne manifestait aucun signe de repentir ou d'émotion, elle prit le parti de s'évanouir, tout en surveillant du coin de l'œil les allées et venues de Lureau.

À ce moment, deux ou trois charrettes s'arrêtèrent sur la route, devant l'auberge ; puis plusieurs hommes entrèrent, et, dirigés par maître Garo, commencèrent à entasser sur les véhicules les tables, escabeaux, bahuts, tonneaux, batterie de cuisine, et le reste.

Or, tandis que s'accomplissait ce déménagement – cette abdication – il y avait dans l'auberge deux hommes qui assistaient à cette opération, l'un avec une sorte d'intérêt pensif, l'autre avec une inquiétude grandissante. Le premier était un étranger. Le deuxième, c'était Cogolin.

– Alors, murmurait celui-ci, nous voici sans logis ? il est bien heureux, par ma foi, que j'ai eu l'idée de faire gagner dix-huit cents livres à M. le chevalier. Mais que va-t-il dire en rentrant ?

Ce remue-ménage, en effet, se passait dans le temps où Capestang courait rue des Barrés, où nous l'avons vu à l'œuvre. Cogolin, hochant la tête et songeant, non sans quelque remords, qu'il était la cause première de cette déconfiture, regagna l'appartement de son maître, c'est-à-dire la chambre de Capestang et le petit cabinet où il avait, lui, établi ses pénates. La chambre était vide, et vide le cabinet ; lit, table, chaises, fauteuils, tout était enlevé. Cogolin s'assit sur le plancher, décidé à attendre là le retour du chevalier.

– Allons, mon brave, il faut vous en aller, fit tout à coup Lureau qui, faisant une dernière tournée dans l'auberge, venait d'apparaître sur le seuil de la chambre.

Cogolin secoua la tête.

– Comment, non ! s'écria l'hôte. Mais j'ai vendu le *Grand Henri*, et...

– Crime de haute trahison, maître Lureau ! Vous vendez un roi ! Le propre père de notre sire !

Lureau demeura un instant stupéfait. Mais sûr de son droit et de la pureté de ses intentions, il reprit d'un ton goguenard :

– Crime ou non, il faut déguerpir de céans. Sans compter que vous me devez...

Cogolin tira de sa poche une poignée d'écus et les montra à Lureau ébahi. L'hôte allongea la main et prenant sa figure la plus souriante :

– Monsieur Lureau, dit Cogolin en faisant disparaître les pièces blanches, j'ai là dix écus qui sont bien à votre service. Mais c'est donnant donnant. Laissez-moi ici. Qu'est-ce que cela peut vous faire ? Et je paye d'avance !

Lureau se creusa la cervelle pour résoudre ce problème : pourquoi Cogolin, qui n'avait pas payé la chambre alors qu'elle était logeable et bien meublée, la payait-il d'avance, maintenant qu'elle était vide ? Mais comme, en somme, peu lui importait, il conclut le marché, empocha les écus de Cogolin et l'assura qu'il pourrait rester dans l'auberge déserte.

– Toutefois, ajouta-t-il, ces écus que je viens de recevoir ne constituent pas une avance.

– Voilà qui est un peu fort ! dit Cogolin très indigné.

– C'est simplement un acompte sur ce que vous me devez, reprit sereinement Lureau. Donc, c'est maintenant qu'il faut payer l'avance. Mais rassurez-vous, ce ne sera pas en argent.

– Ah ! ah ! Et comment vous paierai-je, en ce cas ?

– En me répétant les trois mots magiques, dit Lureau.

– Oh ! oh ! Peste ! Corbacque ! Comme vous y allez ! Trois mots qui valent leur pesant d'or, une fortune ! Monsieur Lureau, j'aime mieux m'en aller. Tant pis pour vous et tant mieux pour moi si vous avez oublié les trois talismans.

Cogolin se leva. Lureau qui, au mot fortune avait tressailli, le saisit par le bras.

– Restez, monsieur Cogolin, s'écria-t-il, restez, je vous en supplie !

– Non, non ! Cela coûte trop cher ! dit audacieusement Cogolin. Ou bien, si vous voulez que je reste, rendez-moi mes dix écus.

Lureau eut avec lui-même un court débat. Le résultat de ses réflexions fut que les dix pièces à l'effigie du roi de France réintégrèrent la poche de Cogolin étonné.

– Mais, fit l'hôte en tendant un crayon et du papier à Cogolin, vous allez m'écrire là-dessus les trois mots magiques.

– À l'instant même, dit Cogolin, à condition que vous les payiez une pistole pièce. Trois pistoles, monsieur Lureau. C'est pour rien ! Des mots dont chacun vaut mille écus d'or peut-être !

Nouveau débat intérieur de l'aubergiste, nouveaux soupirs, et enfin triomphe de Cogolin, qui reçut les trois pistoles réclamées, en sorte que non seulement il ne versa pas le moindre ducaton pour la location passée et future, mais encore qu'il réalisa un bénéfice appréciable. Jugeant sans doute qu'il ne pouvait plus rien tirer de Lureau, il saisit le crayon, et sous le regard avide et ému de l'aubergiste, il écrivit :

– *Parallaxis, Asclèpios, Catachrèsis.*

Lureau saisit le précieux papier, le plia respectueusement et le fit disparaître.

– Quel est le plus important des trois mots ? demanda-t-il alors.

– *Catachrèsis* ! répondit Cogolin sans hésitation. C'est le nom d'une divinité de l'Olympe.

– *Catachrèsis*, bon ! fit Lureau qui, après avoir souhaité toutes sorte de prospérités à Cogolin, se retira radieux.

Celui-ci demeura donc maître du champ de bataille ; au fond il éprouvait cependant quelque remords d'avoir ainsi dupé le digne aubergiste si confiant et candide. Mais à ce moment, Lureau, redescendant l'escalier qui menait à la salle commune, se frottait les mains et murmurait :

– Ce pauvre Cogolin ! Je l'ai battu à plates coutures.

Il n'y avait plus personne, excepté cet étranger que nous avons vu tout à l'heure assister au déménagement avec un certain intérêt. Au costume, à l'épée, à l'attitude hautaine, on voyait assez que c'était un gentilhomme. Lureau s'approcha de lui, le bonnet à la main.

– Monsieur, lui dit-il, vous le voyez, je vais fermer et n'attends plus que votre départ pour me retirer moi-même.

– À qui appartient cette masure ? fit l'inconnu sans paraître avoir entendu l'invitation.

– À moi-même, mon gentilhomme, répondit dignement Lureau. Une masure ! ajouta-t-il *in petto*. Au diable l'impertinent !

L'étranger, sans plus s'occuper de l'hôte, examinait la salle et murmurait à part lui :

– Auberge abandonnée et fermée. Rue déserte. Pas de maisons voisines. Salle spacieuse, loin du bord de route. Je crois que cela fera admirablement bien l'affaire de M. le prince, et nul ne s'avisera que nous nous réunissons ici, ni les sbires de Concini, ni les espions de cet hypocrite évêque de Luçon, ni même, ajouta-t-il avec un sourire, M. le duc d'Angoulême ! Allons, morbleu, il faut que Condé se décide ! Barre à bas ! Bourbon contre Bourbon ! Et quant à Angoulême, maintenant qu'il a déblayé le gros de l'ouvrage, nous verrons à le réduire à merci. Et quant à M. de Guise, vraiment les merlettes de Lorraine ne...

La rêverie du gentilhomme, qui semblait avoir complètement oublié Lureau, fut brusquement interrompue par ledit Lureau :

– Monsieur, j'ai le regret de vous répéter que je vais fermer *la masure*. Je serais donc très obligé à monsieur de vouloir bien sortir de la masure. À moins qu'il ne plaise à monsieur d'être enfermé dans la masure.

– Dites-moi, mon brave, fit le gentilhomme, qui dédaigna de relever le ton acrimonieux de l'hôte, que va maintenant vous rapporter votre bicoque ?

– Rien, monsieur, rien ! Qui voudrait me louer une pareille masure ! Une si misérable bicoque ! grogna Lureau exaspéré. Passe encore pour masure ! continua-t-il en lui-même. Mais bicoque ! Fièvre maligne ! Un mot de plus, et je dirai son fait à cet insolent qui...

– Eh bien ! si tu veux, interrompit l'inconnu, je te loue ton taudis, moi.

Au mot *taudis*, Lureau se redressa comme un coq. Mais presque aussitôt il se courba dans un salut aussi respectueux que son ventre pouvait le lui permettre ; l'impertinent gentilhomme venait de sortir de sa poche une bourse que l'aubergiste soupesa d'un regard expert.

– Cinquante pistoles, dit l'étranger. Pour six mois. C'est le double de ce que vaut votre chenil pour un an. Est-ce marché conclu ?

– Marché conclu, monseigneur ! s'écria Lureau cramoisi de fureur – car *chenil* avait donné à ses oreilles comme le suprême outrage – mais en même temps il saisissait la bourse. Je vais faire dresser l'acte, si monseigneur veut bien me dire son nom.

– Pas besoin d'acte. Remets-moi simplement les clefs, fais-moi le plaisir de déguerpir et souviens-toi que je t'écorche vif si tu as le malheur de reparaître avant six mois dans ta taupinière.

– Ah ! monseigneur, murmura Lureau, vous me faites pleurer !

Et Lureau en effet essuya ses yeux humides. Mais lui-même n'eût su dire s'il pleurait de la joie des cinquante pistoles qui lui tombaient du ciel, de la terreur d'être écorché vif, ou enfin de la honte ultime d'entendre appeler sa maison une taupinière. Ses larmes, toutefois, ne l'empêchèrent pas d'obéir promptement à ce seigneur chez qui la générosité le disputait à l'insolence.

Ayant donc rassemblé toutes les clefs, il en fit un trousseau qu'il remit à l'inconnu. Celui-ci s'était absorbé dans ses réflexions. En sorte qu'il n'entendit pas Lureau lui adresser ses respectueux adieux.

Après quoi, l'aubergiste sortit de la maison avec sa femme et s'éloigna en toute hâte. Il n'avait pas fait cent pas qu'il s'arrêta court en se frappant le front : il venait de se rappeler soudain que, dans l'auberge tout entière louée au gentilhomme, il avait laissé Cogolin, qui s'y trouvait installé de droit, en vertu de l'étrange pacte de location conclu sur les trois mots magiques ! Un instant, Lureau songea à revenir sur ses pas pour expulser Cogolin. Mais il réfléchit qu'il risquait de se faire écorcher vif, puisqu'il avait juré de ne plus reparaître de six mois dans l'auberge.

– Et puis, conclut Lureau en continuant sa route vers le centre de Paris, cela lui apprendra à ce gentilhomme mal embouché ! Un taudis ! chenil ! Que dis-je ? Une taupinière ! La plus belle maison de la rue Vaugirard !

Quant au gentilhomme en question, persuadé qu'il n'y avait personne dans l'auberge, il jeta dans un coin les innombrables clefs du trousseau et se contenta de celle qui fermait la porte extérieure. Il se retira donc en emportant cette seule clef. Lureau avait, avant de s'en aller, tiré les contrevents de toutes les fenêtres. Dès lors, l'auberge, veuve de son enseigne, portes et fenêtres closes, eut l'aspect parfaitement désert d'une maison inhabitée depuis longtemps. Cependant, Cogolin du haut de l'escalier intérieur avait assisté au marché conclu entre le gentilhomme et maître Lureau. D'abord, Cogolin envoya à tous les diables ce colocataire qui pouvait devenir gênant. Puis il réfléchit que ce seigneur de haute mine ne voudrait sûrement pas habiter une auberge qui, déjà, au temps de sa splendeur, n'était vraiment qu'une bicoque. Il supposa donc que l'inconnu voulait faire de l'ancienne auberge un entrepôt de marchandises de contrebande et cessa de s'en inquiéter.

La nuit était venue depuis longtemps. Lorsque Cogolin jugea que le moment approchait où le chevalier de Capestang rentrerait, il descendit dans la cour, par l'escalier extérieur qui serpentait aux flancs de la maison, et ouvrit la porte charretière en faisant tomber la barre. Puis il se mit à faire les cent pas sur la route. Il commençait à se dire que le chevalier ne rentrerait pas de la nuit, lorsqu'il l'aperçut qui arrivait à grands pas, et il faut dire qu'il le reconnut d'abord parce que Cogolin était un peu comme les chats, dont il avait la matoiserie et l'œil perçant ; ensuite, parce que Capestang, toujours reconnaissable à ses attitudes matamores, l'était cette nuit-là plus que jamais.

– Eh ! monsieur, murmura Cogolin, vous me marchez sur les

pieds ! Hé là ! monsieur le chevalier, ne reconnaissez-vous pas votre fidèle écuyer ? (Il a peut-être gagné encore une centaine de pistoles au tripot !) Monsieur, je suis bien votre valet, bien que vous m'ayez enfoncé une côte d'une bourrade !

– Ah ! c'est toi, mon pauvre Cogolin ! Je te prenais pour quelque prince embusqué.

– Dieu vous bénisse, monsieur !

– Et comment t'appelles-tu ce soir ? fit Capestang avec une formidable bonne humeur.

– Moi ! (Aurait-il tout perdu et serait-il devenu fou ?) Mais Cogolin, monsieur, toujours Cogolin !

– Eh ! non ! Lachance, animal ! Tu t'appelles Lachance ! Nous nous appelons Lachance !

– C'est vrai, monsieur. (Il a gagné !) Je l'avais oublié. Je m'appelle Lachance !

– Eh bien ! et moi aussi, Cogolin !

– Monsieur, j'ai toujours pensé que vous étiez né sous une heureuse étoile. Votre horoscope est formel sur ce point. Et, sans indiscrétion, combien avez-vous gagné ce soir ?

– Gagné ! Gagné quoi, imbécile ?

– Écus, pistoles, doublons, nobles ou ducats.

Capestang haussa les épaules et dédaigna de répondre. Cogolin se mit à lui raconter ce qui venait de se passer au *Grand Henri* pendant son absence.

– Bah ! fit le chevalier. Eh bien ! selle les chevaux, et nous allons chercher quelque hôtellerie digne de moi. Aussi bien, je souffrais de voir un Trémazenc de Capestang logé comme un faquin. Nous irons au *Rameau d'Or*, qui est fréquenté par la haute noblesse et se trouve d'ailleurs tout près du Louvre, où j'aurai affaire sous peu, vu que le roi m'attend. T'ai-je dit que le roi ne peut plus se passer de moi ? Au surplus nous sommes riches, puisque nous avons cent quatre-vingts pistoles.

– Cent quatre-vingt-trois, monsieur ! rectifia Cogolin, maître Lureau *m'a payé son terme* : trois pistoles.

– Bah ! Je croyais au contraire que c'était nous qui devions de l'argent à cet aubergiste chauve, mais galant homme.

– Eh bien ! nous nous trompions ; c'est lui qui est notre débiteur ! Mais, si vous m'en croyez, nous passerons au moins cette nuit à notre ancien logis, qui est sûr et où vous êtes à l'abri de cette meute de princes, ducs, évêques et autres léopards à deux pattes qui jalousent votre fortune future et vous veulent le mal de mort. J'ai organisé dans le grenier, avec quelques bottes de paille et de foin, une chambre à coucher comme vous n'en trouverez pas de pareille, même au *Rameau d'Or*, même au Louvre ! Oh ! oh ! qui donc nous suit, là ?

– Où cela ? fit Capestang avec un geste capable de faire reculer une douzaine d'assaillants.

– Là ! fit Cogolin à voix basse. Cette ombre qui se glisse, la voici qui rampe ! Attention !

Capestang bondit vers l'ombre signalée qu'il distingua une seconde, très nettement. Mais il ne trouva rien. Homme ou bête ou spectre, la chose entrevue s'était évanouie.

– Pourtant, il y avait quelqu'un ! murmura Cogolin.

– Bah ! fit Capestang en reprenant son chemin, quelque pauvre diable qui a faim, ou quelque gentilhomme qui, ayant perdu au jeu, cherche fortune dans la rue ! Il eût mieux fait de m'attendre ; je lui eusse donné d'abord une leçon d'armes, puis deux ou trois pistoles.

Cogolin fit entendre un grognement de protestation et se tâta pour s'assurer que la bourse aux pistoles était bien en place : on se rappelle que c'est Cogolin qui tenait la bourse. Les deux hommes s'éloignèrent. Alors d'un recoin où il s'était jeté à plat ventre quelqu'un se leva et murmura :

– Ouf ! J'ai cru ma dernière heure venue et j'en ai encore la suée de mort dans le dos. Inutile d'aller plus loin il me semble ? Il rentre à l'auberge, c'est évident. Mais qu'a-t-il été faire dans la maison de Marie Touchet ? Et comment a-t-il pu y entrer ? Et pourquoi si longtemps y est-il resté ?... Nous le saurons, puisqu'il doit être arrêté cette nuit par les gens de Concini. En tout cas, il faut que Richelieu soit mis tout de suite au courant de ce nouvel accident.

Et Laffemas, après un dernier regard jeté dans la direction où Capestang avait disparu, s'élança, de son allure oblique et glissante de cloporte qui regagne son trou dans les ténèbres.

Le chevalier de Capestang était seul au monde : pas de parents, pas d'amis. Il n'avait que Cogolin. Mais Cogolin était plus et mieux qu'un serviteur dévoué. Cogolin ne manquait ni d'esprit ni de cœur. Cogolin était parfaitement capable d'écouter avec le recueillement nécessaire le récit que le chevalier entreprit. En effet, Capestang voulait absolument raconter son bonheur à quelqu'un. Il raconta donc. Et Cogolin écouta. Après avoir raconté pendant deux ou trois heures, Capestang allait passer au détail de ce qu'il comptait entreprendre, lorsqu'un ronflement sonore et prolongé lui apprit la cause du religieux silence que gardait Cogolin. Capestang ne s'indigna pas. Il se contenta de secouer son écuyer sur le tas de foin où il s'était endormi – nous avons oublié de dire que cette scène nocturne se passait dans le grenier de l'ex-auberge.

– Cogolin, dit Capestang aussi froidement que cela lui était possible, aimes-tu mieux écouter ou être traîné par les pieds jusqu'à cette lucarne et précipité sur la route ?

– Mais, monsieur, j'écoute de toutes mes oreilles, bredouilla Cogolin en se réveillant.

– Mais tu écoutes aussi avec ton nez, puisque tu ronfles ?

– Monsieur, dit Cogolin, je vais vous dire. Lorsque j'enrage de sommeil comme en ce moment, et que, pourtant, la tyrannie d'un maître me force à veiller, eh bien, je veille, oui, par respect ; mais je me donne l'illusion de dormir en m'amusant à ronfler. Donc, j'écoute et je ronfle.

Cette explication suffoqua le chevalier, qui se fût sans doute porté à quelque excès d'indignation, si un bruit venu du dehors n'eût tout à coup attiré son attention : une voiture, ou une charrette, un véhicule quelconque, venait de s'arrêter devant la porte de l'auberge. Cet incident eut aussi pour effet de mettre immédiatement sur pied Cogolin. Tous deux s'approchèrent de la lucarne, se penchèrent et virent alors à la lueur d'une lanterne que tenait un homme, une lourde charrette couverte d'une bâche que déjà trois ou quatre hommes enlevaient.

– Dépêchons ! ordonna celui qui tenait la lanterne.

– Tiens ! murmura Cogolin, je m'en doutais. C'est le gentil-homme qui a loué l'auberge...

– Quel gentilhomme ? fit Capestang.

Cogolin, en quelques mots, mit le chevalier au courant de ce qui s'était passé au moment du départ de maître Lureau.

– Je pense, ajouta-t-il, que ce gentilhomme veut faire du *Grand Henri* un entrepôt de contrebande. Voyez, ces gens portent toutes sortes de marchandises dans la grande salle.

En effet, les travailleurs nocturnes s'activaient à décharger la charrette, qui était bondée de ce que Cogolin appelait des marchandises. En vingt minutes ce fut fait. La porte de l'auberge fut refermée par le gentilhomme. Alors, la voiture fit demi-tour et s'éloigna avec un bruit de cahots. Capestang remarqua que, pourtant, on avait eu soin d'entourer de paille les roues du lourd véhicule. Quelques instants plus tard, la rue était redevenue déserte et silencieuse.

– Allons voir la contrebande, dit Capestang.

Ils descendirent. À ce moment, le jour commençait à poindre. Mais la salle commune était encore plongée dans l'obscurité. Cogolin alluma une lanterne. Et alors, voici ce que vit Capestang. Rangées contre le mur se dressaient cinquante arquebuses et cinquante piques ; à la hampe de chaque pique était attaché un solide poignard : à la crosse de chaque arquebuse était lié un pistolet de combat.

– Oh ! oh ! fit Capestang. Contrebande de guerre !

Dans un coin, sur des toiles qu'on avait eu soin d'étendre sur les carreaux, s'entassaient en bon ordre des costumes complets – des costumes de la garde royale ! – Capestang examina le premier des buffles qui lui tomba sous la main – sortes de cuirasses en cuir fauve que l'on revêtait par-dessus le pourpoint en de certaines circonstances où la cuirasse de fer eût été trop lourde ou incommode.

– Guerre de rues ! murmura Capestang qui pâlit.

Sur la poitrine et sur le dos du buffle était brodée une L (Louis) surmontée de la couronne royale et entourée de deux branches de laurier.

– Le chiffre royal ! murmura pour la troisième fois Capestang.

– Diable ! fit Cogolin, est-ce que ce gentilhomme contrebandier serait un agent du roi ? Est-ce que Sa Majesté chercherait à frustrer ses propres revenus ?

Capestang ne répondit pas. Fiévreusement il comptait les costumes, puis les arquebuses et les piques.

– Cinquante ? fit-il. Il y a là de quoi faire cinquante gardes !

– Jamais Sa Majesté n'aura été mieux gardée ! observa Cogolin. Tiens ! Qu'est-ce qui vous prend ?

Capestang allait et venait d'un pas furieux. Parfois, il poussait un grondement. Ses yeux étincelaient. Son bras exécutait des moulinets féroces.

– À qui en a-t-il ? fit Cogolin en se réfugiant derrière une pile de costumes. Hé ! monsieur le chevalier, vous êtes tout pareil au capitan que j'ai vu à la foire Saint-Germain lorsqu'il s'apprête à pourfendre...

– Toi aussi ! cria Capestang, qui s'arrêta court.

– Comment moi aussi ? Miséricorde, auriez-vous l'intention de me pourfendre ?

– Imbécile ! rugit Capestang. Tu ne vois pas que je les tiens ! Tais-toi ! Pas un mot ! Remontons à notre grenier et faisons-y bonne garde ! Nous n'en bougeons plus. Tu n'en sortiras que pour aller nous chercher à manger. Et les chevaux ? il faudra leur trouver un coin où l'on ne puisse les découvrir. Ou plutôt, écoute. Tu vas les conduire à la prochaine auberge et tu les y logeras pour huit jours. Quant à nous !... Cogolin, ma fortune est faite pour le coup !

– Je veux bien, monsieur, dit Cogolin. Mais nous devrions aller loger au *Rameau d'Or* près le Louvre ? Je me suis laissé dire que la cuisine y est délicate, et, puisque notre fortune est faite...

– Tais-toi ! gronda Capestang qui recommença son moulinet, ses appels du pied et ses attitudes féroces comme s'il eût défié cinquante ennemis.

Tout s'exécuta comme venait de le dire le chevalier. Les chevaux furent mis en pension à l'auberge de la *Bonne Encontre*, distante de cinq cents pas, c'est-à-dire qu'on pouvait les retrouver vite en cas de besoin et qu'on en était débarrassé pour le moment ; Capestang et Cogolin s'installèrent dans le grenier comme s'ils n'eussent jamais dû le quitter. Cogolin sortait la nuit seulement pour aller chercher des vivres.

Cinq jours se passèrent. Cinq mortelles journées pendant lesquelles Capestang eut mille fois la pensée de renoncer à cette faction qu'il s'était imposée. Le soir du cinquième jour, il n'y tint plus et décida que le lendemain matin on décamperait. Cette nuit-là, Capestang ne dormit pas.

– Cinq jours perdus ! grondait-il. J'ai dit à Giselle que je partais pour la conquérir, que je bouleverserais Paris et le royaume ! Et voici cinq jours que je me vautre dans la paille. Ah ! capitan ! misérable capitan ! Il se rongeait les poings. À ce moment-là, il était environ onze heures. Le silence était absolu. Les ténèbres profondes. Capestang secoua Cogolin qui dormait et lui dit furieusement :

– Va chercher les chevaux ! Je n'attendrai pas jusqu'à demain !

Dans cet instant, il perçut le faible bruit d'une porte qui s'ouvre ! Il écouta, palpitant. Cette porte qu'on ouvrait, c'était celle de l'auberge !

– Enfin ! gronda le chevalier. *Ils* y viennent !

– On monte au grenier ! souffla Cogolin.

Il tira son poignard. Ils étaient debout tous deux, penchés, toute leur activité réfugiée dans l'ouïe. C'était vrai ! Quelqu'un montait ! Cogolin montra son poignard. Capestang secoua la tête, saisit son écuyer au collet, l'entraîna dans le recoin le plus éloigné du grenier, l'aplatit à plat ventre sur le plancher et se coucha lui-même. C'était derrière quelques bottes de paille. Le grenier s'éclaira faiblement. Capestang releva doucement la tête et vit une figure qui s'encadrait dans la lucarne qui donnait sur la cour et où commençait l'escalier extérieur.

Cet escalier, comme dans beaucoup d'auberges, desservait les chambres. Il partait de la cour en grimpant obliquement le long d'une fenêtre de la salle commune, et aboutissait à une galerie qui courait le long du premier étage. De là, il s'élançait par un retour jusqu'à une deuxième galerie, puis, par un raidillon, aboutissait à la lucarne du grenier.

L'homme que venait d'apercevoir Capestang prit pied dans le grenier et fit quelques pas en élevant sa lanterne. Capestang sentit une sueur froide lui mouiller les tempes ; sa main se crispa sur son poignard et cette pensée, comme un éclair lugubre, illumina son cerveau :

– Tant pis ! qu'il me découvre, et c'est un homme mort !

Heureusement pour lui – et sans doute aussi pour Capestang – l'homme s'arrêta vers le milieu du grenier, promena la lueur de sa lanterne dans les angles, puis se retira en disant :

– Personne. Bon !

Capestang, soulagé, respira.

L'homme redescendit donc, et Capestang rampa aussitôt vers la lucarne, son poignard entre les dents. Dans la cour, il reconnut le gentilhomme qui avait escorté la charrette. Autour de lui, il y avait quatre hommes tenant chacun une lanterne.

– Dans les écuries ?

– Personne !

– Dans les chambres ? Dans les greniers ?

– Rien !

– Aux alentours ?

– Personne !

– Bon ! reprit le gentilhomme après ce rapide rapport. Allumez les flambeaux dans la grande salle. Rabattez soigneusement les contrevents de façon qu'on ne voie pas de lumière. Que l'un de vous se place devant la porte et y reste en surveillance. Les trois autres sur la route jusqu'au détour de la rue de Tournon pour montrer le chemin à monseigneur, qui ne saurait tarder.

À ces mots, le gentilhomme regagna la route, sans doute pour se porter lui-même au-devant de celui qu'il attendait. Capestang serra le bras de Cogolin comme pour lui donner l'ordre suprême et se laissa glisser le long de l'escalier jusqu'à la galerie du premier étage. Là, il entra dans un couloir et, se retournant, vit Cogolin près de lui. Cela s'était fait en quelques secondes.

– As-tu peur ? demanda Capestang dans un souffle.

– Mettez-moi à l'épreuve ! fit Cogolin.

– Es-tu homme à risquer ta vie ? Je te préviens que nous serons deux contre dix ou vingt, peut-être. Si tu as peur, va-t'en. Je ne veux pas être déshonoré par un valet trembleur. Si tu te sens de force à regarder la mort, suis-moi...

– Je vous suis ! dit Cogolin avec une sublime indifférence.

Sublime, car, dans le fond, il avait peur et donnait à tous les diables ce chevalier qui se mêlait là de ce qui ne le regardait pas et parlait de se battre à deux contre vingt.

– Que faudra-t-il faire ? reprit Cogolin.

– Comme moi, répondit Capestang. Si je ne bouge pas, tu ne bouges pas. Si je fonce, tu fonceras. Si je me fais tuer, tu te feras tuer. Viens !

– Peste ! grogna Cogolin en lui-même. La fièvre l'étouffe ! (*Mais il suivit Capestang pas à pas.*) Ma dernière heure est venue ! Il en parle bien à son aise. Tu te feras tuer !

Capestang s'était élancé, rapide, léger, silencieux, comme un fauve qui, dans les ténèbres d'une forêt, choisit son affût. Il descendit l'escalier intérieur. Au bas de cet escalier, il s'arrêta. Cogolin vit alors qu'ils se trouvaient dans la cuisine où, si souvent, il avait vu maître Lureau, pourpre du feu de ses fourneaux, commander à ses marmitons la manœuvre des casseroles. La cuisine obscure était séparée par une porte vitrée de la salle vivement éclairée. Huit ou dix gentilshommes étaient assemblés là. Mais de seconde en seconde, il en venait d'autres ; bientôt ils furent trente, bientôt la salle fut bondée. Capestang remarqua à ce moment que l'un des conspirateurs accrochait au mur du fond un cartouche représentant l'écu des princes de Condé Bourbon, avec les fleurs de lis et la barre en travers. Lorsque ce conspirateur se retourna, Capestang vit que c'était le gentilhomme qui, pour six mois, avait loué l'auberge à maître Lureau : il était monté sur une longue table où trois chaises avaient été disposées. Cogolin regardait aussi et il songeait :

– Qu'un seul de ces contrebandiers ait l'idée d'entrouvrir cette porte, et je suis un homme mort. Ah ! monsieur le chevalier, fit-il d'un ton de reproche, voici l'heure où décidément je dois m'appeler Laguigne.

Capestang se retourna furieusement, saisit l'infortuné Cogolin à la gorge et le colla contre le mur :

– Comment dis-tu que tu t'appelles ? grogna-t-il.

– Laguigne, monsieur ! râla Cogolin.

Capestang serra. Ses doigts s'enfoncèrent dans la gorge.

– Comment prétends-tu que tu t'appelles ? Répète un peu.

– Lachance, monsieur, Lachance !...

– À la bonne heure, dit Capestang qui lâcha prise. Et fais-moi le plaisir de prendre une figure convenable pour un homme qui s'appelle Lachance. Car si, par malheur, je m'aperçois que tu es Laguigne, je t'étrangle tout net.

Cogolin se mit aussitôt à sourire joyeusement ; mais ce sourire de joie était si lugubre que Capestang ne put s'empêcher de rire.

– Allons, dit-il, console-toi. Ne sais-tu pas que si, d'aventure, tu es étripé par ces dignes gentilshommes, ce sera un grand honneur pour toi que d'être mort en compagnie d'un Trémazenc de Capestang ?

Et Capestang sincèrement convaincu qu'il avait fourni à son écuyer la plus belle des consolations, reprit son poste au moment où deux nouveaux gentilshommes s'étant hissés sur la table du fond, prenaient place sur les chaises. L'un de ces trois était donc celui qui avait loué l'auberge, qui avait fait apporter les costumes et les armes. Le deuxième était inconnu de Capestang. Quant au troisième, il le reconnut pour l'avoir vu à l'auberge de la *Pie Voleuse*, à Meudon.

– Le prince de Condé ! fit-il. Tiens, tiens, et où est ce cher M. de Guise ? Et le duc d'Angoulême, où est-il ? Est-ce que ces messieurs joueraient à cache-cache ?

– Messieurs, disait à ce moment le prince de Condé, M. de Rohan va nous expliquer où nous en sommes et ce que nous pouvons entreprendre avec chance de succès.

Un grand silence s'établit dans la salle. Le gentilhomme qui était locataire de maître Lureau se leva.

– Peste ! dit Capestang à Cogolin, tu es colocataire avec un Rohan... mes compliments.

– Je marche d'honneur en honneur, fit Cogolin avec un soupir de détresse.

– Messieurs, dit le duc de Rohan d'une voix forte, puisque nous ne pouvons plus compter sur le duc d'Angoulême (*Capestang tressaillit : « Oh ! oh ! songea-t-il, est-ce que le père de Giselle a renoncé à ses prétentions ? »*) puisque nous savons très bien que M. de Guise, manquant à la foi donnée, agit en secret et veut se passer de notre concours, il est juste et légitime que nous agissions de notre côté.

– Oui, oui ! crièrent les conjurés tout d'une voix.

Le prince de Condé seul demeura pâle et froid.

– Messieurs, continua Rohan, pourquoi le duc de Guise prétend-il nous évincer ? C'est qu'il est resté Guise. C'est qu'il est bien le fils de celui qui mit son pied sur le cadavre de Coligny. C'est que, comme son père, il est chef du parti catholique ; et que nous tous, messieurs, convertis ou non, nous sommes encore des huguenots.

– Oui, oui ! grondèrent les conjurés d'une voix furieuse.

– Le débat qui se poursuit aujourd'hui n'est donc qu'une nouvelle face du grand débat qui a abouti à la Saint-Barthélemy. Messieurs, voulons-nous nous laisser évincer, écarter de la vie publique, et peut-être encore massacrer ? Nous n'avons qu'à nous croiser les bras et laisser faire M. de Guise qui, avant un mois, sera ce que son père a rêvé d'être : roi de France ! Et si Lorraine règne, messieurs, malheur aux parpaillots maudits, convertis ou non !

Un frémissement de rage et de haine parcourut l'assemblée. Le discours de Rohan n'était que l'exacte et forte impression d'une situation que chacun d'eux connaissait. Capestang vit des visages enflammés, des mains qui cherchaient la garde des épées, des yeux qui étincelaient.

– Corbacque ! fit-il, voilà des hommes qui se feront tuer jusqu'au dernier s'il le faut. Quoi qu'ils veuillent ou fassent, ce sont de rudes hommes.

– Messieurs, continua Rohan, la lutte n'a cessé d'être entre Guise et Condé. Pour en finir, pour unir nos efforts en vue du triomphe de la seigneurie sur les prétentions exorbitantes de la monarchie, partisans de Guise et partisans de Condé, nous avions écouté les conseils du vieux Cinq-Mars et adopté le duc d'Angoulême comme moyen terme. Mais puisque Angoulême n'est plus possible (« *Pourquoi le père de Giselle n'est-il plus possible ?* » *se demanda Capestang*), puisque la trêve entre Guise et Condé se trouve ainsi rompue, en avant, mordieu ! Tirons l'épée, comme nos pères firent à

Jarnac et à Moncontour ! Fonçons les premiers, abattons Lorraine, et France est à nous !

Un trépignement d'enthousiasme prouva à l'orateur que tous les conjurés n'attendaient que le moment de foncer. Et un grand cri, alors, monta de cette assemblée :

– Barre à bas ! Barre à bas !

– Messieurs, balbutia le prince de Condé en se levant livide.

– Barre à bas ! Barre à bas !

– Eh bien ! oui, hurla Rohan. Barre à bas ! Messieurs, vive le roi !

En même temps il saisit le cartouche qu'il avait accroché au mur et qui figurait les emblèmes de Condé ; ce cartouche, il le retourna, l'accrocha au même endroit, et l'on vit alors qu'il portait les même emblèmes, *mais sans la barre !* La barre qui distinguait la branche des Condé de la branche royale n'y était plus ! C'était, dès lors, l'écu royal ! Les applaudissements éclatèrent ; les épées jaillirent hors des fourreaux et jetèrent des éclairs ; les bras armés d'acier se levèrent tout droit comme pour un serment ou une menace ; et les visages convulsés reflétèrent la violence des sentiments qui se déchaînaient dans ces âmes, tandis qu'une clameur palpitait comme une décharge d'arquebuses :

– Vive le roi !

– Oh ! oh ! gronda Capestang. Vive le roi ! Lequel ? Ce n'est déjà plus Charles X, c'est-à-dire Angoulême ! Ce n'est plus Louis XIII. Oui, mais je suis le *chevalier du roi*, moi ! Attention, Capestang, voici enfin l'occasion de faire fortune et de conquérir Giselle !

Dans la salle, le calme s'était rétabli. Rohan achevait :

– Il faut que ce soir M. le prince de Condé se décide. Quant à moi, messieurs, moi et mes amis, nous aurons quitté Paris dès demain, si de cette réunion ne sort pas le coup de foudre qui mettra en miettes le trône.

Tous les regards convergèrent sur le prince de Condé qui, blafard, le front couvert de sueur, était loin de montrer l'attitude d'un prétendant résolu à vaincre ou à mourir.

– Messieurs, dit-il, votre cause est la mienne. Nous avons pris avec le duc d'Angoulême et le duc de Guise des dispositions qui se trouvent anéanties par la trahison de Concini. Si notre féal ami le duc de Rohan nous prouve qu'il y a chance de succès, je suis prêt à risquer ma vie.

Rohan sourit. Il s'inclina devant le prince de Condé :

– Sire, dit-il...

Un tonnerre de bravos salua ce mot. Et Condé lui-même sentit une flamme monter de son cœur jusqu'à son front.

– Sire, dit Rohan, voici les dispositions que j'ai prises, moi, pour assurer le succès du coup de main d'où dépend votre fortune et la nôtre. Demain des bandes vont parcourir la ville dès le matin...

– Quoi ! dès demain ! interrompit le prince.

– Pourquoi attendre ? Et qu'attendrions-nous, monseigneur ? Une nouvelle trahison ? Monseigneur, il faut que nous sachions sur qui et sur quoi compter ; le moment est venu, et tout est prêt.

– Poursuivez votre démonstration, dit froidement Condé.

– Je poursuis. Ces bandes sont organisées. Elles ont chacune leur chef et leur mot d'ordre. En quelques heures, elles se grossiront de tous les mécontents de la ville et les mécontents, c'est Paris tout entier. Ces bandes, donc, ces fleuves d'hommes ainsi grossis d'une foule de torrents, iront battre de leurs flots les principaux îlots de Paris où se trouvent concentrées les forces royales : le Temple, la Bastille, l'Arsenal, le Châtelet et les autres. Admettez-vous que ces diverses forteresses étant pour ainsi dire assiégées, le Louvre se trouvera parfaitement isolé et à notre merci ?

– C'est possible, dit Condé. Poursuivez.

– Je poursuis, reprit Rohan dans le formidable silence d'angoisse qui pesait sur l'assemblée. Vers la nuit tombante, Paris se trouve en pleine émeute. Aucune des troupes royales ne peut marcher sur le Louvre, où se trouvent tout juste les gardes. Supposez qu'à ce moment une compagnie de ces gardes soit ici, avec nous...

Un long tressaillement parcourut les conjurés.

– Une compagnie de cinquante gardes ! continua Rohan. Cette compagnie marche sur le Louvre où elle rentre sans difficulté. Elle marche aux appartements du roi, elle établit des postes à toutes les portes du Louvre, et nous qui sommes entrés avec elle, nous sommes maîtres du Louvre, maîtres du royaume ! Qu'en dites-vous, monseigneur ?

Et dans la rumeur soulevée par les dernières paroles de Rohan, le prince de Condé répondit d'une voix ferme :

– Je dis que je suis prêt, si réellement nous avons avec nous une compagnie de cinquante gardes. Êtes-vous sûr que cette compagnie ne faillira pas au dernier moment ? Qu'elle sortira du Louvre pour se joindre à nous ?

– La compagnie est déjà ici ! s'écria Rohan d'un accent de triomphe. La compagnie, monseigneur, ce sont tous ces braves gentilshommes qui nous entourent. Il y a ici, dans cette auberge même, cinquante costumes écussonnés aux emblèmes du roi, et les armes réglementaires...

De violentes acclamations éclatèrent. Condé tendit sa main à Rohan, qui s'inclina et la baisa, hommage royal qui redoubla l'enthousiasme de l'assemblée.

– Un dernier mot, pourtant ! reprit Condé quand le silence se fut rétabli.

– Oh ! grommela Capestang dans sa cuisine, voici un prince à qui il faudra que je demande des leçons de prudence !

– Nous avons une compagnie, continua Condé. Elle porte le costume et les armes des gardes du roi ; c'est bien. Elle peut donc s'approcher facilement de la grande porte du Louvre. Mais là, pour entrer, il nous faut le mot de passe, Rohan, avez-vous pensé à cela ? Sans ce mot, nous ne pouvons rien.

– Monseigneur, dit Rohan, je pourrais vous répondre que sans mot de passe nous pourrions toujours donner l'assaut. Mais rassurez-vous, *on nous attend dans le Louvre*. Et quant au mot qui demain sera donné à tous les postes du Louvre, je le connais. C'est : CAPESTANG. Messieurs, demain rendez-vous général ici, à cinq heures exactement, pour nous transformer en gardes du roi. Et quant à vous, monseigneur, pour recevoir vos derniers ordres, je vous attendrai à quatre heures, c'est-à-dire une heure avant. Monseigneur, un mot, un seul. Viendrez-vous ici demain, à quatre heures ?

Un silence tragique s'abattit sur l'assemblée. Les destinées du royaume se jouaient dans cette minute. Condé eut une suprême hésitation, puis, levant la main comme pour prêter serment, il prononça :

– Demain, à quatre heures, je serai ici, et nous marcherons sur le Louvre.

XXXIII

Le prince de Condé

Depuis dix minutes déjà, la rumeur soulevée par la parole du prince de Condé s'était apaisée ; puis les derniers conjurés avaient quitté l'auberge, après avoir éteint les derniers flambeaux ; le silence était profond. Dans la cuisine, Cogolin jubilait, se tâtait les membres l'un après l'autre et murmurait :

– Rien de cassé ! Quoi ! Est-ce un rêve ? Je suis vivant ? Et j'ai bien vu, bien entendu ?

Depuis dix minutes, donc, tout était fini, et Capestang ne bougeait pas ! Une sorte d'orgueil mêlé d'attendrissement le faisait doucement palpiter, comme palpitent certains hommes de fière nature lorsqu'ils viennent de recevoir quelque hommage qui les berce, quelque délicate et puissante flatterie qui leur réchauffe le cœur. De toute cette scène terrible à laquelle il venait d'assister, de cette conspiration savante qui semblait condamner Louis XIII sans que rien au monde pût maintenant le sauver, une seule parole vibrait et vivait en lui... une parole prononcée par le duc de Rohan. Et qu'avait dit Rohan ? Simplement ceci :

– Je connais le mot de passe donné aux postes du Louvre, c'est CAPESTANG !

Ainsi le petit roi ne l'oubliait pas, celui qu'il avait appelé son chevalier ! Ainsi aux heures de péril, c'était le nom de Capestang qu'il invoquait !

– Corbacque ! gronda le chevalier. Les ducs, les seigneurs, la ville, le royaume, tout est contre le roi ! Le roi n'a pour lui que son chevalier ! Eh bien, par ma mère, par mes ancêtres qui, à son dire, furent tous des héros ! Par mon épée ! Chevalier du roi envers et contre tous, d'estoc et de taille, en avant, corbleu ! Car le mot d'ordre, c'est CAPESTANG !

Sur son ordre, Cogolin ayant allumé une lanterne, ils pénétrèrent dans la grande salle où, comme on l'a vu, se trouvaient entassés cinquante costumes de gardes et les armes appareillées à ces costumes. Le chevalier ramassa dans un coin l'énorme trousseau de clefs que Rohan y avait jeté, ne gardant que celle de la porte extérieure. Ces clefs étaient soigneusement étiquetées. Capestang trouva donc facilement celle qu'il cherchait, c'est-à-dire celle de la cave. Alors, il commença à se charger les épaules de pourpoints, de jaquettes, de hauts-de-chausses, de tout ce qui lui tombait sous la main et descendit dans la cave où il déposa son paquet. Cogolin l'avait imité. Puis il y eut un second voyage, puis d'autres. En deux heures, tout ce magasin d'équipement et d'armement avait été descendu dans la cave, dont Capestang referma la solide porte à double tour.

– Quel diable de travail avons-nous fait là ? demanda alors Cogolin.

– Tu le vois bien, imbécile : nous avons fait prisonnière une compagnie de gardes.

Là-dessus, Capestang grimpa au grenier, s'étendit sur son lit de foin parfumé et se mit à rêver à la journée du lendemain. Il finit par s'endormir en prononçant tout bas le nom de Giselle. Lorsque Capestang se réveilla, le soleil entrait par la lucarne et lui disait bonjour.

– Voici le grand moment, se dit-il ; si je n'accomplis pas aujourd'hui le coup d'éclat qui doit faire ma fortune, c'est que le fils de M. de Trémazenc n'est qu'un sot, un misérable tranche-montagne, un capitan, comme ils disent. Capitan ! Ah ! corbacque, je...

Déjà il s'exaspérait et le sang lui montait à la tête, lorsque ses yeux tombèrent sur Cogolin qui, sur une caisse renversée, installait les éléments d'un substantiel succulent dîner froid. À cette vue, Capestang se découvrit une faim canine et tout aussitôt attaqua le jambon.

– Monsieur, demanda Cogolin, est-ce aujourd'hui que nous allons nous installer au *Rameau d'Or*, dans cette hôtellerie qui est digne d'un Trémazenc de Capestang ? Il me semble que voilà assez d'honneur que nous avons fait à ce grenier ?

– Tu as raison, Lachance, dit Capestang. Mais le *Rameau d'Or* paraît maintenant un bien pauvre logis. Ce soir, Cogolin, nous allons coucher au Louvre.

– Au Louvre ! s'écria Cogolin qui se sentit envahir par l'orgueil. Tiens, au fait...

– À moins que nous ne couchions à la Bastille, ou au Temple, ou enfin dans quelque basse-fosse où nous aura jetés M. le prince de Condé.

– Diable ! J'aimerais encore mieux le *Rameau d'Or* ou même ce grenier, fit Cogolin avec une grimace.

– À moins que nous ne soyons couchés dans notre cercueil, acheva Capestang, l'hôtellerie suprême, la meilleure peut-être.

Cogolin laissa tomber la bouteille qu'il tenait à la main et dont il s'apprêtait à porter le goulot à ses lèvres. L'orgueil fit place à la terreur dans l'âme du digne compère ; puis la terreur elle-même fit place à la résignation.

– Ah ! monsieur le chevalier, dit-il d'une voix étranglée, nous allons donc nous battre ?

– Cogolin, fit le chevalier en découpant une tranche de pâté, nous allons empêcher Paris de faire une révolution.

– À nous deux !

– Pourquoi pas ? À moi tout seul. Comprends-tu, Cogolin ? Escamoter ce conspirateur qui sue la peur d'ailleurs, et qu'on dit ladre comme un ladre vert, ce Condé qui veut culbuter mon pauvre petit roitelet. Soutenir de mon épaule un trône qui tremble. Prendre la couronne royale et crier aux assaillants rués en meute : « Ne touchez pas à cela, je vous le défends ! »

– Oui, dit Cogolin, ce sera magnifique, mais...

– Tais-toi, ou tu me ferais douter de ton intelligence. Ma foi, je n'ai de regret que pour ce Rohan, qui me paraît être un brave et digne gentilhomme.

Vers trois heures, Capestang donna à son écuyer ses dernières instructions. Puis, postés dans ce grenier d'où le chevalier, selon sa conviction, ne devait sortir que pour marcher à la gloire, ils attendirent le moment d'agir. Capestang était froid, ce qui, chez lui, était un symptôme terrible. Cogolin attaquait son vingt-cinquième *Pater*... un homme tout à coup entra dans l'auberge, puis presque aussitôt un autre... Ces deux hommes, c'étaient le duc de Rohan et le prince de Condé !

Rohan et Condé avaient pénétré dans une pièce attenante à la grande salle et qui avait servi de cabinet particulier au temps de splendeur de l'auberge.

– Duc, dit le prince avec une certaine majesté, je vous pardonne d'avoir, hier, douté de moi. Mes hésitations étaient toutes naturelles. Songez que je suis Bourbon comme le roi régnant ; nous sommes cousins ; nous sommes de même souche. Joignez à ces considérations de sentiment le souci des responsabilités qui vont m'incomber et vous aurez le secret de ma retenue. N'en parlons plus, duc : le sort en est jeté. Vous m'avez fait venir ici avant nos compagnons pour vous donner mes ordres. Les voici.

Le prince de Condé s'interrompit un instant, méditatif. Rohan attendait, dans une attitude de respect. Les paroles du futur roi, loin de le froisser, l'avaient entièrement rassuré.

– Voici mes ordres, reprit le prince. Mais avant tout, dites-moi ce que vous voulez pour vous.

– Pour moi, monseigneur ? Rien !

– Dans deux heures, je serai roi. Alors, je serai enveloppé de sollicitations, entouré de courtisans à plat ventre qui ne lèveront la tête vers moi que pour demander encore, demander toujours. Tous nos compagnons m'ont indiqué ce qu'ils veulent être. Vous seul, duc, refusez, lorsque j'offre. Ceci est de l'orgueil. Voici donc mon premier ordre : je veux savoir ce que vous voulez quand vous m'aurez fait roi.

– Rien pour moi, sire, rien ! s'écria Rohan presque avec violence.

– Dites alors que vous me voulez abandonner ! Je vous donne la capitainerie générale du Louvre avec rang et prérogative de maréchal. Si vous acceptez, je reste. Si vous refusez, je pars !

– J'accepte, sire ! murmura Rohan, qui s'inclina profondément. Puis se redressant : Maintenant, sire, donnez vos ordres à votre capitaine général !

– Les voici, dit le prince de Condé. Nous allons marcher sur le Louvre et nous y entrerons à la tête de la compagnie. Vous ferez conduire le roi déchu à Vincennes. Vous ferez occuper les divers points stratégiques de Paris. Luynes et Ornano à la Bastille, Concini au Temple.

– Le trajet est bien long de la rue de Tournon au Temple.

– J'y compte ! fit Condé avec un sourire livide. Huit hommes suffiront pour conduire le prisonnier, et si, en route, il y a quelque échauffourée, si le peuple veut un peu se venger... et bien !...

– Bien, sire ! dit Rohan, qui ne put s'empêcher de frissonner.

– Voilà pour le plus pressé, reprit Condé. Maintenant, mon cher duc, si vous voulez, nous allons passer dans la grande salle, et nous y revêtirons le costume d'officier des gardes, en attendant celui que vous endosserez demain. Au Louvre je vous dirai le reste. Nos amis ne vont pas tarder à arriver, d'ailleurs.

– Oh ! nous avons encore plus d'une demi-heure devant nous, dit joyeusement le duc qui, cependant, se dirigea vers la grande salle.

En entrant, il jeta un rapide regard autour de lui. Et tout à coup, il pâlit. Ses yeux hagards fouillèrent les coins de la salle. Puis ce regard, empli d'étonnement, de terreur et d'angoisse, il le ramena sur Condé, et une sorte de gémissement monta à ses lèvres.

– Eh bien, fit vivement le prince. Ces cinquante habillements de gardes !

– Ils étaient là ! balbutia Rohan.

– Ces arquebuses, ces piques, ces pistolets !

– Rien ! Plus rien ! hurla Rohan avec un terrible cri de rage qui fit enfin explosion dans sa gorge.

Condé devint livide.

– Cherchons ! murmura-t-il, cherchons ! peut-être quelqu'un des nôtres les a-t-il portés dans une autre salle...

– Peut-être, en effet, bégaya Rohan qui chancelait. Les clefs de la maison... je les avais jetées là, en tas, dans ce coin... où sont-elles ! Trahis ! monseigneur, nous sommes trahis !

– Messieurs, dit à ce moment une voix, ne vous donnez pas la peine de chercher, vous ne trouveriez pas, malgré tout ce que l'évangile de saint Luc peut en dire !

Les deux conspirateurs, d'un même mouvement furieux, levèrent la tête vers le haut de l'escalier intérieur qui des chambres de l'étage aboutissait à la grande salle et ils virent un homme qui descendait tranquillement.

– Oh ! gronda le prince, j'ai vu cet homme ! Je le reconnais ! C'est lui qui est venu surprendre nos secrets dans les caves de l'hôtel d'Angoulême !

– Là et autre part, monseigneur ! dit le chevalier.

– Capestang ! c'est Capestang ! rugit le prince.

– Le mot de passe du Louvre, monseigneur ! dit Capestang en mettant le pied sur la dernière marche. Messieurs, j'ai l'honneur de vous saluer, ajouta-t-il en soulevant son feutre.

– Ah ! hurla le duc de Rohan, c'est là le Capestang ! C'est là le Capitan ! Eh bien ! Capitan du diable, ce sera ta dernière trahison ! Tu es mort !

En même temps, Rohan fondit sur le chevalier, l'épée au poing, en criant :

– Dégainez, monseigneur ! Tuons ! Tuons ! Ah !

Une terrible clameur de rage lui échappa : son épée venait de lui sauter des mains... Capestang, après avoir salué, avait envoyé au loin son feutre, et mettant flamberge au vent, était tombé dans sa bonne garde, le bras droit presque allongé, la main gauche au mur, ramassé, replié sur lui-même.

– Monsieur, dit-il en liant l'épée de son adversaire et en la faisant sauter, vous avez tort de parler de trahison. Vous attaquez le roi, votre roi, monsieur ! Je le défends de mon mieux. Les secrets que j'ai surpris malgré moi, si j'eusse voulu m'en servir, vous seriez à la Bastille, ou bien votre tête eût déjà roulé sous la hache.

Rohan déjà avait ramassé son épée, et se ruait de nouveau sur son adversaire. Condé avait marché droit à la porte par où il venait d'entrer. Fermée ! il courut à la porte du perron... Fermée ! Alors seulement, ivre de honte et de fureur, pantelant de rage devant cet obstacle qui l'arrêtait au moment précis où il allait saisir la couronne, il dégaina et, de son côté, fondit sur Capestang. Dans cet instant même, le duc de Rohan tombait, l'épaule traversée de part en part, et Capestang vociférait :

– Cogolin ! où es-tu, maraud, faquin, Laguigne ! Tu ne vois donc pas que monseigneur t'attend ! Je t'arrache les oreilles, je...

Cogolin apparut. Condé, en voyant tomber Rohan, s'était arrêté net.

– Monseigneur, dit Capestang, rendez-vous ! Vous n'êtes pas de taille contre le Capitan ! (*Condé eut un gémissement de honte et tomba en garde.*) Non ? Vous ne voulez pas vous rendre ? (*Condé se fendit, Capestang para d'un violent cinglement.*) En ce cas, monseigneur, je vous prends... attention ! (*Il liait la rapière du prince.*) Je vous désarme ! (*l'épée sauta*) et... vous êtes pris !

En même temps, il lui mit la main à l'épaule et la pointe de sa rapière à la gorge. Condé eut un spasme de révolte... la pointe pénétra dans les chairs, et Capestang, terrible, flamboyant, prononça avec une froideur plus terrible que son attitude :

– Tenez, monsieur, ne me forcez pas à vous tuer ! J'en aurais du regret !

Condé leva sur le jeune homme son regard chargé de muettes imprécations, et il bégaya :

– C'est bien. Je suis désarmé. Je me rends !

– Cogolin, veille sur monseigneur. Au premier pas, au premier geste, tue !

Cogolin, le poignard à la main, se plaça près du prince. Condé baissa tête. Sa poitrine se gonfla. Il eut le soupir atroce du fauve pris au piège, quelque chose râla dans sa gorge. Capestang remit sa rapière au fourreau, alla ramasser son feutre qu'il garda à la main, et revint jusqu'à Rohan. Le duc, à ce moment, ouvrait des yeux hagards ; il cherchait encore à se soulever ; mais, soit douleur, soit faiblesse, il retomba tout pantelant. Capestang s'inclina comme les preux s'inclinaient devant l'ennemi vaincu.

– Monsieur, dit-il, c'est moi qui ai détruit les cinquante habillements de gardes que vous aviez entassés ici. C'est moi qui ai détruit les armes. Je vous ai blessé. J'arrête M. de Condé. J'espère ainsi pouvoir sauver petit Louis treizième. Que voulez-vous ? Vous vous battez pour Condé. D'autres se battent pour Guise. D'autres pour Angoulême. Si je ne suivais que mon intérêt, je serais peut-être de votre côté. Peut-être un jour saurez-vous aussi que j'agis en ce moment non seulement contre les intérêts de ma fortune, mais contre ceux de mon cœur. J'ai vu ce pauvre roitelet de quinze ans tout seul contre tant d'ennemis redoutables, je l'ai vu, dis-je au fond de son Louvre, comme une proie bien faible, incapable de résistance et de défense, je l'ai vu pleurer et cela m'a ému, cela m'a bouleversé de pitié, monsieur. Et j'ai résolu de défendre le petit roi. Vous êtes des milliers, je suis seul. Vous êtes puissamment riches, je suis pauvre, je n'ai pas d'amis, pas de compagnons. Voilà mon histoire, monsieur. Vous voyez que ce n'est pas celle d'une trahison. Au fond, voyez-vous, peu m'importe qui règne. Mais je ne veux pas que mon petit Louis treizième pleure. Et d'ailleurs il m'a sauvé la vie. Et puis, monsieur, quand il a à donner un mot de passe dans les heures tragiques de sa vie, c'est mon nom qu'il choisit. Je suis son bouclier. Monsieur, je suis *le chevalier du roi* ! Je vous donne ces explications parce que vous me plaisez. Votre blessure n'est pas mortelle. Dans un mois il n'y paraîtra plus. Alors, monsieur le duc, s'il vous plaît de prendre votre revanche, je me ferai un honneur d'être votre homme. En attendant, je vous salue de tout mon cœur, parce que vous êtes vaincu, d'abord, et puis, parce que vous êtes un brave. Adieu ! Cogolin, ouvre la porte !

Là-dessus, il se couvrit de son feutre et, marchant droit à Condé, il le prit par le bras, l'entraîna au-dehors, suivi de Cogolin, et se mit à marcher dans la rue de Vaugirard en tournant le dos à la rue de Tournon au moment où une quinzaine de gentilshommes en débouchaient : il était temps !

Capestang s'engagea dans la rue du Pot-de-Fer, qui aboutissait au carrefour du Vieux-Colombier. Au loin on entendait de sourds grondements. Des rafales de rumeurs montaient du fond de Paris. Des tocsins s'étaient mis à sonner. Ces bruits d'émeute firent tressaillir Condé. Capestang entrouvrit son manteau et lui montra un pistolet.

– Monseigneur, dit-il, nous allons traverser la fournaise ; il vous sera facile d'appeler à l'aide, et je serai tué. Mais je vous donne ma parole d'honneur que, au premier cri, je vous tue tout d'abord avec ce pistolet qui est un emprunt fait aux armes que vous avez déposées dans l'auberge : ce sera toujours une consolation pour vous.

– C'est bien, monsieur, fit Condé d'une voix sombre et désespérée ; je me suis rendu, je me tairai. Un mot seulement : où me conduisez-vous ?

– Au Louvre ! répondit Capestang. N'ayez pas peur : *je réponds de vous !* ajouta-t-il avec une superbe assurance.

Dès lors, Condé ne dit plus un mot. Il était abattu. Il se sentait la tête vide et le cœur faible. Capestang le tenait solidement par le bras. Ils descendirent vers les rumeurs qui tantôt fusaient en gerbes, tantôt s'affaissaient en murmures menaçants, vers la fournaise d'émeute ; vers Paris.

À partir du carrefour du Vieux-Colombier, ils entrèrent dans la foule. Des bandes de bourgeois armés cheminaient vers le centre en criant : « Vive M. le prince ! » Ces bandes semblaient parfaitement organisées. Les bourgeois criaient aussi aux passants, pour les entraîner : « Les gardes sont avec nous ! Vous allez voir une compagnie de gardes marcher avec nous ! » Condé frémissait. Capestang souriait : ils savaient ce qu'elle était devenue, la compagnie de gardes !

Quelques instants plus tard, ils débouchaient dans la rue Dauphine, et, au bout de la rue, devant le Pont-Neuf. Là, il y avait un barrage de bourgeois armés d'arquebuses qui criaient :

– C'est l'heure ! La compagnie des gardes va arriver ! Nous allons marcher sur le Louvre ! Vive M. le prince ! Vive Condé !

Capestang s'avança vers le pont, pensant qu'il passerait sans difficulté.

– Halte-là ! Qui vive ! crièrent les bourgeois.

– Malédiction ! gronda Capestang en essayant de reculer.

– Halte ! vociférèrent les bourgeois. Halte et répondez. Qui vive !

– Condé ! hurla Capestang.

Le mot jaillit tout seul de ses lèvres crispées. Ce fut un de ces éclairs soudains, imprévus, qui illuminent une situation. Le mot tonna dans sa tête et fit explosion sans qu'il l'eût cherché. En même temps, Capestang harponnait le prince au bras, et, d'un geste rapide, lui montrait son pistolet ! En même temps, il marchait sur les bourgeois et entraînait Condé stupéfait, vacillant, incapable d'un geste ! En même temps, le barrage des bourgeois s'ouvrait ! Les bourgeois criaient :

– Passez, braves gentilshommes ! Vive Condé !

Et tout à coup, parmi eux, ce fut une rumeur, puis des clameurs qui éclatèrent, puis une bousculade pour mieux voir, puis un long hurlement de triomphe :

– Le prince ! – C'est le prince ! – Vive le prince ! – Vive Condé !

– Au Louvre ! hurla Capestang d'une voix de tonnerre.

– Au Louvre ! au Louvre ! Vive le prince ! Condé !

Un bourgeois avait reconnu Condé. Puis deux ! Puis dix ! Et maintenant cette foule armée se rangeait derrière Capestang, qui marchait à grand pas et qui, se penchant vers le prince, murmurait :

– Monseigneur, si vous voulez, nous allons laisser ici tous deux notre peau ! Mais vous d'abord ! Obéissez, monseigneur, ou je vous tue comme un chien. Criez : « Mes amis, au Louvre ! »

– Mes amis ! mes amis ! cria Condé, au Louvre !

– Au Louvre ! Au Louvre ! répéta la voix furieuse et grondante de l'émeute.

Alors s'accomplit cette chose inouïe, fantastique, drame et comédie : Condé prisonnier de Capestang et, malgré lui, conduisant l'émeute ! la conduisant au Louvre ! Les clameurs échevelées battaient des ailes cette foule délirante. Les tocsins sonnaient à toute volée. Condé marcha comme il eût marché à l'échafaud, Capestang se ruait comme en un rêve étrange où il n'était plus lui, où il ne se conduisait plus, où il était mené par la Fatalité.

– Apprêtez les arquebuses ! tonna soudain une voix formidable.

La foule s'arrêta, reflua, recula : elle se trouvait devant la grande porte du Louvre ! Et, en avant de cette porte, dont le pont-levis était baissé, en avant du fossé, deux compagnies de gardes étaient rangées, prêtes à tirer. Le vieux maréchal d'Ornano était là, l'épée à la main, prêt à mourir.

– Vive Condé ! vociféra la foule, qui reculait en grondant comme peut reculer une meute de dogues.

Et déjà le mot de trahison courait parmi les bourgeois. Ils s'étonnaient de voir le Louvre si bien défendu, ils s'étonnaient que Condé fût là tout seul, alors qu'il devait venir à la tête d'une compagnie. Où était cette compagnie promise, attendue, qui devait forcer la porte du Louvre ?

– Monseigneur, criez à ces gens que vous allez parler au roi. Criez-le ou, par le Dieu vivant, vous êtes mort !

Condé se retourna vers la foule. Il était blême. Aux dernières lueurs du jour, le peuple de Paris vit le chef suprême de l'émeute faire un geste désespéré ; et puis on l'entendit balbutier quelques mots dont personne ne saisit le sens. Mais on vit le prince se diriger vers Ornano ! Et avec son instinct des situations dramatiques, le peuple comprit que Condé voulait une dernière fois parlementer avec le roi ! Il y eut une frénétique acclamation de : « Vive Condé ! »

– *Ch'ellu crebbi comm'una castagna* ! gronda le vieux Corse.

Et Ornano levant l'épée, allait ordonner le feu, lorsqu'il vit ces deux gentilshommes qui s'avançaient l'un tenant l'autre par le bras, comme deux amis, comme Castor et Pollux allant au combat.

– Au large, vous deux ! vociféra le maréchal.

Le chevalier fit rapidement trois pas, et, d'une voix éclatante, envoya son nom :

– Capestang !...

– Le mot d'ordre ! murmura le maréchal Ornano. Laissez passer !

Celui que Capestang appelait « le petit Louis treizième » attendait, debout, frémissant, l'oreille aux aguets, tâchant de recueillir ces grondements lointains qui palpitaient dans Paris, et se demandait si chaque seconde qui venait n'était pas celle où la foudre devait tomber sur le Louvre.

Il était seul, avec son médecin, Hérouard, qui parlait pour cacher son trouble, ou peut-être parce que le besoin de pérorer et de dogmatiser l'emportait encore en lui sur la terreur.

– Où est ma mère ? interrompit Louis XIII qui écoutait à peine.

– Sa Majesté la reine est avec ses femmes. Je viens de la saigner. Et d'ailleurs, il y a cent arquebusiers massés dans ses appartements. Je vous disais donc, sire, que les fumées de cette nicotiane dissiperaient peut-être ces humeurs noires qu'on voit à Votre Majesté, car...

– Où est Luynes ? fit Louis XIII d'une voix d'angoisse terrible.

– Sans doute en son hôtel, sire. Cependant, si Votre Majesté préférait être saignée ? Je vous vois bien sombre, sire, et je crois...

Hérouard tirait déjà sa lancette. Le jeune roi se tourna vers lui, et, avec une rage froide :

– Allez au diable, vous, votre nicotiane et votre saignée. Si je dois mourir aujourd'hui, ne puis-je au moins mourir en paix !

Hérouard fit une profonde révérence, rengaina sa lancette, sortit à reculons, et passa dans les antichambres où le capitaine des gardes Vitry avait disposé cinquante arquebusiers prêts à mourir pour le roi et la monarchie.

– Je crois, dit Hérouard à Vitry, que le roi est bien malade : il refuse de se laisser saigner !

– Hérouard, répondit Vitry, je crois bien que d'ici une heure, nous serons tous aussi malades les uns que les autres, et tous plus saignés les uns que les autres...

– Quoi ! balbutia Hérouard. Que se passe-t-il ?

– Oh ! vous êtes donc sourd ! Écoutez, écoutez !

Une rafale de hurlements passait sur le Louvre... le soir tombait... les vastes salles, peu à peu s'emplissaient de ténèbres, et, parmi cette ombre qui envahissait l'immense demeure, on distinguait vaguement dans les antichambres et le long des escaliers les silhouettes des gardes immobiles, appuyées sur leurs arquebuses, attendant le moment de la suprême bataille qui allait se livrer au pied même du trône.

– Seul ! Tout seul ! murmura Louis XIII en se jetant sur un fauteuil.

Il prit sa tête pâle à deux mains et s'enfonça dans une sombre rêverie, essayant maintenant de ne plus entendre ces tocsins qui sonnaient le glas de la monarchie. Il avait près de lui, dressée contre une chaise, son épée nue. Sur le marbre d'une table étaient déposés deux pistolets : le petit roi avait fait lui-même ses préparatifs de défense... et il attendait... et, la tête dans les mains, il songeait :

– Dans une heure, dans quelques minutes, peut-être, tout sera fini ! Le Louvre sera envahi. On mettra la main sur moi ! Oui, mais alors, je tue autant que je puis tuer, et puis je meurs ! Mourir à quinze ans ! Ah ! s'il était là, héros dont le regard me donnait la fièvre de gloire, dont la voix retentissait dans mon cœur comme une trompette de guerre ! Mais voilà, Capestang m'a sauvé la vie, et j'ai insulté Capestang. Il ne reviendra plus. Je suis seul, à jamais seul ! Cette arrestation d'Angoulême n'a fait que précipiter les événements. Par Dieu ! C'est Condé qu'il fallait arrêter ! Puisqu'il triomphe ! Puisque Paris l'acclame ! Oui, c'était Condé, l'ennemi redoutable ! Oh ! j'ai peur de tout ce qui m'entoure ! Peur de Concini, peur de ma mère, peur de Richelieu ! Et ce Condé qui, comme un vautour, va fondre sur moi !

Il redressa la tête. Ses yeux hagards firent le tour de la vaste pièce.

– Peur ! murmura-t-il. À quoi bon avoir peur, puisque je vais mourir ! Allons, montrons-leur que le fils d'Henri IV n'était pas un lâche ! Montrons à l'histoire que Bourbon contre Bourbon, mon écu demeure pur et que celui de Condé doit demeurer éternellement barré de félonie !

À ce moment, dans le Louvre, une rumeur ! Des cris ! Des pas précipités ! Des cliquetis d'armes ! Louis XIII fut debout, d'un bond. Déjà il avait saisi son épée et le petit Louis XIII, l'épée à la main, marcha vers la porte, ferme, raidi, une sorte d'enthousiasme dans les yeux. Et cette porte, d'un geste violent, désespéré, Louis XIII l'ouvrit lui-même !

Et, dans le même instant, il recula, ébloui, frappé de stupeur, avec un grondement de joie terrible, une de ces joies surhumaines qu'on éprouve en s'arrachant au cauchemar de mort, par les nuits de fièvre et d'agonie ! Condé était devant lui ! Condé, pâle, tremblant, humble, effaré de terreur ! Et le chevalier de Capestang, prenant le prince par la main, disait simplement :

– Sire, j'ai l'honneur de vous présenter M. le prince de Condé, qui vient faire sa soumission à Votre Majesté !

Derrière Capestang, Louis XIII, comme un rêve prestigieux, entrevit les vastes salles en enfilade qui, maintenant, s'éclairaient de mille flambeaux. On courait, on accourait, des valets, en hâte, allumaient les lustres, le Louvre s'embrasait comme pour une fête magique ; une cohue se pressait, haletante, avec des physionomies de victoire, et un cri, une clameur faisait trembler le palais dans ses fondations :

– Vive le roi ! Vive le roi ! Vive le roi !

C'était Vitry avec ses gardes, c'était Ornano qui criait que la ville s'apaisait depuis qu'on savait que Condé se rendait au roi ; c'était Richelieu surgi, on ne savait d'où ; c'était Luynes qui apparaissait soudain du fond de quelque pièce retirée ; c'était Concini qui accourait et baisait la main du roi ; c'était Marie de Médicis qui venait se jeter dans les bras de son fils ; c'était une foule de seigneurs que, depuis bien longtemps, on n'avait pas vus ; c'était le prévôt des marchands avec une délégation venant jurer fidélité au roi... C'était Paris, c'était le royaume entier qui, pour la première fois depuis qu'il était roi, venait faire sa cour à Louis XIII. Pendant deux heures, Louis XIII connut l'enivrement de la victoire, la puissante volupté de la flatterie, l'orgueil de penser :

– Je suis le maître de tout cela !

Pendant deux heures, les antichambres retentirent des hurlements frénétiques de : « Vive le roi ! » et ces clameurs se répandaient dans le Louvre ; elles franchissaient ses murs et ses grilles, elles palpitaient dans Paris où les mêmes cloches qui avaient sonné l'appel aux armes et à la révolte sonnaient maintenant le triomphe du roi. Pendant deux heures, le prince de Condé connut l'ivresse de la rage et de l'humiliation, et, parmi les plus empressés à l'accabler de leurs sarcasmes, il reconnut ceux qui, la veille, avaient été les plus âpres à l'aduler et à lui demander des emplois pour le moment où il serait roi !

Enfin, tout ce flot s'écoula. Toute cette tempête de joie s'affaissa comme s'affaissent toutes les tempêtes. Les uns après les autres, les courtisans se retirèrent. Mais Richelieu avait vu Capestang, et il avait pâli ! Mais Concini avait vu Capestang, et il avait fait un signe à Rinaldo !

Sur un dernier geste du roi, tout le monde était sorti du cabinet, excepté Vitry, Ornano, Luynes et Capestang. Louis XIII n'avait pas encore jeté un regard direct au chevalier ; mais dès le premier instant, jusqu'à cette minute, il ne l'avait pas perdu de vue. Le jeune roi marcha à Condé, lui mit sa main sur l'épaule et lui dit :

– Bonjour, mon cousin. Il paraît donc que vous nous vouliez détrôner ?

– Sire, répondit Condé, j'espère que Votre Majesté ne voudra pas humilier un vaincu ?

– Un vaincu ! fit le roi. Oui-dà. Mais cette compagnie de cinquante gardes dont vous menaciez le Louvre, qu'est-elle devenue ?

– Sire, dit Condé avec un sourire livide, elle est prisonnière de monsieur que voici.

Louis XIII ne se retourna pas. Il n'eut pas besoin de se retourner pour comprendre que le geste du prince désignait Capestang. Seulement, il tressaillit et une flamme pétilla dans ses yeux.

– Sire, dit Capestang, monseigneur exagère : les costumes seuls...

– Silence ! interrompit le roi. Eh bien, mon cousin, je ne vous humilierai pas, non. Un Bourbon peut bien tuer un Bourbon comme vous vouliez faire de moi. Mais l'humilier, ventre-saint-gris, comme disait mon père, je passerais mon épée au travers du corps de celui qui voudrait humilier un Bourbon.

Condé tremblait convulsivement. Sa pensée éperdue évoquait l'échafaud, Il voyait Ornano qui le considérait avec un mépris formidable, Il voyait Vitry l'épée à la main. Il voyait le jeune roi qui faisait un terrible effort pour dompter sa fureur. Ces personnages lui apparaissaient à travers un brouillard rouge.

– Donc, reprenait Louis XIII, vous ne vouliez pas m'humilier, vous ?

– Non, sire ! répondit Condé avec le désespoir du condamné.

– Alors vous me vouliez tuer ?

– Non, sire !

– Alors, vous me vouliez déposer de mon trône comme on voulut faire d'Henri III ?

– Non, sire !

Louis XIII souffla fortement. Il était visible qu'il luttait contre la colère qui se déchaînait en lui, et qu'il ne savait peut-être pas comment exprimer. Il regarda Ornano, puis Vitry, puis ramena sur Condé un regard sanglant et, tout à coup, il éclata de rire. Ce fut effrayant. Ce rire funèbre, glacial, dans le sinistre silence du vaste cabinet.

– Oh ! songea Capestang. Mais il va le tuer ! Mais ce n'est pas cela que j'ai voulu, moi ! Mais je ne veux pas qu'on le tue, moi ! Je ne suis pas un pourvoyeur de bourreau, moi !

– Je ne donnerais pas six liards de sa peau ! songeait Vitry.

– *Disgraziata !* (Malheureux !) songeait le maréchal.

Le roi essuya la sueur qui coulait de son front. Habitué à vivre seul, replié sur lui-même, se défiant de tout et de tous, déjà il faisait l'apprentissage de la dissimulation qui est d'ailleurs la qualité maîtresse des rois en particulier et de tous les gouvernants en général.

– Mon cousin, dit-il de cette voix hésitante qui lui était particulière, je veux vous régaler d'une historiette que bien peu de personnes savent et que je tiens, moi, de M. d'Ornano, ici présent. Vous saurez donc que le maréchal de Joyeuse accompagnait mon père dans le voyage qu'il fit à Rouen. Vous n'ignorez pas que Joyeuse avait été capucin, puis, ayant quitté son couvent, qu'il était devenu un des chefs de la Ligue. Je veux vous apprendre qu'il ne rentra dans son devoir qu'en stipulant par traité secret qu'il aurait le bâton de maréchal. Étant donc devenu maréchal de cette façon-là, il vint à Rouen avec Henri IV et, comme les peuples accouraient en foule pour voir ce grand roi, mon père dit à Joyeuse qui se trouvait près de lui en justaucorps de broderie d'or : « Monsieur le maréchal, quel sujet pensez-vous qu'aient ces peuples de quitter leur travail pour venir ici perdre leur temps ? – Ils viennent, répondit Joyeuse, admirer Votre Majesté. – Vous vous trompez, reprit le roi mon père ; s'il y a quelque chose ici qui fasse le sujet de leur admiration, c'est bien plutôt de voir un capucin si doré... » Or, mon cousin, savez-vous ce que fit Joyeuse ?

– J'attends que Votre Majesté me l'apprenne, dit Condé qui commençait à respirer.

– Eh bien, il quitta tout aussitôt la compagnie où il se trouvait, rentra tout d'un galop dans son couvent de capucins et il n'en sortit plus, bien que le pape eût transformé ses vœux en ceux de chevalier de Malte.

– Eh bien, sire ! fit Condé repris d'une sourde inquiétude.

– Eh bien, dit Louis XIII avec un sourire terrible, nous avons à Paris les Capucins, les Carmes, les Dominicains, les Cordeliers, les Franciscains, les Bénédictins, les Augustins et les Augustins-déchaussés, les Hospitaliers, les Convertis, les Récollets, les Jacobins, les Génovéfins, les Mathurins, les Feuillants, les Bonshommes, les Lazaristes, pères blancs, pères noirs, pères barrés, j'en passe, une multitude de maisons pieuses dans l'une desquelles, à votre choix, vous pourrez, pareil à Joyeuse, méditer jusqu'à la fin de votre vie !

– Entrer au couvent ! gronda Condé. Moi, frocard ! Jamais, sire, jamais !

Le sourire de Louis XIII se fit plus aigu.

– En ce cas, reprit-il, je vous dis : *Choisissez, le couvent ou la Bastille !*

Condé frissonna longuement. Ses mains, vaguement, se tendirent dans un geste de supplication. Ornano mordait sa moustache. Luynes demeurait impassible. Capestang frémissait et grondait en lui-même :

– Mort de tous les diables ! qu'ai-je fait là ! Pourvoyeur de bourreau ou de Bastille, c'est tout un ! Ah ! misérable capitan ! misérable fanfaron ! Pour le plaisir d'amener ici le chef de l'émeute en traversant Paris en émeute, je me suis fait sbire ! Je suis déshonoré !

– Sire, balbutia Condé...

– Le couvent ou la Bastille ! rugit Louis XIII.

Condé se redressa violemment. Une lueur de courage de sa race l'illumina. Il se tourna vers Capestang.

– Voilà comment vous répondiez de moi ! dit-il. Puis, regardant le roi en face : Prison pour prison ! gronda-t-il. Personne ne pourra se vanter d'avoir vu un Bourbon frocard !

Louis XIII attendait ce cri. Haletant, il se tourna vers Vitry et, d'une voix terrible :

– Capitaine, arrêtez le prince !

– Votre épée, monseigneur ! dit Vitry, avançant de deux pas.

FIN DU TOME PREMIER

Milton Keynes UK
Ingram Content Group UK Ltd.
UKHW031819131023
430526UK00009B/359